Formanek, Jaroslav; Knop, J.

Untersuchung und Nachweis organischer Farbstoffe auf spektroskopischem Wege

2. Teil

Formanek, Jaroslav; Knop, J.

Untersuchung und Nachweis organischer Farbstoffe auf spektroskopischem Wege

2. Teil

Inktank publishing, 2018

www.inktank-publishing.com

ISBN/EAN: 9783747749760

Untersuchung und Nachweis organischer Farbstoffe auf spektroskopischem Wege

Von

Professor Dr. J. Formánek in Prag und Professor Dr. J. Knop in Brünn

Zweite, vollständig umgearbeitete und vermehrte Auflage

Zweiter Teil

3. Lieferung

Mit 41 Textfiguren und 12 Tafeln

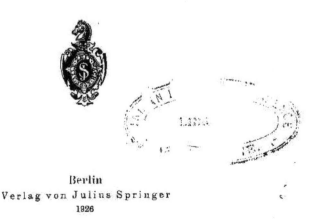

Berlin
Verlag von Julius Springer
1926

Vorwort zur dritten Lieferung.

Die Ausgabe dieser Lieferung hat sich verspätet durch den langen Krieg und durch meine schwere Krankheit, außerdem mußte eine sehr große Anzahl von Farbstoffen nicht nur im sichtbaren, sondern auch im unsichtbaren Teile des Spektrums durchgeforscht werden.

Die Ausprobierung von verschiedenen photographischen Apparaturen und der geeignetsten photographischen Methode zur Aufnahme von Absorptionsspektren, dann die Herstellung und Ausmessung vieler Photographien nahm ebenfalls viel Zeit in Anspruch. Hoffentlich wird nun die letzte Lieferung tunlichst bald folgen.

Herrn Prof. Dr. E. Grandmougin ist es leider nicht mehr möglich, sich an der weiteren Bearbeitung des Werkes zu beteiligen; glücklicherweise habe ich in meinem früheren Assistenten, Herrn Prof. Dr. J. Knop einen tüchtigen Mitarbeiter gefunden, der mich in dieser schwierigen Arbeit kräftig unterstützt.

Sämtlichen Farbstoffabriken, welche mir in entgegenkommendster Weise stets die Farbstoffmuster zur Verfügung stellen und mich auch in jeder anderen Hinsicht unterstützen, gestatte mir meinen besten Dank auszusprechen, ebenso allen optischen Anstalten, welche zu dem Werke kostenlos die nötigen Klischees geliefert haben.

Bei Bearbeitung einer Unmenge von Farbstoffen kann es geschehen, daß in dem Werke trotz sorgfältigster Arbeit mitunter Fehler vorkommen können; ich werde daher meinen verehrten Fachgenossen dankbar sein, wenn sie mich auf eventuelle Mängel aufmerksam machen.

Prag, im Dezember 1925.

Formánek.

Inhaltsverzeichnis.

Gelbe Farbstoffe.

Einteilung der gelben Farbstoffe in Gruppen.

In diese Abteilung gehören solche Farbstoffe, welche in Wasser, Äthyl- oder Amylalkohol gelöst oder mit einem Lösungsmittel von der Faser, von einem Gegenstande usw. abgezogen, rein gelbe, orangegelbe, rötlichgelbe oder grünlichgelbe bzw. braune Lösungen geben. Manche Farbstofflösungen zeigen eine grüne Fluoreszenz und diese Fluoreszenz ist mitunter von dem angewandten Lösungsmittel abhängig (siehe Band I, S. 97, 179, 185, 190 und 207).

Die große Gruppe der gelben Farbstoffe zerfällt in die neun folgenden kleineren Gruppen und mehrere Untergruppen (siehe Tafel VI und VIa).

Gruppe I. In diese Gruppe gehören jene Farbstoffe, deren entsprechend verdünnte wässerige, äthyl- und amylalkoholische Lösungen nur ein symmetrisches Absorptionsband liefern (siehe Tafel VI, Zeile 1).

Diese Gruppe bilden hauptsächlich Akridinfarbstoffe, eine kleinere Anzahl von Azofarbstoffen und Chinolingelb.

Gruppe II. Diese Gruppe bilden jene Farbstoffe, deren entsprechend verdünnte wässerige, äthyl- und amylalkoholische Lösungen ein Absorptionsspektrum liefern, welches aus einem stärkeren Streifen (Hauptstreifen) und einem schwächeren Streifen (Nebenstreifen) rechts besteht (Tafel VI, Zeile 2).

Hierher gehören einige Akridin- und Azofarbstoffe und ferner Farbstoffe der Fluoreszeingruppe.

Gruppe III. Diese Gruppe bilden jene Farbstoffe, deren entsprechend verdünnte wässerige, äthyl- und amylalkoholische bzw. auch essigsaure Lösungen ein Absorptionsspektrum, bestehend aus zwei Streifen, liefern, und zwar aus einem stärkeren symmetrischen Streifen (Hauptstreifen) und einem schwächeren symmetrischen Streifen (Nebenstreifen) links (Tafel VI, Zeile 3).

Die Farbstoffe dieser Gruppe gehören zu der Klasse der Azofarbstoffe.

Gruppe III a. In diese Gruppe gehören solche Farbstoffe, deren entsprechend verdünnte wässerige Lösungen neben einem stärkeren symmetrischen Absorptionsstreifen (Hauptstreifen) einen schwächeren symmetrischen Absorptionsstreifen (Nebenstreifen) links liefern. Äthyl- und amylalkoholische Lösungen geben jedoch zwei symmetrische, gleichstarke bezw. fast gleich starke Absorptionsstreifen (Tafel VI, Zeile 4 und 5).

Um die rotviolette ursprüngliche Farbe der Lösung mit drei Absorptionsstreifen im Spektrum wieder zum Erscheinen zu bringen, muß man wieder weitere Mengen von Kalilauge zusetzen.

Bei der spektroskopischen Untersuchung solcher Farbstoffe, welche mehrere Hydroxylgruppen enthalten, ist diese Erscheinung zu berücksichtigen, um einen Irrtum bei der Feststellung des betreffenden Farbstoffes zu vermeiden. Andererseits kann ein sehr großer Überschuß der Kalilauge wieder bei einigen Farbstoffen bewirken, daß die violette Farbe der Lösung in die rote Farbe übergeht, und die Absorptionsstreifen verwaschen erscheinen. Diese rote Verfärbung ist aber mit der durch Spuren von Alkali erzeugten roten Farbe nicht identisch, auch die Absorptionsspektra solcher stark alkalischer Lösungen sind ganz verschieden. Dieser Umstand wird in den Tabellen bei einzelnen Farbstoffen berücksichtigt.

Gruppe VIII. In diese Gruppe gehören jene Farbstoffe, deren wässerige, äthyl- und amylalkoholische Lösungen nur eine einseitige Absorption im Violett geben und sich nach Zusatz von Salzsäure entfärben (Tafel VIa, Zeile 10).

Hierher gehören hauptsächlich Nitrofarbstoffe.

Gruppe IX. Diese Gruppe bilden solche Farbstoffe, deren wässerige, äthyl- und amylalkoholische Lösungen eine einseitige Absorption im Violett zeigen und sich nach Zusatz von Kalilauge entfärben (Tafel VIa, Zeile 11).

Hierher gehören die Farbstoffe der Auramingruppe, Flavindulingruppe und Primulingruppe, ferner auch einige Azofarbstoffe.

Erläuterungen zu den Tabellen und Tafeln.

In den Tabellen der gelben Farbstoffen werden verschiedene Ziffertypen angewandt, um damit ungefähr die relative Intensität der Absorptionsstreifen auszudrücken. Dadurch kann man sich annähernd ein Bild über die Stärke der einzelnen Absorptionsstreifen machen. Das Wort „ungefähr“ bei den Wellenlängenzahlen bedeutet, daß die Absorptionsstreifen verwaschen sind und ihre Dunkelheitsmaxima nur annähernd bestimmt werden konnten.

Das Fragezeichen neben den Wellenlängenzahlen bedeutet, daß der Absorptionsstreifen entweder so schwach ist, daß die Feststellung seines Dunkelheitsmaximums unsicher ist, oder daß es fraglich ist, ob ein wirklicher Absorptionsstreifen überhaupt vorhanden ist, da manchmal ein mit dem starken Streifen verbundener Schatten den Eindruck eines selbständigen Absorptionsstreifens macht.

Die Tabellen sind in drei Abteilungen geteilt: die erste Abteilung enthält nähere Angaben über einzelne Farbstoffe, deren Absorptionsstreifen sich genau oder ziemlich genau messen lassen, in der zweiten Abteilung der Tabellen werden gelbe Farbstoffe angeführt, deren Absorptionsstreifen sich bloß in Schwefelsäurelösung messen lassen, in der dritten Abteilung der Tabellen sind solche gelbe Farbstoffe angeführt, deren Absorptionsstreifen sich hauptsächlich erst im Ultraviolett befinden; sie sind auch nach ihren Gruppen und Wellenlängen geordnet.

Die Absorptionsspektra der Farbstoffe sind wie in den vorigen Lieferungen nach ihren abnehmenden Wellenlängen geordnet, wobei der Hauptstreifen als Grundlage genommen wird.

Die in den Tabellen in einer und derselben Spalte angeführten Farbstoffe, welche ein gleiches Spektrum aufweisen, müssen nicht chemisch identisch sein. Es kann namentlich bei den konstitutiv sehr nahen Farbstoffen, deren Absorptionsstreifen sich fast an der Grenze des sichtbaren Spektrums befinden, vorkommen, daß ihre Absorptionsspektra nur so geringe Unterschiede in den Wellenlängen aufweisen, daß sie spektralanalytisch identisch zu sein scheinen, da ihre Lage nicht mit einer solchen Genauigkeit festgestellt werden kann wie die der Linienspektren (siehe I. Teil S. 10).

Die qualitative spektroskopische Identität der Farbstoffe zeigt jedoch, wenn nicht vollständig gleiche, so doch eine sehr nahe verwandte chemische Konstitution an, wie es z. B. bei den Chinolingelb- und Kitongelbmarken der Fall ist.

Die Farbstoffe, deren Absorptionsspektren in den Tafeln XV–XXIV abgebildet sind, werden im ersten und dritten Teile der Tabellen mit einem Stern bezeichnet.

In der Tafel XX findet man Emissionsspektren verschiedener Lichtquellen für das Ultraviolett.

Die photographischen Aufnahmen der Farbstoffe im Ultraviolett findet man in den Tafeln XX–XXIV am Schlusse dieses Bandes; sie beziehen sich auf wässerige Lösungen in drei zunehmenden Konzentrationen 1 : 20000, 1 : 10000 und 1 : 5000, wobei die Schichtendicke der Lösung bei einzelnen Aufnahmen 10 mm betrug. Als Lichtquelle wurde der kondensierte Uran-Molybdänfunke angewandt; die Expositionszeit betrug 30 Sekunden. Sämtliche Aufnahmen wurden mit gewöhnlichen Bromsilbergelatineplatten von Empfindlichkeit bis zu etwa 500 $\mu\mu$ vorgenommen und ungefähr dreimal vergrößert. Die wirkliche Größe der Absorptionsspektren ist aus der Fig. 35 (Seite 408) ersichtlich.

Viele braune Farbstoffe lassen sich durch die spektroskopische Methode oft nur schwierig oder überhaupt nicht bestimmen, weil sie meistens ganz verschwommene Absorptionsstreifen liefern, indem sie komplizierte chemische Zusammensetzung haben, oder farbige Zwischenprodukte enthalten, bzw. behufs der Nuancierung mit anderen Farbstoffen gemischt sind. In manchen Fällen kann man die Absorptionsspektra von solchen Farbstoffen mitunter in schwefelsaurer Lösung annähernd feststellen; diese Farbstoffe sind in der zweiten Abteilung der Tabellen angeführt.

Die Untersuchung mancher gelben Farbstoffe mit dem Prismenspektroskop macht dem ungeschulten Beobachter gewisse Schwierigkeiten, weil das violette Feld des Spektrums infolge wachsender Dispersion bedeutend ausgedehnt ist und dadurch die Absorptionsstreifen mitunter breit und ziemlich verschwommen erscheinen; dagegen im Gitterspektroskop, wo das violette Feld bedeutend schmäler ist, erscheinen die Absorptionsstreifen derselben Farbstoffe schärfer. Auch spielt dabei eine wichtige Rolle der Umstand, daß das Auge für die violetten Strahlen weniger empfindlich ist. Es empfiehlt sich daher, bei der Untersuchung der gelben Farbstoffe eine stärkere Lichtquelle zu benützen, um das violette Gebiet des Spektrums genügend lichtstark zu bekommen (vgl. auch I. Teil, S. 36 und II. Teil, S. 3).

Wenn man zur Beleuchtung des Spaltes die Nernstlampe verwendet, so empfiehlt es sich, zwischen die Lampe und das Kolimator eine schwach matierte, wenn nötig, mit etwas Öl bestrichene Glasscheibe zu stellen, um das zu starke Licht je nach Bedarf zu mildern.

Was die Justierung des Spektroskopes, die Beleuchtung des Spaltes und die Vorbereitung der Farbstofflösungen zur Untersuchung anbelangt, so verweisen wir auf S. 33 usw. des I. Teiles dieses Werkes.

Der übliche Eprouvettenhalter mit dem Stativ hat den Nachteil, daß man die richtige mittlere Stellung und Entfernung der Eprouvette von dem Kolimatorspalte erst probeweise finden muß, was aber umständlich

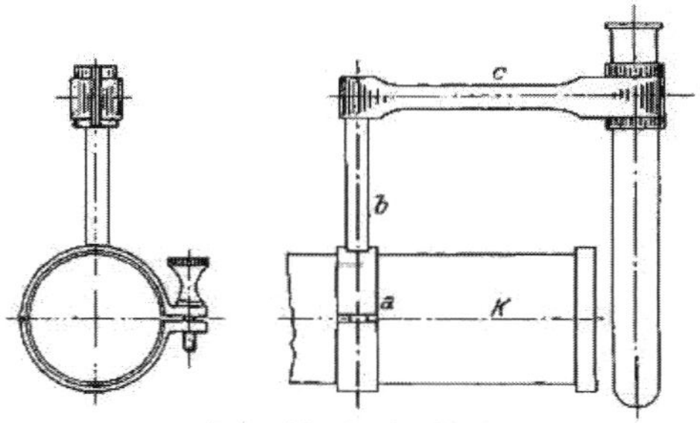

Fig. 4. Eprouvettenhalter.

ist, namentlich, wenn man mit einem längeren Gitterspektroskop mit gerader Durchsicht arbeitet.

Formánek hat diesen Nachteil durch eine einfache Konstruktion eines Halters ohne Stativ beseitigt.

Dieser Halter (Fig. 4) besteht aus einem mit weichem Tuche ausgekleideten Metallring *a* von demselben Durchmesser wie das Kolimatorrohr, der mit Scharnier und Klemmschraube versehen ist; an dem Ringe ist ein Metallstäbchen b von etwa 45 mm Länge befestigt. Dieses Stäbchen trägt eine etwa 90 mm lange federnde Klemme *c*.

Der Eprouvettenhalter wird auf das Kolimatorrohr K in vertikaler Richtung so angebracht, daß die Eprouvette von dem Spalte etwa 3 mm entfernt ist.

Beim Arbeiten schiebt man die Eprouvette in die federnde Klemme ein, wodurch sie stets genau dieselbe vertikale mittlere Stellung gegen den Spalt behält; diese Stellung muß daher nicht erst durch Hin- und Herschiebung des Statives gesucht werden.

Über die Bestimmung der Absorption von gelben Farbstoffen im Ultraviolett[1]).

Außer den Farbstoffen, welche in einer neutralen, sauren oder alkalischen Lösung sichtbare Absorptionsstreifen geben, gibt es viele gelbe Farbstoffe, deren Lösungen auch nach Zusatz von Reagentien keine deutliche Absorptionsstreifen, sondern nur eine einseitige Absorption im sichtbaren violetten Teile des Spektrums zeigen; diese Farbstoffe können daher in üblicher Weise spektroskopisch nicht festgestellt werden.

Nun ist aber bekannt, daß farblose als auch farbige organische Verbindungen im unsichtbaren ultravioletten und ultraroten Teile des Spektrums sehr oft ausgeprägte Absorptionsspektra geben.

Unser Auge ist für die violetten Lichtstrahlen nur wenig empfindlich und dadurch wird eine genaue Messung der Absorptionsstreifen in diesem Spektralgebiete um so schwieriger, je näher sich die Absorptionsstreifen der farbigen Lösungen dem ultravioletten Teile (etwa von 400 $\mu\mu$ ab) nähern. Im Ultraviolett, für welches unser Auge überhaupt unempfindlich ist, ist eine objektive Beobachtung der Absorption mit bloßem Auge ohne besondere Hilfsmittel unmöglich.

Man kann aber die unsichtbaren ultravioletten Strahlen mit Hilfe des von L. Soret erfundenen fluoreszierenden Okulares (Fig. 5) sichtbar machen; dieses Okular ist in dem Brennpunkt des Objektives, also dort, wo sich bei den gewöhnlichen Okularen das Fadenkreuz befindet, mit einer durchsichtigen, fluoreszierenden Uranglasplatte F oder mit einer fluoreszierenden Flüssigkeit[2]) zwischen zwei sehr dünnen, voneinander 1—1,5 mm entfernten Glas- bzw. Quarzplatten versehen. Diese Platte fluoresziert unter dem Einflusse der ultravioletten Licht-

---

[1]) Über die Absorption im Ultraviolett, über die dazu bezüglichen Apparate und Methodik siehe ferner:
Kayser, H. und H. Konen: Handbuch der Spektroskopie. Bd. I (Apparate und Methoden), Bd. III (Absorption).
Konen, H.: Lehrbuch der Spektroskopie.
Baly, E. C. C.: Spektroskopie (deutsche Ausgabe von R. Wachsmuth).
Konen, H.: Spektroskopie. Handbuch der Arbeitsmethoden in der anorganischen Chemie (herausgegeben von A. Stähler).
Urbain, G.: Einführung in die Spektrochemie (deutsche Ausgabe von U. Meyer).
Baur, E.: Abriß der Spektroskopie und Kolorimetrie.
Schaum, K.: Photochemie und Photographie.
Uhler, H. und R. W. Wood: Atlas of Absorptionsspektra, Carnegie-Institution.
Eder, J. M.: Die Photographie bei künstlichem Licht, Spektrumphotographie, Aktinometrie.
Plotnikov, J.: Photochemische Versuchstechnik.
Henrich, F.: Theorien der organischen Chemie.
Löwe, F.: Spektroskopie im Laboratorium und Betriebe. C. Zeiß. Mess. 400. (Sonderabdruck aus Chem.-Ztg. 1922.)
Ley, H.: Die Beziehungen zwischen Farbe und Konstitution bei organischen Verbindungen.
Formánek, J.: Qualitative Spektralanalyse anorganischer und organischer Körper. Berlin 1905.
Zeitschrift für wissenschaftliche Photographie, Photophysik und Photochemie.

[2]) Als fluoreszier[illegible] wurde von Soret eine Lösung von schwefelsaurem Chinin oder [illegible]

strahlen und macht somit diese sonst unsichtbaren Strahlen unserem Auge wahrnehmbar. Damit die Lichtstrahlen des sichtbaren Spektrums die Beobachtung nicht stören, wird das Okular gegen die Achse des Fernrohrs in einem Winkel von 45° gestellt.

Die Beobachtung mit dem fluoreszierenden Okular ist aber wegen der ziemlich geringen Intensität des Fluoreszenzlichtes schwierig und ermüdend, so daß es nur eine sehr beschränkte Anwendung findet, hauptsächlich aus dem Grunde, daß die ultravioletten Strahlen durch ihre chemische Wirkung auf die photographische Platte dem Auge bequem sichtbar gemacht werden können. Bei Anwendung eines spektrographischen Apparates, wo unser Auge durch photographische Kamera ersetzt wird, wird der violette und der ultraviolette Teil des Spektrums der Beobachtung zugänglich und zwar bei Benützung einer gewöhnlichen Bromsilbergelatineplatte bis zu den Wellenlängen 220—200 $\mu\mu$.

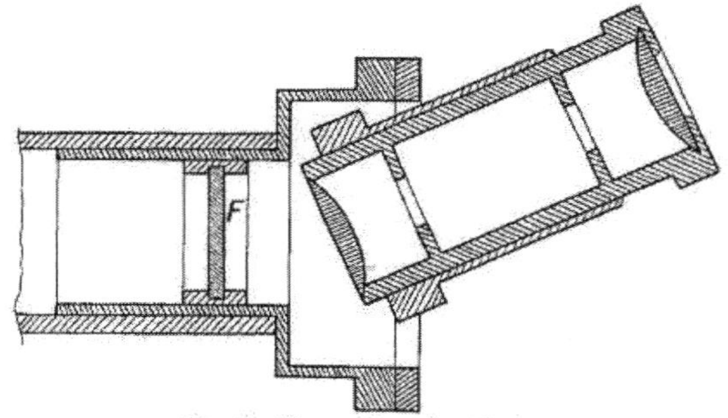

Fig. 5. Fluoreszierendes Okular.

Die photographische Aufnahme der Spektren hat auch den besonderen Vorteil, daß die fertige Spektralplatte einen ständigen Beweis für die Zukunft bildet und jederzeit nachgeprüft werden kann, während die okulare Beobachtung als eine subjektive Untersuchungsmethode leicht, namentlich bei einem minder geschulten Beobachter, mit gewissen Fehlern verbunden ist. Die okulare Beobachtung behält jedoch für das Studium der Absorptionsspektra im sichtbaren Gebiete des Spektrums ihren vollen Wert, denn für die Beurteilung der Maxima der Absorption in diesem Gebiete besitzt unser Auge entschieden eine größere Empfindlichkeit als photographische Platte[1]), welche außerdem noch sensibiliert werden muß, falls es sich nicht bloß um den blauvioletten Teil des Spektrums handelt.

Die Absorptionsbestimmungen im ultravioletten Bereich des Spektrums haben eine große Bedeutung für die Theorie der Farbstoffe, nachdem

[1]) Siehe Podestà: Physiologische Farbenlehre. S. 54. (Ostwald, W.: Farbenlehre IV. Band, Leipzig 1922.) — Willstätter-Stoll: Untersuchungen über Chlorophyll. S. 417. Berlin 1913.

ein bestimmter Zusammenhang zwischen der Lichtabsorption der Farbstoffe und ihrer chemischen Konstitution besteht[1]; ferner steht die Lichtempfindlichkeit der Farbstoffe in einem direkten Verhältnisse zu ihrer Absorptionsfähigkeit im Ultraviolett.

In diesem Werke wird die Bestimmung der Absorption von gelben Farbstoffen, deren Absorptionsstreifen im Ultraviolett liegen, nur von analytischem Standpunkte behandelt, weil es sich nicht um Erforschung ihrer chemischen Konstitution, sondern um ihre Charakterisierung und Bestimmung handelt. Es wird daher auch die quantitative Bestimmung der Absorption im Ultraviolett, wie sie mit Hilfe des Photometers auf photographischem Wege, oder durch quantitative Messung der Wärmeenergie mit dem Bolometer oder mit der Thermosäule nach der Methode von Pflüger[2] ausgeführt wird, in diesem Werke später behandelt werden.

Für möglichst rasche Feststellung der Handelsfarbstoffe, die ja meistens keine chemisch reine Verbindungen sind, erscheint zweckmäßig zuerst, nur ihre Absorptionsmaxima festzustellen, also die von Formánek für das sichtbare Gebiet ausgearbeitete Methode in den ultravioletten Teil zu übertragen.

Die Untersuchungen im Ultraviolett lassen sich nicht mit so einfachen Mitteln wie die okularen Bestimmungen ausführen, auch die Arbeitsweise ist gewissermaßen umständlicher, aber gar nicht so mühsam, wie man es sich in den Chemikerkreisen vielfach noch vorstellt. Wir waren bemüht, diese Arbeitsweise wie möglich zu vereinfachen und die allgemeine spektrographische Methode dem speziellen Charakter der Farbstoffuntersuchung anzupassen.

Spektrographische Apparate.

Zu den Untersuchungen im ultravioletten Bereiche des Spektrums lassen sich nur solche Spektrographen anwenden, bei welchen die gesamte Optik, Prismen und Linsen, aus einem solchen Material hergestellt ist, welches eine genügende Durchlässigkeit für die ultravioletten Strahlen gewährt. Ein solches Material ist Quarz oder Flußspat, weniger geeignet ist das von Schott und Genossen in Jena hergestellte Uviolglas, welches für die ultravioletten Strahlen nur bis zu etwa 250 $\mu\mu$ durchlässig ist.

Was die Schärfe der photographischen Abbildung der Spektren anbetrifft, so muß berücksichtigt werden, daß die Brennweite der ultravioletten Strahlen kürzer ist als die der violetten und blauen Strahlen; die Bilder der Strahlen von verschiedener Wellenlänge liegen hinter dem Objektiv nicht in einer Ebene, sondern sie bilden eine Kurve, die man „Diakaustik" nennt. Der Grund liegt eben darin, daß die Brennweite der Strahlen von verschiedener Wellenlänge auch verschieden ist.

Bei der Konstruktion der Spektrographen verfertigt man daher die photographische Kamera derart, daß die Kassette schief gegen die

[1] Siehe I. Teil S. 40ff.

[2] Kayser: Handbuch der Spektroskopie III. Band, Kapitel „Quantitative Messung der Absorption in Ultraviolett".

Richtung der Strahlen steht und zwar so, daß derjenige Teil der Platte, welcher von den ultravioletten Strahlen betroffen wird, dem Objektive der Kamera näher gestellt wird als derjenige Teil der Platte, auf welchem die Abbildung der violetten und blauen Strahlen erfolgt (siehe Fig. 6, wo $d\,d_1$ die Diakaustik, $a\,b$ die Ebene der photographischen Platte bedeutet). Nachdem aber auch bei dieser Anordnung die ebene Platte sich nicht genau mit der Kurvenform der Diakaustik deckt, so kann das Spektrum nicht ganz scharf in seiner ganzen Ausdehnung photographiert werden und man muß bei ganz genauen Arbeiten für verschiedene Teile des Spektrums immer eine neue Einstellung des Apparates vornehmen. Um diesen Übelstand zu vermeiden, werden die Kassetten der Spektrographen entweder so ausgeführt, daß die photographische Platte nach dem Einlegen in die Kassette leicht verbogen wird und somit sich die Platte der Form der Diakaustik anpaßt oder es werden statt der einfachen Linsen aus Quarz für den Kollimator und das Objektiv „achromatische Linsen" verwendet (z. B. Quarz-Fluorit-Achromaten von Zeiß), bei deren Anwendung die Brennweite der verschiedenen Lichtstrahlen fast in einer Ebene liegt[1].

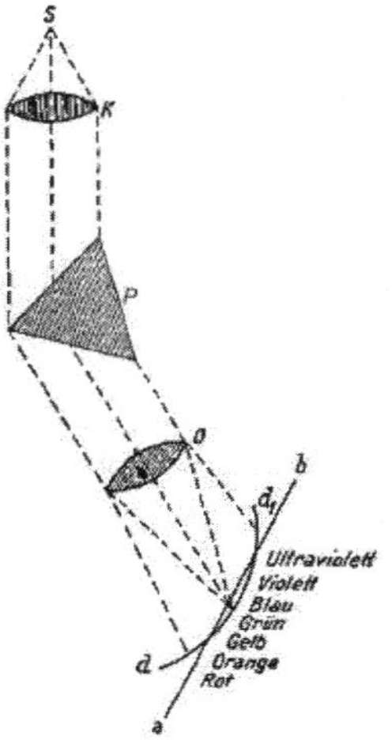

Fig. 6. Diakaustik.

Bei der Untersuchung von Farbstoffen, bei denen im allgemeinen nur das Gebiet von etwa 400—250 $\mu\mu$ in Betracht kommt, kann man die gewöhnlichen Quarzspektrographen, welche nicht mit achromatischen Linsen ausgerüstet sind, auch bei Anwendung der ebenen Kassette ganz gut gebrauchen, wenn man den Spektralapparat nur so einstellt, daß etwa die Mitte des in diesem Falle untersuchten Spektralgebietes, etwa bei 300 $\mu\mu$ scharf abgebildet wird. Es sind zwar die von dieser Mittelstelle mehr entfernten Teile des Spektrums etwas verwaschen, es lassen sich aber die Absorptionsmessungen auch an solchen Stellen mit einer für den vorliegenden Zweck hinreichenden Genauigkeit durchführen.

In den nachfolgenden Kapiteln werden spektrographische Apparate zur Untersuchung der gelben Farbstoffe im Ultraviolett, welche mit Quarz- bzw. mit Quarzfluoritlinsen ausgerüstet sind und die photographische Aufnahme des Spektrums bis etwa zu 185 $\mu\mu$ gestatten, ferner die dazu nötigen Hilfsapparate und dann deren Handhabung näher beschrieben.

Von den zahlreichen Konstruktionen der Spektrographen werden hier nur die der größten und bewährtesten Firmen behandelt.

[1]) Bei den lichtstarken einfachen Quarzlinsen wird auch, um größere Schärfe der Bilder zu erzielen, eine Fläche derselben nicht als Kugelfläche, sondern als eine nach bestimmten Regeln gekrümmte Fläche geschliffen.

Zu den praktischen Untersuchungen sind wohl solche Quarzspektrographen am besten geeignet, welche sich auf eine einfache Art und Weise zu einem Spektroskop zur okularen Beobachtung umstalten lassen, wodurch man denselben Apparat auch zur Untersuchung von Farbstoffspektren im sichtbaren Teile des Spektrums verwenden kann.

Spektrographen der Firma Carl Zeiß in Jena.

a) Spektrograph mit Teilkreis.

Dieser Spektrograph (siehe Fig. 7) ist ein vielseitig verwendbarer spektroskopischer Apparat, da derselbe für das ultraviolette und sichtbare Spektrum als Spektrograph, zugleich aber auch als Spektrometer

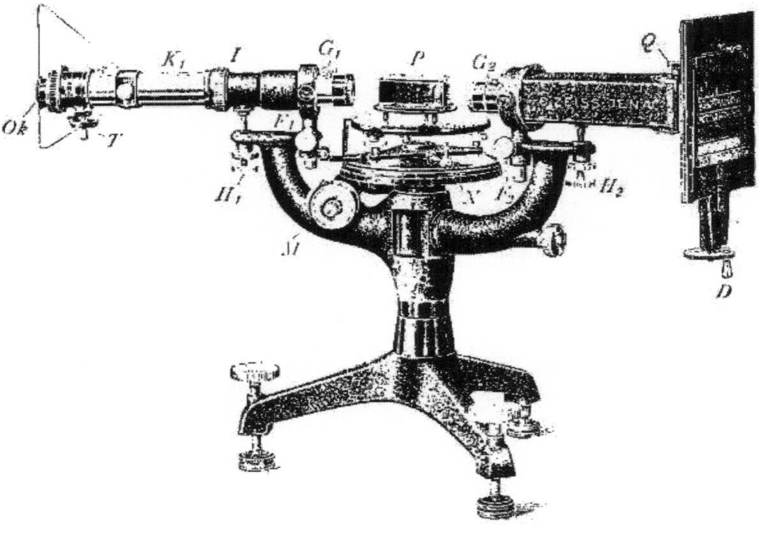

Fig. 7.

für okulare Messungen gebraucht werden kann. Er ist nach dem vom Jahre 1894 stammenden Autokollimationsspektroskop nach Pulfrich konstruiert worden[1]).

Für die photographische Aufnahme des Spektrums im Ultraviolett wird der Apparat mit Cornuprisma und Quarzfluoritachromaten aus-

[1]) Siehe Pulfrich: Über eine neue Spektroskopkonstruktion. Zeitschr. f. Instrumentenkunde **14**, S. 354 (1894).

gerüstet; das etwa 30 mm lange Spektrum für das Intervall von 500 $\mu\mu$ bis 220 $\mu\mu$ gestattet bei dem Ausmessen die 20—25fache Vergrößerung, da die Schärfe der Linien ausgezeichnet ist. Bei Benützung eines Meßmikroskopes kann man die Lage der Spektrallinien zwischen 500—450 $\mu\mu$ mit einer Genauigkeit von 0,2—0,1 $\mu\mu$, zwischen 350—300 $\mu\mu$ mit einer Genauigkeit von 0,1—0,05 $\mu\mu$ und zwischen 300—250 $\mu\mu$ genau auf 0,05 $\mu\mu$ bis 0,02 $\mu\mu$ ermitteln.

Die Metallkamera, welche mit wenigen Handgriffen aufgesetzt oder abgenommen werden kann, ist für wenigstens zehn Aufnahmen auf derselben Platte eingerichtet.

Die Kassette paßt für das Plattenformat 6 × 9 cm oder $6^1/_2$ × 9 cm. Das Kollimatorrohr ist mit zwei Spaltfenstern, einem rechts und einem links versehen, wodurch ermöglicht wird, zwei verschiedene dicht übereinanderliegende Spektra zu vergleichen.

Der Spektrograph kann unter Anwendung eines 60° Flintprismas oder eines schwachen Gitters mit 3600 Strichen auf einen Zoll zur Photographie des sichtbaren Spektrums mit mäßiger Dispersion verwendet werden; für genaue Untersuchungen des sichtbaren Spektrums, also wenn größere Dispersion erwünscht ist, wird als Dispersionssystem entweder das dreiteilige Rutherfordsche Prisma oder ein starkes Gitter (amerikanische Kontaktkopie mit 15000 Strichen auf einen Zoll) benutzt.

Der Spektrograph kann nach Abnehmen der Kamera als Autokollimationsspektroskop zur okularen Beobachtung der Emissions- oder der Absorptionsspektren dienen, wobei entweder ein an der Rückseite versilbertes Flintprisma von 30° oder ein zweiteiliges, ebenfalls an der Rückseite versilbertes Rutherfordsches Prisma verwendet wird.

Dieses Prisma eignet sich wegen seiner hohen Dispersion vortrefflich für die Beobachtung der Emissionsspektren; für die Beobachtung der Absorptionsspektren ist es weniger gut geeignet, denn die schwachen Absorptionsstreifen werden undeutlich und verschwommen. In diesem Falle empfiehlt es sich, den Apparat mit einem an der Rückseite versilberten Boro-Silikat-Kron-Prisma zu versehen, wodurch das sichtbare Spektrum wegen der sehr kleinen Dispersion verhältnismäßig kurz erscheint und die Streifen schmal und sehr deutlich erscheinen.

b) Gitterspektroskop mit Kamera.

Das in diesem Werke beschriebene Gitterspektroskop für die Untersuchung von Farbstoffen (I. Teil, S. 33) wurde von der Firma Zeiß als Spektrograph für das sichtbare Gebiet mit Gitter oder mit Rutherfordschem Prisma, als Spektrograph für das ultraviolette Gebiet mit Quarzprisma nach Cornu ausgebildet (siehe Fig. 8).

Will man im Ultraviolett photographische Aufnahmen vornehmen, so müssen die Glaslinsen gegen Achromate aus Quarz ausgewechselt werden. Dieser Apparat ist für das Plattenformat 9 × 12 cm eingerichtet. Die photographische Kamera sitzt auf einer Säule, welche auf dem Unterbau des Apparates montiert ist; sie wird mit den Schrauben senkrecht gegen die Achse des Kollimators befestigt.

Zwischen dem Kollimator und der Kamera befindet sich entweder ein Gitterhalter mit Gitter und Reflexionsprisma, wodurch die aus dem Kollimator austretenden Strahlen in die Kamera reflektiert werden,

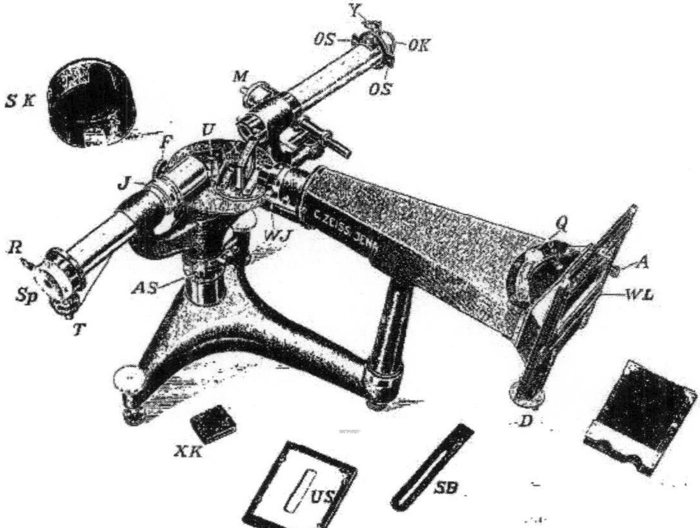

Fig. 8.

oder ein Tischchen mit dem Rutherfordschen Prisma bzw. mit dem Cornuprisma. Bei Verwendung der Dispersionsprismen muß der Winkel zwischen dem Kollimator und der Kameraachse 45° betragen; deshalb ist der Oberteil des Apparates drehbar und mit festen Anschlägen und einer Klemmschraube versehen, so daß über das Maß der Verschwenkung kein Zweifel besteht.

c) Spektrograph für Chemiker.

Dieser Spektrograph (siehe Fig. 9) soll als ein möglichst einfach und stabil gebautes Instrument besonders für das Laboratorium des Chemikers sich eignen, da dasselbe von der Fabrik schon genau justiert geliefert wird und somit keine besonderen Fachkenntnisse und Erfahrungen in dieser Richtung erfordert. Vermöge der Auswechselbarkeit seiner optischen Teile eignet sich dieser Spektrograph zum Photographieren des sichtbaren Spektrums mit Gitter oder, falls größere Lichtstärke notwendig ist, mit dreiteiligem Rutherfordprisma.

Mit Cornuprisma wird dieser Apparat für die Photographie des ultravioletten Teiles des Spektrums verwendet.

Auf den Spaltkopf des festgelagerten Kollimators ist der Halter für zwei Küvetten oder Reagenzgläser angebracht; vor dem Spalte befindet sich ein abklappbares Vergleichsprisma aus Quarz. Unmittelbar an den Spaltbacken befindet sich eine verschiebbare Blende mit keilförmigem Ausschnitt, die die Spalthöhe begrenzt, so daß die Höhe des Spektrums beliebig geändert werden kann. Auf den Objektivrand des Kollimators

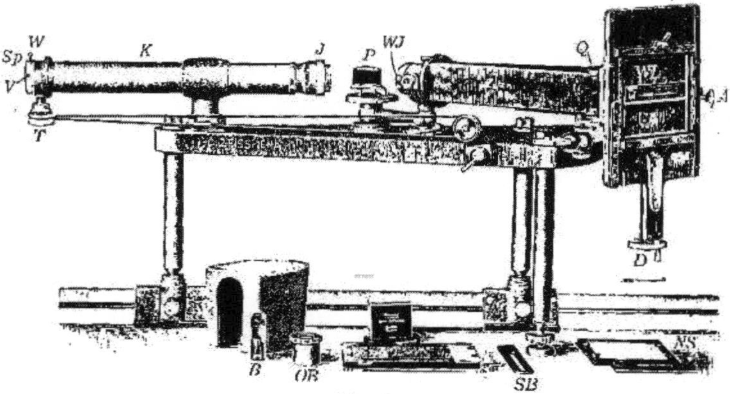

Fig. 9.

wird die Gitterfassung aufgeschoben, falls man das sichtbare Spektrum photographieren will.

Das Gitter besitzt 600 Striche auf einem Millimeter. Für lichtschwache Objekte wird als Dispersionssystem ein Rutherfordsches Prisma, für die Arbeiten im Ultraviolett ein Cornuprisma verwendet. Zu diesem Zwecke läßt sich die Gitterfassung vom Kollimator abnehmen; ein rundes Tischchen wird mit seinem Fuße in eine Bohrung des Zapfens, um welchen die Kamera drehbar ist, eingeschoben und festgeklemmt. Auf dem Tischchen sind je zwei bezeichnete Rasten für die Füßchen des Rutherford- und Cornuprismas, so daß jedes Prisma nur in die eine ihm zukommende Lage aufgesetzt werden kann.

Die Kamera hat keinen Auszug, da die Fokussierung der auswechselbaren Objektive im Prüfraum des Verfertigers ein für allemal durch Probeaufnahmen festgestellt wird. Die Kassette kann in ihrem Vertikalschlitten durch eine Spindel verschoben werden und ist für 40 Aufnahmen übereinander eingerichtet. Mittels eines Hebels kann man, nachdem der Kassettenschieber herausgezogen ist, eine Wellenlängeteilung an die empfindliche Plattenschicht anlegen, so daß die Wellenlängeskala beim Photographieren mitkopiert wird, zweckmäßig bei der ersten und letzten Aufnahme.

Die Kamera ist um den eben erwähnten Zapfen drehbar; ihr Fuß ruht der Reihe nach in einer der drei Rasten, von denen die eine für den Gebrauch des Gitters, die zweite für den eines an Stelle des Gitters einzusetzenden dreiteiligen Ruhterfordprismas, die dritte für die Verwendung des Apparates als Ultraviolett-Spektrograph bestimmt ist.

Das Instrument kann mit wenigen Handgriffen, die nicht den Charakter einer Justierung tragen, für den einen oder anderen Zweck gebrauchsfertig gemacht werden.

Spektrographen der Firma R. Fueß in Berlin.

a) Quarzspektrograph Modell A.

Dieser lichtstarke Apparat (siehe Fig. 10) ist für das Plattenformat $6^1/_2 \times 9$ cm eingerichtet und liefert ein Spektrum, welches das Gebiet von 480 $\mu\mu$ bis 185 $\mu\mu$ umfaßt.

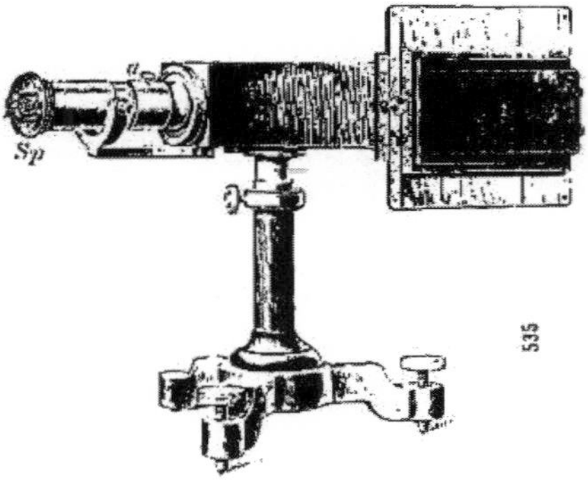

Fig. 10.

Die Brennweite der Quarzobjektivlinsen beträgt für das Natriumlicht 150 mm, bei einer freien Öffnung von etwa 30 mm. Der Kassettenträger ist für Reihenaufnahmen in der vertikalen Achse an einer Skala verschiebbar, welche 30 Intervalle umfaßt. Jedes Spektrum hat 2 mm Höhe. Der Spalt ist mit einer verschiebbaren Blende versehen, so daß Spektren beliebiger Höhe auf die Platte gebracht werden können.

b) Quarzspektrograph Modell B.

Dieser Spektrograph (siehe Fig. 11) hat größere Dimensionen als der unter a) erwähnte. Das Spektrum, welches das Gebiet von 480 $\mu\mu$

bis 185 $\mu\mu$ umfaßt, wird auf den Platten von 10 × 15 cm abgebildet. Die Brennweite der Quarzlinsen beträgt etwa 300 mm bei einer freien Öffnung von 60 mm.

Der Spalt *Sp* ist auf 0,01 mm einstellbar. Der Schieber *s* gestattet die Spaltlänge zu ändern. Der mit einer Teilung versehene Ring *O* auf dem Kollimatorrohr dient für die scharfe Einstellung. Zur genauen

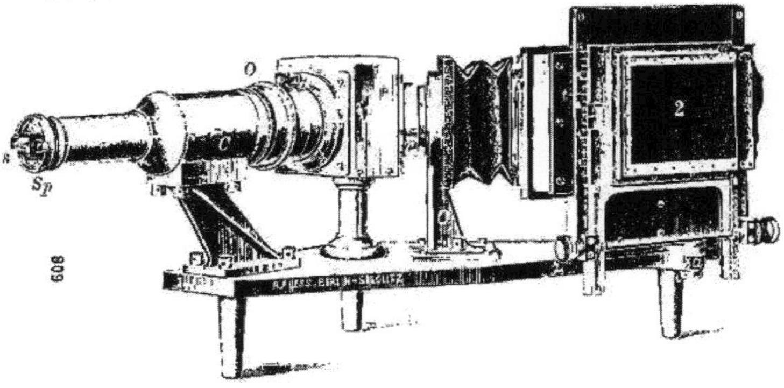

Fig. 11.

Neigung der Platte gegen optische Achse der Kameralinse dient die drehbare Achse *a* mit einem geteilten Kreisbogensegment und zwei in der Figur nicht sichtbaren Klemmschrauben.

Der Apparat ist wie das Modell A für die Reihenaufnahmen eingerichtet. Die Verschiebung der Kassette in der Vertikalen erfolgt hierbei durch die Zahn- und Triebbewegung (z und z_1). Nach jeder Verschiebung um 4 mm schnappt ein Sperrzahn ein, so daß sich auf einer Platte ungefähr 16 Aufnahmen vereinigen lassen. An der Teilung *t* kann mit Hilfe des Indexes *i* die jeweilige Stellung der Kassette abgelesen werden.

c) Quarzspektrograph Modell C.

Bei diesem Spektrographen (siehe Fig. 12), welcher mit Quarzobjektiven von ungefähr 600 mm Brennweite und einem Durchmesser von 60 mm und einem großen Cornuschen Quarzdoppelprisma ausgerüstet ist, beträgt die Länge des Spektrums auf einer Platte von 8 × 24 cm etwa 20 cm und umfaßt das Gebiet 800—210 $\mu\mu$. Der Spalt und die Kamera sind gleich eingerichtet wie bei dem Spektrographen Modell B.

Das Modell C wird auch mit Objektiven von kleinerem Durchmesser (40 mm) und entsprechend kleinerem Cornuschen Prisma gebaut; dieser billigere Typ ist lichtschwächer.

Bei allen hier angeführten Apparaten können statt der einfachen Quarzobjektiven sphärisch korrigierte Doppelobjektive verwendet werden. Auf diese Weise bekommt man schärfere Bilder über das ganze

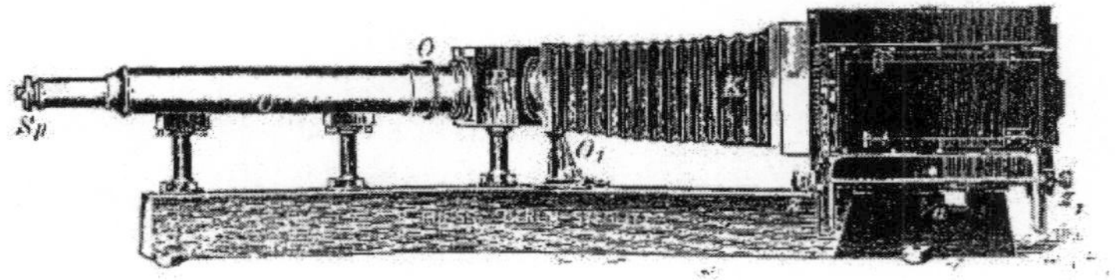

Fig. 12.

ultraviolette Gebiet. Ferner können die Apparate auch mit Wellenlängenskala versehen werden; die Genauigkeit der Ablesung beträgt durchschnittlich 0,1 $\mu\mu$ im brechbarsten und 0,5—1 $\mu\mu$ in weniger brechbarem Gebiete des Spektrums.

d) Universal-Spektralapparat.

Die Konstruktion dieses Apparates (siehe Fig. 13) gestattet seine vielseitige Anwendung im Laboratorium des Chemikers und Physikers

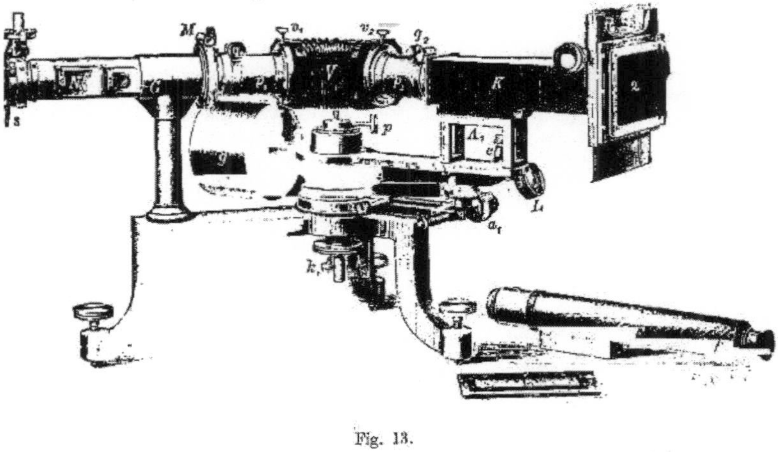

Fig. 13.

als Spektroskop zur okularen Beobachtung der Emissions- und Absorptionsspektren sowie auch als Spektrograph zur Aufnahme des sichtbaren und des ultravioletten Spektrums; außerdem ist dieser Apparat auch für die den Physiker interessierenden Untersuchungen über Zeemannsches Effekt, Phasensprung usw. mit entsprechender Apparatur ausgerüstet.

Als Dispersionssystem kommt sowohl für die Untersuchungen im sichtbaren Gebiete des Spektrums wie auch im Ultraviolett die Youngsche Prismenanordnung zur Anwendung, welche bekanntlich gegenüber dem Aufsetzen des Prismas auf den Prismatisch den Vorteil hat, daß bei jeder Stellung des Fernrohres oder der Kamera zum Kollimator in der Sehfeld- bzw. der Plattenmitte ein Minimum der Ablenkung erhalten bleibt und dadurch für die günstigsten Abbildungsbedingungen gesorgt ist. Für die Untersuchungen im Ultraviolett können die Glasobjektive gegen Quarzfluoritachromate umgetauscht werden.

Zur Verdoppelung der Dispersion kann noch ein Flintprisma für das sichtbare Gebiet oder ein Cornuprisma für das ultraviolette Gebiet dem Dispersionssystem einverleibt werden.

Die Brennweite der Objektive des Kollimators und des Fernrohres beträgt 250 mm bei freier Öffnung von 20 mm. Nahe dem Kollimatorobjektive befindet sich ein Momentverschluß M, welcher für Zeit- und Momentaufnahmen bis zu 0,02 Sekunden regulierbar ist. Die Kamera ist vollständig aus Metall verfertigt und die Kassette mit Zahn- und Triebbewegung für die Reihenaufnahmen eingerichtet. Bei jeder halben Umdrehung der Triebachse schnappt ein federnder Hahn ein, wodurch eine Verschiebung der Platte um 4 mm erfolgt. Das Format der Doppelkassette hat die Größe von $6^1/_2 \times 9$ cm.

Spektrographen der Firma F. Schmidt & Haensch in Berlin.

a) Spektrograph Modell Kirchhoff-Bunsen.

Dieser Spektrograph (siehe Fig. 14), welcher aus dem bekannten Spektroskop nach Kirchhoff-Bunsen herausgebildet ist, kann sowohl für das sichtbare, als auch für das ultraviolette Gebiet in Anwendung kommen; zu dem Zwecke ist der Apparat mit Glasoptik (Glaslinsen, Flintprisma, Rutherfordsches Prisma), sowie auch mit Quarzoptik (Prisma nach Cornu und unachromatische Quarzlinsen) versehen.

Die Kamera für die Plattengröße 3×9 cm ist aus Metall verfertigt; die Kassette ist auf einem Metallschlitten befestigt, welcher in der Richtung von oben nach unten durch eine grobgängige Schraube, deren Steigung 2 mm beträgt, verschiebbar ist. Jede volle Umdrehung der Schraube wird durch eine Schnappfeder deutlich fühlbar gemacht, während die Anzahl der Umdrehungen, sowie die jeweilige Stellung der Kassette an einer Skala ablesbar ist.

Die Kassette mit Schlitten läßt sich zum Ausgleich der Fokusdifferenz der nichtachromatischen Linsen um die Vertikale, welche durch die Ebene der lichtempfindlichen Schicht der Platten geht, in ausgiebiger Weise drehen. Die Ablesung erfolgt an dem zugehörigen Kreise. Die Kassette hat außerdem eine ausgiebige, an einer Teilung abzulesende Verschiebung in der Richtung der Kameraachse.

Bei diesem Instrumente können natürlich statt der unachromatischen Linsen aus Quarz die achromatische Quarzfluorit-Achromate mit Vorteil

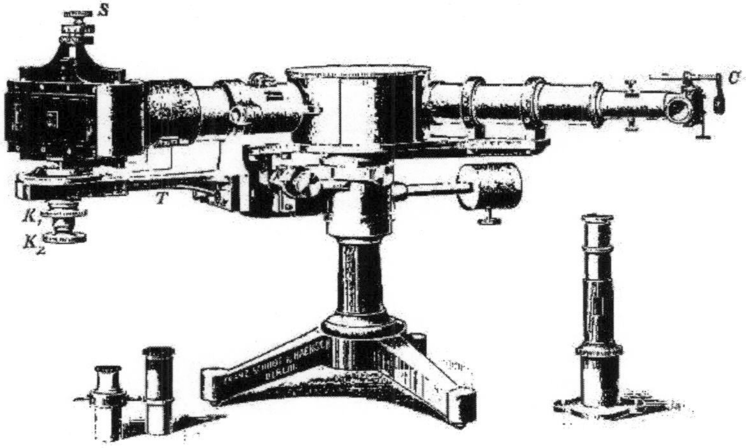

Fig. 14.

verwendet werden; in diesem Falle wird die photographische Kamera weniger kompliziert gebaut.

b) Quarzspektrograph Modell III.

Dieser große Apparat (siehe Fig. 15) ist mit unachromatischen Linsenobjektiven von 600 mm Brennweite und 58 mm Öffnungsdurchmesser versehen.

Das Spaltfernrohr und die photographische Einrichtung sind in unveränderlicher fester Anordnung auf stabilem Untergestell montiert. In dem lichtdichten Gehäuse ist das Quarzprisma nach Cornu untergebracht. Zur Scharfstellung der Spektren ist das Objektiv des Spaltfernrohres mittels Trieb verstellbar eingerichtet.

Die Beobachtungslichtquelle wird mit Hilfe des am Spalt befindlichen Kondensors scharf auf demselben abgebildet.

Zur Einstellung der gewünschten Spalthöhe ist der Spalt mit einem Vertikalschieber versehen. Am Spalt befindet sich eine Reflexionseinrichtung, bestehend aus zwei Prismen zur Aufnahme von Vergleichsspektren. Die Vergleichslichtquelle muß rechtwinklig zur Eintrittsfläche des einen Prismas aufgestellt werden.

Die Kassettenstellung ist unveränderlich montiert. Zur Einstellung und Beobachtung des Spektrums wird die beigefügte Uranglasplatte in den beigelegten Schieber, welcher auf der großen Stirnplatte der photographischen Kamera verschiebbar eingerichtet ist, eingelegt. Nun können mit Hilfe einer Handlupe leicht die noch sichtbaren Linien scharf eingestellt werden. Zu dem Zwecke ist, soweit das sichtbare Gebiet reicht, die Uranglasplatte mattiert.

Das unsichtbare Gebiet wird auf dem nichtmattierten Teil der Uranglasplatte sichtbar. Die Scharfstellung der Linien bzw. der Absorptionsbanden geschieht durch Verstellung des Spaltfernrohr-Objektives mittels Trieb.

An Stelle der entfernten Uranglasplatte wird nun die Kassette mit der photographischen Platte eingeführt.

Zur Aufnahme mehrerer Spektren übereinander auf einer Platte ist

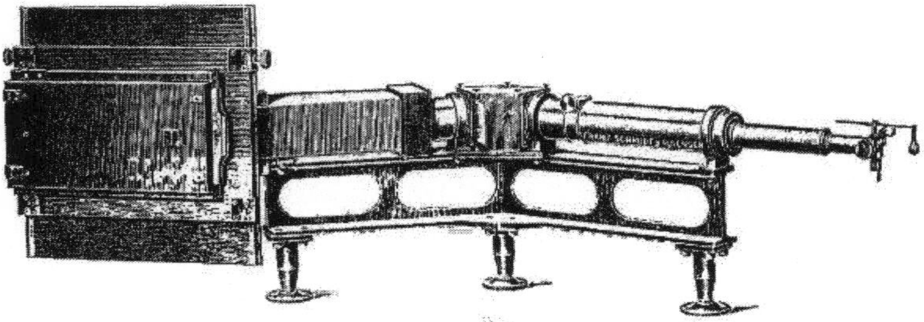

Fig. 15.

der Schieber der Kassette mittels Triebverstellung vertikal verschiebbar und die jeweilige Stellung an einer Teilung ablesbar eingerichtet.

Die photographischen Platten müssen einer Durchbiegung von etwa 6 mm standhalten und sind zu dem Zweck die Kassetteneinlagen mit entsprechenden Kurven und der Deckel mit Druckklötzchen versehen. Bei Benutzung eines guten Spiegelglases in einer Dicke von 0,8 mm wird selten ein Verlust durch Springen der Platten eintreten. Das Herausnehmen der Platten aus diesen Kassetten muß ebenfalls vorsichtig erfolgen, damit die Platten beim Zurückgehen in ihre ursprüngliche Planlage nicht zerspringen.

Die geringe Durchbiegung der Platten ist bedingt zur Erzeugung der Abbildung eines über die ganze Platte hinweg gleichmäßig scharfen Spektrums (siehe Seite 376).

Wird Wert auf noch schärfere Abbildung gelegt, kommt die beigefügte Blende, welche am Prismengehäuse einschaltbar eingerichtet ist, zur Anwendung.

Quarzspektrographen der Firma C. A. Steinheil Söhne in München.

a) Kleiner Spektrograph Modell QA.

Der Apparat (Fig. 16) besitzt zwei sphärisch korrigierte Quarzlinsen von 20 mm Öffnung und 240 mm Brennweite und ferner 2 Quarzhalb-

Fig. 16.

prismen 20 mm hoch und 20 mm breit, in Youngscher Montierung angebracht. Der einfache Mikrometerspalt ist an einem Kollimatorfernrohr mit Trieb angebracht. Die Kamera besitzt eine Mattscheibe und zwei Kassetten von der Größe 45 × 107 mm. Die Fokussierung auf der Kameraseite erfolgt durch Verschiebung der Platte; die Platte kann meßbar gegen die Achse geneigt werden. An den beweglichen Teilen des Apparates sind einfache Kreis- bzw. Längsteilungen angebracht.

b) Quarzspektrograph Modell QB.

Dieser Apparat (Fig. 17) besitzt sphärisch korrigierte Quarzlinsen von 40 mm Öffnung und 400 mm Brennweite; das Dispersionssystem besteht aus einem Cornuprisma von 40 mm Höhe und 50 mm Breite. Statt der einfachen sphärisch korrigierten Linsen, welche besonders im äußersten ultravioletten Teil des Spektrums stark gekrümmtes Bildfeld haben, werden bei diesem Apparate auch Linsen, welche ein ebenes Bild des Spektrums entwerfen, mit Vorteil benutzt. Der Apparat wird auch mit Youngsscher Anordnung der Prismen gebaut.

Der genaue Spalt mit Vergleichsprisma aus Quarz ist an einem Triebstutzen befestigt und kann so für jede Wellenlänge genau in den Fokus der Linse gebracht werden. Das Kameraobjektiv, welches zur Erzielung möglichst großer Lichtstärke des Apparates sehr nahe an das Prisma herangerückt ist, sowie die Kamera, sitzen an einem drehbaren Arm, dessen Stellung mit Hilfe einer in der Abbildung ersichtlichen Teilung festgestellt werden kann. Für die Fokussierung wird die Kamera mittels Trieb verschoben. Die Stellung der Kamera kann an einem

Nonius bis auf 0,1 mm abgelesen werden. Die Kassette ist in der Höhe durch einen an der Kamera angebrachten Trieb verschiebbar; die Rück-

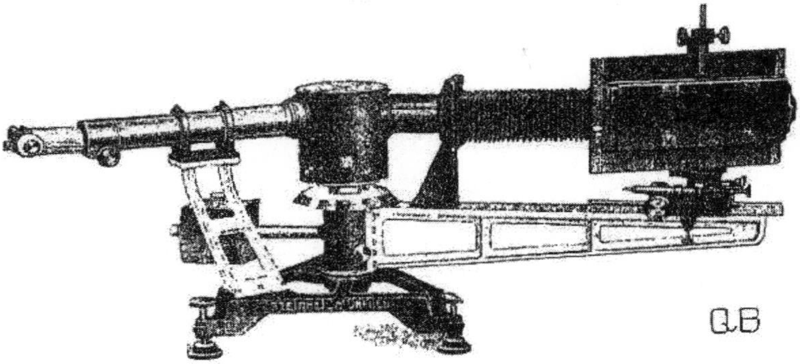

Fig. 17.

seite der Kamera ist auch mit einer Teilung versehen, an welcher die jeweilige Stellung der Kassette abgelesen werden kann.

c) **Quarzspektrograph Modell QC** (siehe Fig. 18).

Dieser Apparat wird mit einfachen, aber genau sphärisch korrigierten Quarzlinsen geliefert; die Kollimatorobjektive haben bei einer freien Öffnung von 45 mm eine Brennweite von 850 bzw. 450 mm, die Kamera-

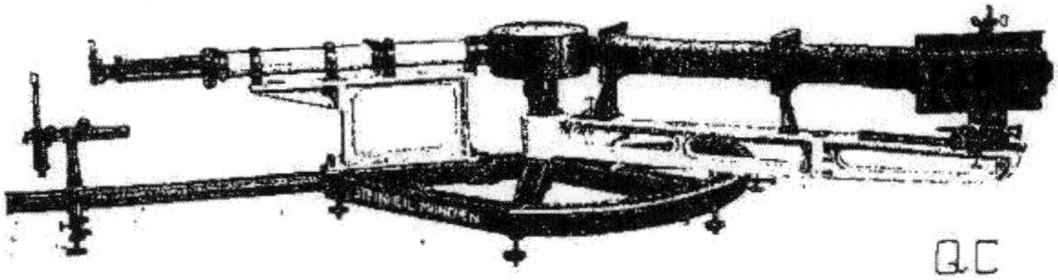

Fig. 18.

objektive bei einer freien Öffnung von 50 mm eine Brennweite von 850 bzw. 450 mm. Das Dispersionssystem besteht aus zwei Prismen von 30°, welche in Youngscher Montierung am Kollimatorrohr und am Kameraobjektiv angebracht sind und aus einem Prisma von 60°, welches sich zwischen den beiden Halbprismen an einem drehbaren Prismentische befindet.

Fig. 19.

Von derselben Firma wird auch ein großer Quarzspektrograph, Modell QD gebaut, welcher in der Konstruktion und Anordnung mit dem Modell QC übereinstimmt; er ist aber mit größeren Linsen (von 75 mm freier Öffnung) und mit entsprechend größeren Prismen versehen. Dieses Modell ist der lichtstärkste von den Steinheilschen Quarzspektrographen und ist in der Fig. 19 abgebildet.

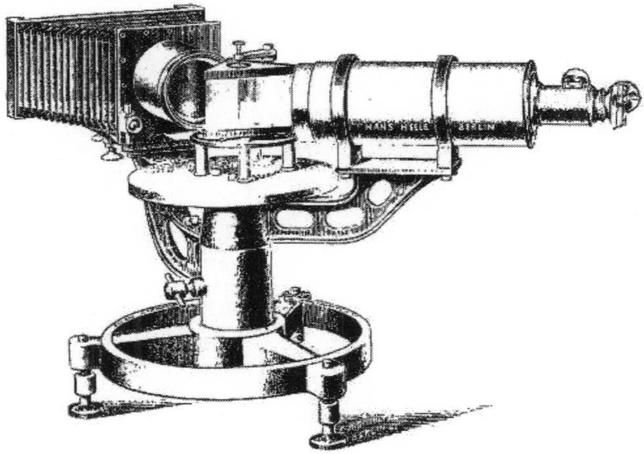

Fig. 20.

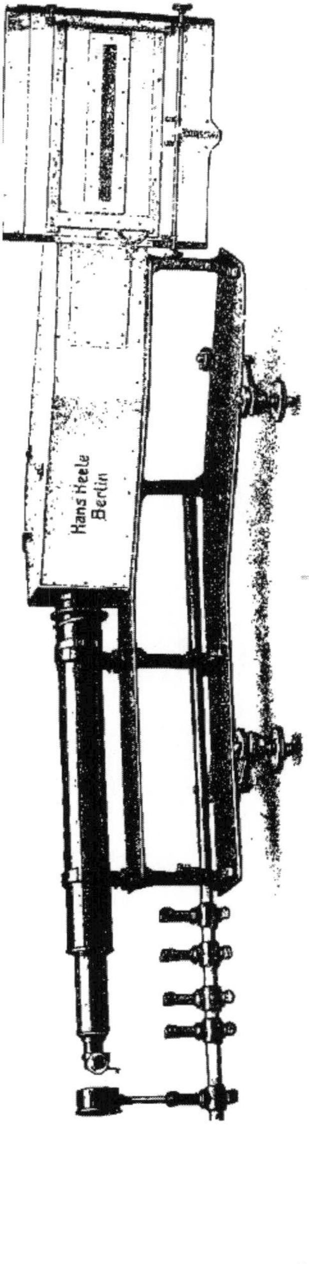
Hans Heele
Berlin

Fig. 21.

Spektrographen der Askaniawerke A. G. Bambergwerk (früher H. Heele) in Berlin.

a) Extra lichtstarke Spektrographen
(siehe Fig. 20)

werden als kleineres Modell mit zweifachen Quarzlinsen von 52 mm freier Öffnung und 150 mm Brennweite und mit einem Quarzprisma nach Cornu 52 × 52 mm, und als großes Modell mit zweifachen applanatisch und sphärisch korrigierten Quarzlinsen von 82 mm freier Öffnung und 360 mm Brennweite und einem Cornuprisma 90 × 90 mm gebaut.

b) Quarzspektrograph
(siehe Fig. 21).

Dieser Spektrograph wird in drei Größen verfertigt: a) großes Modell für Platten von 9 × 30 cm und mit einem etwa 30 cm langen Spektrum von 200—800 $\mu\mu$; b) mittleres Modell für Platten von 9 × 24 cm und mit einem ungefähr 22 cm langen Spektrum von 200—800 $\mu\mu$ und c) ein kleines Modell für Platten von 6,5 × 18 cm und einem ungefähr 17 cm langen Spektrum von 200—800 $\mu\mu$.

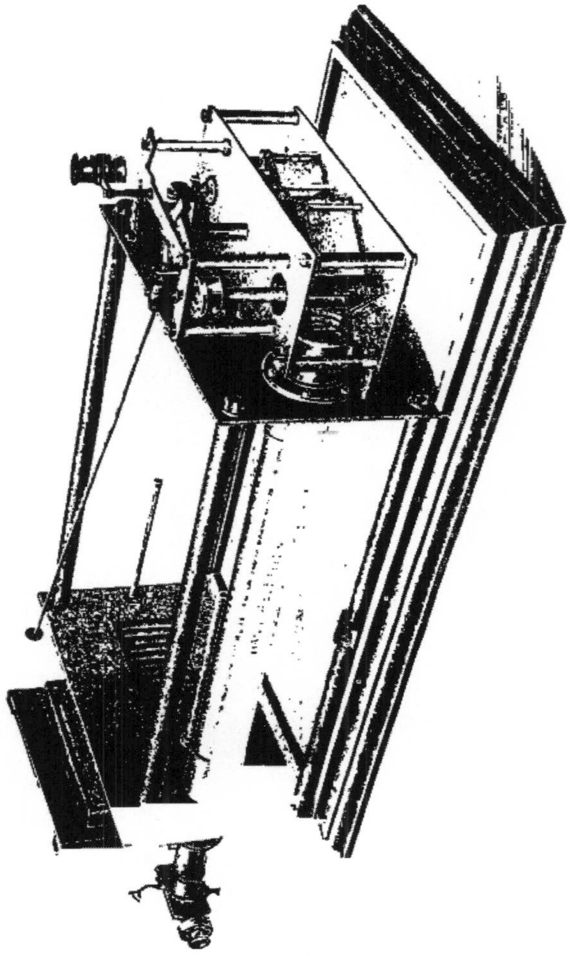

Fig. 22.

c) **Spektrograph mit fest und parallel zueinander angeordnetem Kamerarohr und Kolimator und mit 2 Prismen mit konstanter Ablenkung.**

Infolge der Verwendung von Prismen mit konstanter Ablenkung läßt sich dieser Apparat mit beliebiger Optik (Glas, Uviolglas oder Quarz) benützen und es kann die eine Optik gegen die andere ausgetauscht werden, ohne daß an dem mechanischen Aufbau irgend etwas verändert werden muß, da durch die Anwendung von zwei Konstantprismen stets paralleler Ein- und Austritt des Lichtes gewährleistet wird.

Der Apparat ist in einem Gehäuse derart eingebaut, daß nur das Spaltende und die Einstellplatte der Kamera herausragen. Wegen der parallelen Anordnung von Kamera und Kollimator dürfte sich dieser Spektrograph namentlich dort empfehlen, wo größere Spektrographen infolge Platzmangels nicht gut verwendbar sind. Der Apparat, ohne Gehäuse, ist in der Fig. 22 abgebildet.

Quarzspektrographen der Firma A. Krüß in Hamburg.

a) **Quarzspektrograph** (siehe Fig. 23)

besitzt ein Quarzdoppelprisma nach Cornu von 35 mm Höhe und zwei plankonvexen Linsen aus Quarz von 35 mm freier Öffnung und 200 mm

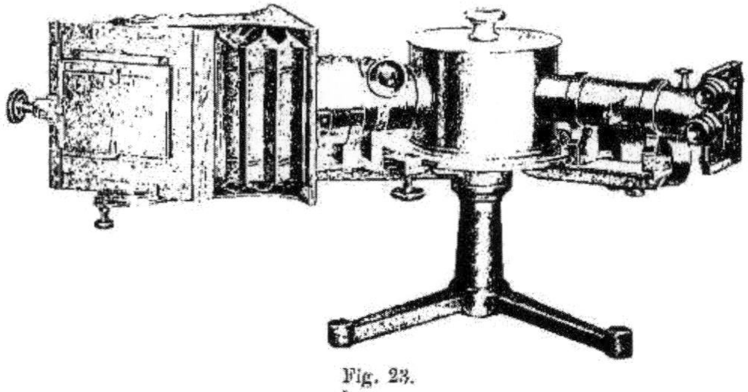

Fig. 23.

bzw. 300 mm Brennweite. Die verschiebbare Kassette ist für Platten 6 × 9 cm eingerichtet.

b) Dieselbe Firma baut einen speziell für Aufnahmen von Absorptionsspektren geeigneten Quarzspektrographen mit einem Quarzdoppelprisma nach Cornu von 30 mm Höhe, 2 achromatischen Quarzflußspatobjektiven von 20 mm Öffnung und 250 mm Brennweite; die Kassette dieses Spektrographen ist für Platten 4 × 4 cm konstruiert.

Quarzspektrographen der Firma Ph. & F. Pellin in Paris.

Optische Werkstätten von Ph. & F. Pellin in Paris bringen zwei Modelle des Quarzspektrographen nach Cornu in den Handel und zwar:

a) **Den großen Spektrographen** (siehe Fig. 24)

mit Kollimatorlinsen von 40 mm freier Öffnung und 330 mm Brennweite, einem Cornuprisma von 65 × 65 mm und mit photographischer Kamera mit einem Objektive von 45 mm freier Öffnung und 600 mm Brennweite.

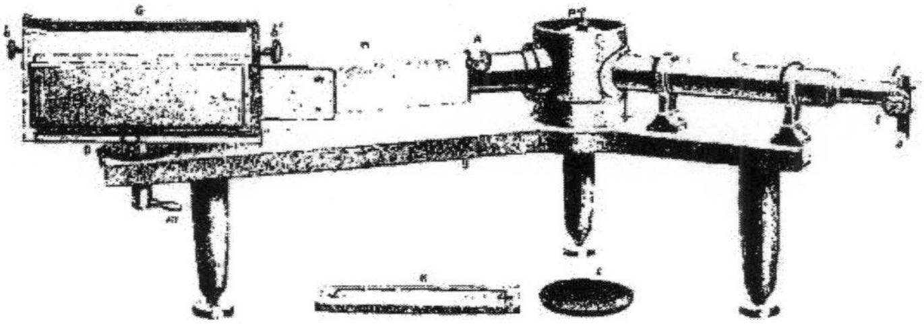

Fig. 24.

Die Kamera ist der Länge nach, seitlich und um ihre Achse verstellbar. Die vertikal verschiebbare Kassette ist für Platten von 60 × 240 mm eingerichtet. Der Spalt des Spektrographen ist auf 1/200 mm mikrometrisch einstellbar und mit einer Blende sowie mit Vorrichtung zur Verminderung der Spalthöhe versehen. Dieser Spektrograph ist als Modell der Sorbonne bezeichnet.

b) **Den kleineren Spektrographen,**

das Modell des Grafen M. A. de Gramont.

Dieser Apparat ist ähnlich gebaut wie der vorige, aber von kleineren Dimensionen. Kollimatorobjektive haben 40 mm freie Öffnung und 330 mm Brennweite, Kameraobjektiv 40 mm freie Öffnung, 330 mm Brennweite. Das Quarzprisma hat Dimensionen von 50 × 50 mm, die Kassette ist für Plattengröße 65 × 180 mm eingerichtet.

Beide Typen von Spektrographen eignen sich am besten für die photographischen Aufnahmen des Spektrums von 486 bis zu 219 $\mu\mu$.

Spektrographen der Firma Bellingham & Stanley in London.

a) **Quarzspektrograph Nr. 1** (siehe Fig. 25).

Dieser kleine Spektrograph hat Quarzlinsen von 300 mm Brennweite; die Länge des Spektrums zwischen 800—210 $\mu\mu$ beträgt ungefähr 100 mm.

Fig. 25.

Das Dispersionssystem besteht aus einem Cornuprisma. Die gesamte Konstruktion des Apparates sowie auch der Kassette, welche für die Plattengröße von $3^1/_4 \times 4^1/_4$ Zoll (8,2 × 10,8 cm) eingerichtet wird, ist aus Metall verfertigt. Der Spektrograph wird auch mit einer in der Kamera befindlichen Wellenlängen-Skala, welche über das Spektrum mitphotographiert wird, geliefert.

b) **Quarzspektrograph Nr. 2** (siehe Fig. 26).

Den größeren Dimensionen dieses Apparates entsprechend wird das Spektrum scharf von 800—210 $\mu\mu$ in einer Länge von etwa 210 mm

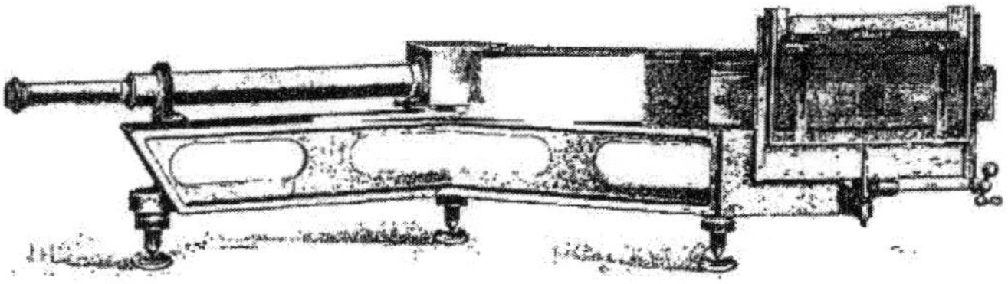

Fig. 26.

abgebildet. Das Kollimatorrohr, das Prisma und die Kamera sind an einem massiven Gestell fest angebracht. Der Kollimator ist justiert; die Justierung der Kameralinse geschieht durch Verschiebung mit einer feinen Schraube. Der genaue Spalt ist durch eine Mikrometerschraube fein verstellbar.

Spektrographen der Firma Adam Hilger in London.

a) **Kleiner Quarzspektrograph Modell A** (siehe Fig. 27)

hat Quarzlinsen von 8 Zoll (203 mm) Brennweite, ein Quarzprisma nach Cornu und gibt auf einer Platte von $3^1/_4 \times 4^1/_4$ Zoll (8,2 × 10,8 cm) ein Spektrum von 800—210 $\mu\mu$ in einer Länge von 65 mm. Der Spalt des Apparates ist mikrometrisch einstellbar.

b) **Quarzspektrograph Modell C.**

Dieser große Apparat (siehe Fig. 28) hat Objektive von 24 Zoll (610 mm) Brennweite und ein Cornusches Quarzprisma, 41 mm hoch und 65 mm breit. Das Spektrum bildet sich auf einer Platte von 10 × 4 Zoll (25,4 × 10,2 cm) ab, und hat von 800—210 $\mu\mu$ eine Länge von etwa 20 cm. Die Kassette ist vertikal verschiebbar und gestattet auf einer Platte eine ganze Reihe von Aufnahmen (bei 2 mm Höhe jedes einzelnen Spektrums etwa 30 Aufnahmen).

Im Innern der Kamera ist eine Wellenlängeskala derart angebracht, daß sie auf die empfindliche Schicht der photographischen Platte angedrückt und durch ein ebenfalls im Innern der Kamera befindliches Glühlämpchen belichtet werden kann.

Die Wellenlängenskala, welche zweckmäßig als erste und letzte der Reihenaufnahmen aufgenommen wird, gestattet eine direkte Wellen-

Fig. 27.

Fig. 28.

längeablesung an der fertigen Platte. Die Genauigkeit der Ablesung ist etwa die folgende:

	Wellenlänge	Ablesungsfehler
	700 $\mu\mu$	10 $\mu\mu$
im Ultraviolett	400 ,,	2 ,,
	300 ,,	0,5 ,,
	250 ,,	0,2 ,,
	220 ,,	0,1 ,, .

Die elektrische Glühlampe zur Wellenlängenskalabeleuchtung wird von einem Akkumulator, der mit einem Kontaktschlüssel versehen ist, gespeist.

Lichtquellen.

Für die Photographie der Absorptionsspektren im Ultraviolett lassen sich nur solche Lichtquellen anwenden, welche bei genügender Intensität möglichst weit in das Ultraviolett reichende Lichtstrahlen entsenden. Das Sonnenlicht, die Nernstlampe, der Zirkon- oder Auerbrenner sind nicht gut brauchbar, da das mit Hilfe dieser Lichtquellen erzeugte Spektrum nur bis zu etwa 300 $\mu\mu$ reicht.

Man muß daher entweder zum Metall-Bogenlicht oder Metall-Funkenlicht greifen, welche Lichtarten bei gewissen Metallen sich durch eine intensive, auf die photographische Platte stark wirkende und dabei fast das ganze ultraviolette Gebiet umfassende Strahlung auszeichnen. Solche Lichtquellen haben jedoch den Nachteil, daß sie kein kontinuierliches, sondern ein aus einer sehr großen Anzahl von Linien bestehendes diskontinuierliches Spektrum liefern. Nachdem die Intensität dieser Linien ungleich ist und außerdem dieselben über das ganze Spektrum ungleichmäßig verteilt sind, kann leicht an solchen Stellen, wo die Emissionslinien schwächer erscheinen, die Anwesenheit der Absorptionsstreifen, besonders bei dem Anfänger in der Spektroskopie, vorgetäuscht werden.

Von Metallbogenlichtquellen kommt für den Chemiker zur Untersuchung der Absorption von Farbstoffen meistens der Eisenlichtbogen in Betracht. Derselbe liefert ein sehr linienreiches Spektrum (etwa 5000 Linien), welches, namentlich bei Anwendung solcher Spektrographen, welche verhältnismäßig kurzes Spektrum liefern, fast kontinuierlich aussieht, besonders wenn nicht mit einem zu schmalen Spalt gearbeitet wird. Das Spektrum reicht bis zu etwa 220 $\mu\mu$, zeigt aber an einigen Stellen schwächere Intensität, und zwar hauptsächlich bei den Wellenlängen

500—512 $\mu\mu$	275—281 $\mu\mu$
450—485 „	267—270 „
329—339 „	262—266 „
310—313 „	246 „
284—292 „	242 „

Dieser Umstand muß bei Anwendung des Eisenbogenlichtes für Absorptionsbestimmungen berücksichtigt werden, damit man sich an diesen Stellen Absorptionsstreifen nicht vorbildet. Ein gewisser Vorteil bei Benützung dieser Lichtquelle besteht darin, daß man sich mit Hilfe der Emissionslinien, deren Wellenlängen bekannt sind, leicht im Spektrum orientieren kann und somit kann dieses Eisenspektrum als eine bequeme Skala zur Ausmessung der Absorptionsstreifen dienen.

Zur Herstellung des Eisenbogenlichtes werden Eisenstäbe von etwa 7 mm Dicke, welche an einem passenden Stativ in einer Entfernung von etwa 6 mm befestigt werden, verwendet. Zur Speisung dieser Lampe bedient man sich eines Gleichstromes, da der Bogen bei Anwendung des Wechselstromes von der üblichen Amplitude nicht brennt. Zum Photographieren im Ultraviolett mit Hilfe des Eisenlichtbogens braucht man die Stromstärke von 4 Ampere bei einer Netzspannung von 220 Volt (internationale Abmachung). Wenn aber die Netzspannung nur 110 Volt beträgt, so muß man den Strom entsprechend etwa auf 5 Ampere verstärken.

Das Anzünden des Bogens erfolgt entweder durch Zusammenbringen und gleich darauffolgendes rasches Auseinanderziehen der Stäbe oder aber man zieht zwischen den Enden der Stäbe schnell ein Metallstäbchen hindurch. Man soll ferner sorgen, daß der Bogen ruhig mit konstanter Lichtstärke ohne Geräusch und Flackern brennt; letzteres wird gewöhnlich dadurch verursacht, daß an den glühenden Elektroden sich so viel Eisenoxyd bildet, daß der Strom unterbrochen wird. Man muß daher von Zeit zu Zeit die Eisenoxydtropfen entfernen und stets vor Beginn der photographischen Aufnahmen die Enden der Eisenstäbe mit einer Feile reinigen und zuspitzen.

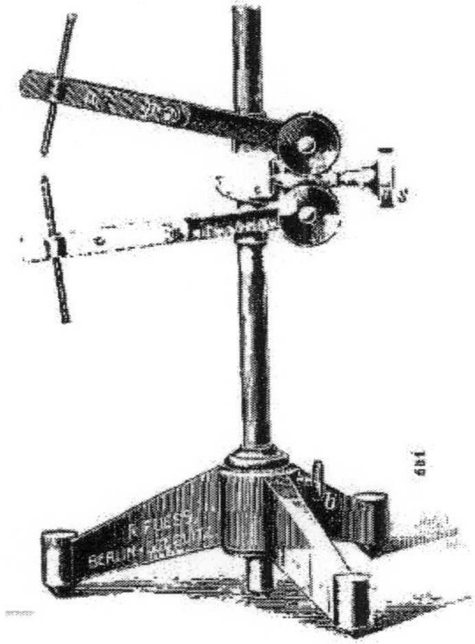

Fig. 29. Bogenlichtlampe.

Die Regulierung des Lichtbogens erfolgt am besten mit der Hand; in der Fig. 29 ist ein einfaches Stativ mit einem Handregulator abgebildet, dessen Anordnung aus dieser Figur ersichtlich ist.

Die Regulierung des Abstandes zwischen beiden Stäben erfolgt durch eine Schraube *s*. Es gibt wohl auch Lampen, welche mit einem feineren Reguliermechanismus versehen sind.

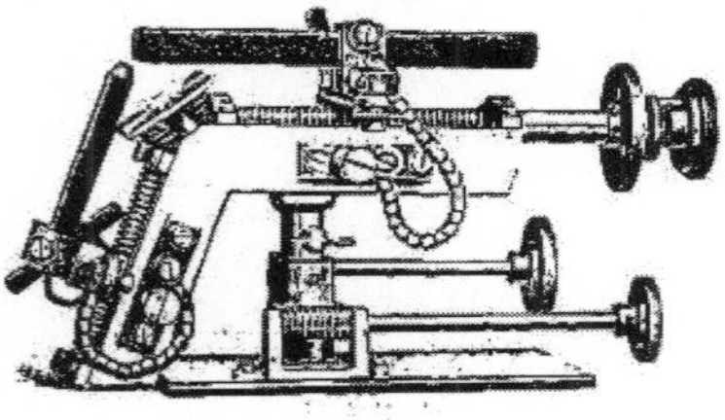

Fig. 30. Bogenlichtlampe.

Eine praktische Handregulierlampe, welche auch für ziemlich starke Ströme (bis 30 Ampere) gebraucht werden kann, stellt die Fig. 30 dar.

Diese Lampe ist so eingerichtet, daß man entweder den oberen (horizontalen) oder den unteren (schräg stehenden) Stab oder beide Stäbe zugleich nach vorne oder nach hinten schieben kann; dadurch ist die richtige Regulierung des Bogens bedeutend erleichtert. Zur Verschiebung der eingespannten Stäbe dienen die beiden hintereinander sitzenden großen Knöpfe. Der vordere größere Knopf sitzt fest auf einer Achse, die durch die horizontale Spindel frei hindurchgeht und von vorne ein Kegelrad trägt, welches in ein zweites Kegelrad eingreift, das wiederum fest auf der die Bewegung der schrägeliegenden Kohle bewirkenden schrägen Spindel sitzt.

Dreht man den größeren Knopf, so bewegt sich dadurch der horizontale Stab, dreht man den kleineren Knopf, so bewegt sich der untere Stab. Schiebt man nun den kleineren Knopf etwas nach vorne, so werden beide Knöpfe gekuppelt und durch Drehen des hinteren Knopfes werden dann beide Stäbe gleichzeitig gleichmäßig bewegt.

Es empfiehlt sich, zum Schutze der Augen gegen das starke Licht die Lampe mit einem Blechmantel zu versehen, dessen vordere, dem Objektiv des Spektralapparates zugewandte Seite eine runde, mit einem Schieber verschließbare Öffnung besitzt. Es ist auch von Vorteil, an der Rückseite des Mantels eine größere Öffnung, durch welche die Regulierung der Lampe erfolgen kann, und seitlich ein kleineres, mit rotem Glase versehenes Fenster anzubringen, um das Licht des brennenden Bogens bequem beobachten zu können; diese Vorrichtung ist in der Fig. 31 dargestellt. Die Abnützung der Eisenstäbe ist gering; ein 15—20 cm langer Stab hält wochenlang aus.

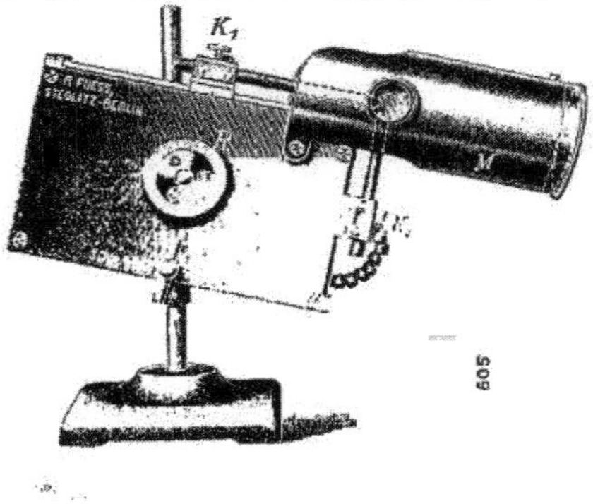

Fig. 31. Bogenlichtlampe.

Statt der Eisenstäbe kann man auch Kohlenstäbe, sog. Dochtkohlen, welche der Länge nach durchbohrt sind, zur Erzielung eines Eisenlichtbogens derart verwenden, indem man in die Bohrung einen passenden Eisendraht einführt und dadurch eigentlich das Kohlenbogenlicht mit dem Eisenbogenlicht kombiniert. Es genügt den Eisendraht nur durch die positive Kohle durchzuziehen.

Die Firma Fueß in Berlin-Steglitz und die Firma Hilger in London bringen auch auf eine besondere Art mit Eisensalzen präparierte, 5—20 mm dicke Kohlenstäbe in den Handel, welche für das Bogenlicht verwendet werden und ein an ultravioletten Strahlen sehr reiches Licht geben.

Wenn die Absorptionsstreifen schmal bzw. sehr schwach sind, bedarf man einer Lichtquelle, welche ein kontinuierliches oder fast kontinuierliches gleichmäßiges Spektrum liefert. Man benützt dazu Funkenspektren, welche verschiedene Legierungen von Kadmium, Zinn, Blei, Zink, Aluminium usw. liefern, wenn man sie als Elektroden unter Zuhilfenahme eines kräftigeren Ruhmkorfschen Apparates verwendet. Verschiedene solche Kombinationen, durch welche zwar kein kontinuierliches, aber dennoch ein genügend gleichmäßiges Spektrum erzielt wird, findet man besonders in Hartleys und Eders Arbeiten zusammengestellt.

In manchen Fällen leistet gute Dienste der Lichtbogen bei Verwendung von Kohlenelektroden, die mit Uransalzen getränkt sind. Das Spektrum, welches bis etwa 230 $\mu\mu$ reicht, ist sehr linienreich, die Intensität der Linien ist meistens sehr gleichmäßig, so daß man, besonders bei der Beobachtung der Spektrogramme, welche mit Apparaten von geringer Dispersion hergestellt sind, den Eindruck eines vollständig kontinuierlichen Untergrundes mit nur wenigen stärker hervortretenden Linien hat.

Dennoch besitzt auch dieses Spektrum gewisse Nachteile; außer den schmalen stärkeren Linien, welche von den metallischen Verunreinigungen der Kohle herrühren (Ca, Na, Fe, Mg, Si usw.) und für die Messungen im Spektrum von Vorteil sein können, treten die Zyan- und Kohlebanden mehr oder weniger stark störend auf. In solchen Fällen, wo die Absorptionsstreifen mit den Zyan- und Kohlebanden zusammentreffen, wird dann die Feststellung der Absorption recht schwierig.

Ein fast kontinuierliches, aus sehr vielen Linien zusammengesetztes Spektrum entsteht, wenn man den Induktor mit Leydenschen Flaschen verbindet und den stark kondensierten Funken zwischen Kohlenelektroden, welche mit den Oxyden des Urans und des Molybdäns getränkt sind, überspringen läßt. Solche Kohlen werden dargestellt, wenn dünne, vorher ausgeglühte Kohlenstäbchen mit Uranylnitrat und Ammoniummolybdenatlösungen getränkt und nach dem Austrocknen wieder stark ausgeglüht werden, bis von beiden Salzen nur Metalloxyde zurückbleiben. Es empfiehlt sich, solche Kohlenstäbchen auch noch mit Ammoniumwolframatlösung zu tränken und wieder auszuglühen. Dieses Verfahren kann mehrmals mit allen drei angeführten Salzen nacheinander wiederholt werden, um mit Metalloxyden reichlich beladete Kohlen zu erhalten. Auf diese Art präparierte Kohlenstäbe kann man von der Firma Hilger in London beziehen.

Diese von H. C. Jones[1]) für die Untersuchung der Absorption im Ultraviolett empfohlene Lichtquelle scheint für die meisten Zwecke die beste zu sein. Die Unmenge von feinen und gleichmäßig verteilten Linien bildet im Spektrum einen fast ununterbrochenen schwächeren Hintergrund, auf dem sich verhältnismäßig wenige stärkere Linien des Urans, des Molybdäns und des Wolframs sowie der metallischen Verunreinigungen der Kohle hervorheben. Diese Linien können zweckmäßig als Standardlinien zur Ausmessung des Spektrums dienen, wogegen die Feststellung der Grenzen der Absorption an dem fast vollständig kontinuierlichen schwachen Untergrunde erfolgt.

Die nur mit Uransalzen getränkten Kohlenstäbe geben ein bis zu etwa 260 $\mu\mu$ noch genügend starkes Spektrum. Für die kürzeren Wellenlängen ist aber auch diese Lichtquelle zu schwach, und man müßte die photographischen Platten unverhältnismäßig lang exponieren, um noch in diesem Spektralgebiete genügende Wirkung auf die Platte zu

[1]) Jones, H. C., Zeitschr. f. physik. Chem. 74, 355 (1910).

erzielen. Bei den mit Uran- und gleichzeitig mit Molybdänsalzen getränkten Kohlenstäben wird dieser Mangel des Uranspektrums durch die Molybdänlinien beglichen, welche zwar nicht so reichlich und in ihrer Intensität nicht so gleichmäßig sind wie die des Urans, aber bis etwa zu 230 $\mu\mu$ reichen. Wenn die Kohlenstäbe noch mit Wolframsalzen getränkt sind, so erscheint das Spektrum noch gleichmäßiger.

Bei der Anwendung dieser Lichtquelle empfiehlt es sich, stärkere Induktionsapparate oder Transformatoren zu benützen. Als Unterbrecher kann gut der einfache Unterbrecher nach Deprez verwendet werden. Je stärkere Kapazität eingeschaltet wird, um so kräftiger und ausgiebiger ist der zwischen den Elektroden überspringende Funke, wodurch auch bei verhältnismäßig kurzer Expositionszeit (15 bis 20 Sekunden) kräftige Negative erhalten werden. Die Lichtstärke des benutzten Spektrographen spielt natürlich eine große Rolle und es müssen daher die besten Verhältnisse betreffend die Stromstärke und Spannung des elektrischen zur Erzeugung des Funkens dienenden Stromes, die Kapazität der Leydener Flaschen, die Länge des Funkens, die Unterbrechungsart des Hauptstromes und die Dauer der Exposition durch Ausprobieren einmal für allemal festgestellt werden.

Eine vollständig kontinuierliche Lichtquelle für Ultraviolett ist auch bekannt [1]). Läßt man in einer mit Quarzfenster versehenen und mit Wasser gefüllten Flasche unter dem Wasser zwischen zwei etwa 2 mm dicken Aluminiumdrähten einen kondensierten Funken überspringen, so bekommt man ein weit in das Ultraviolett reichendes kontinuierliches Spektrum. Das Wasser in der Flasche trübt sich jedoch rasch durch das zerstäubte Metall, so daß um den ununterbrochenen Zufluß und Abfluß des Wassers durch zweckmäßige Vorrichtung gesorgt werden muß.

Diese Anordnung ist jedoch ziemlich lichtschwach, so daß man bei deren Verwendung längere Zeit, bis eine Stunde, exponieren muß. Aus diesem Grunde wird diese Lichtquelle selten und nur bei besonderen wissenschaftlichen Untersuchungen benutzt.

Ein ähnliches Verfahren hat in letzter Zeit Henri [2]) ausgearbeitet und soll die diesbezügliche Anordnung einen weit kräftigeren und ständigeren Aluminiumfunken geben, wodurch man bei einer Exposition von 2—3 Minuten ein kontinuierliches Spektrum bis 210 $\mu\mu$, bei längerer Exposition ein Spektrum bis 194 $\mu\mu$ erhält.

Um ein genügend starkes Spektrum zu erhalten, stellt man zwischen den Spalt des Spektrographen und den Lichtbogen bzw. den Funken eine an einem besonderen Stative angebrachte Kondensorlinse aus Quarz, durch welche ein scharfes Bild der leuchtenden Bogenflamme oder des Funkens auf den Spalt des Apparates geworfen wird, und zwar zweckmäßig so, daß der Spalt nur von dem mittleren Teile des Bogens beleuchtet wird, nicht aber von den glühenden Elektroden. Das im Spektrographen auf diese Weise erzeugte Spektrum ist viel reiner, und die Photographie des Spektrums zeigt nicht die durch das Licht der

---

[1]) Das Verfahren stammt von Konen.
Grebe: Zeitschr. f. wiss. Photographie. 3. 376 (1904).
Mies: Zeitschr. f. wiss. Photographie. 7. 357 (1908).

[2]) Henri: Études de Photochemie. 1, 8 (1919). Paris Gauthier-Villars & Co.

weißglühenden Kohlen verursachte Verschleierung. Die zu dem erwähnten Zwecke geeigneten Kondensoren werden in mannigfaltiger Ausführung von den optischen Werkstätten, welche die Spektrographen verfertigen, geliefert.

Absorptionsgefäße.

Die zu untersuchende Farbstofflösung wird entweder in Küvetten mit planparallelen Wänden aus Quarz gefüllt, oder man benutzt lieber zu diesem Zwecke die von **Baly** und **Desch** empfohlene Absorptionsröhre (siehe Fig. 32).

Die Anwendung der **Baly**schen Absorptionsröhre ist deshalb zweckmäßiger, weil man, wie weiter unten beschrieben wird, die Absorptionsspektra bei verschiedener Schichtendicke bequem aufnehmen kann, wogegen man bei dem Arbeiten mit den Küvetten deren mehrere haben muß, z. B. von 1 mm, 2,5 mm, 5 mm, 10 mm, 20 mm Schichtendicke.

Die Absorptionsröhre von **Baly-Desch** gestattet Flüssigkeitsschichten von Null bis 100 mm zu untersuchen; dieselbe besteht aus zwei ineinander verschiebbaren mit Gummischlauch abgedichteten Glasröhren von etwa 30 mm Durchmesser, von denen

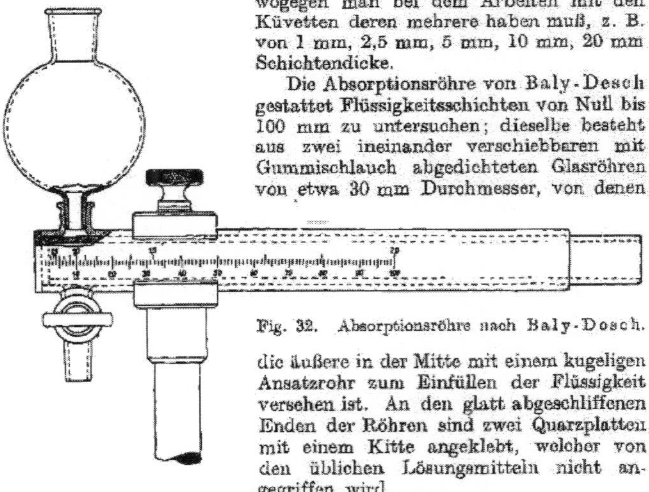

Fig. 32. Absorptionsröhre nach **Baly-Desch**.

die äußere in der Mitte mit einem kugeligen Ansatzrohr zum Einfüllen der Flüssigkeit versehen ist. An den glatt abgeschliffenen Enden der Röhren sind zwei Quarzplatten mit einem Kitte angeklebt, welcher von den üblichen Lösungsmitteln nicht angegriffen wird.

Für wässerige Lösungen verwendet man Siegellack oder Kanadabalsam, für alkoholische Lösungen Syndetikon oder Piceïn, bei Verwendung von konzentrierter Schwefelsäure oder Essigsäure schützt man die Kittschicht mit einem dünnen Überzug von Paraffin, der öfters erneuert werden muß. Andere Lösungsmittel kommen für Farbstoffe im allgemeinen nur seltener in Betracht.

Die Anwendung solcher Absorptionsröhren ist jedoch umständlich; bequemer sind in Handhabung Glasröhren, an welchen die Quarzplättchen direkt angeschmolzen sind.

An der äußeren Röhre ist eine Millimeterskala eingeätzt oder angeklebt, um die jeweilige Schichtendicke ablesen zu können. Man kann die Schichtendicke bei der gewöhnlichen Art der Ausführung der Absorptionsröhre auf etwa 0,1 bis zu 0,2 mm abschätzen. Es gibt auch, nach dem Vorschlage von K. Schaefer, solche Balysche Gefäße, welche mikrometrisch verstellbar sind und größere Meßgenauigkeit, bis 0,01 mm gestatten.

Man muß das Absorptionsgefäß so stellen, daß die Lichtstrahlen auf die Quarzplatten senkrecht fallen; die Achse der Röhre muß deshalb mit der optischen Achse des Spektrographen zusammenfallen. Zur Vermeidung des störenden reflektierten Lichtes ist es nötig, eine schwarze Papierhülle in das innere Rohr des Balyschen Gefäßes einzuschieben. Man erkennt die richtige Stellung des Absorptionsgefäßes, wenn sein Bild auf dem Spalte als ein scharfer, einheitlich belichteter runder Fleck erscheint.

Das Balysche Gefäß wird mit dem nicht verschiebbaren Außenrohr in ein Stativ festgeklemmt; falls nicht die optische Bank benutzt wird, so muß das Stativ für das Gefäß genügend schwer sein, damit dasselbe beim Verschieben des inneren Rohres betreffs der Einstellung der Schichtendicke nicht von seiner Lage verschoben wird.

Vorbereitung der Farbstofflösungen.

Wie bereits bei der Besprechung der Absorptionsspektra der Farbstoffe im sichtbaren Teile angeführt wurde, ist für die Beurteilung der Absorptionsverhältnisse eines Farbstoffes die Lage der stärksten Absorption im Spektrum von wichtigster Bedeutung. Um diese Absorptionsmaxima festzustellen, werden die zur okularen Beobachtung bzw. zum Photographieren der Absorptionsspektra dienenden Farbstofflösungen so weit verdünnt, bis sich das Absorptionsspektrum in ein oder mehrere scharfe, eben noch sichtbare Streifen trennt oder, wenn keine Absorptionsstreifen vorhanden sind, beim starken Verdünnen der Lösung eine einseitige Absorption erscheint.

Die Lage des Dunkelheitmaximums des Absorptionsstreifens wird dann in bekannter Weise bestimmt, und man findet die demselben entsprechende Wellenlänge in den Tabellen der Spektren der Farbstoffe (siehe I. Teil, S. 37 usf. und II. Teil, 1. Lieferung S. 15).

Bei der Untersuchung des unsichtbaren ultravioletten Teiles des Spektrums arbeitet man üblich so, daß man eine Reihe photographischer Aufnahmen von verschieden verdünnten Lösungen probeweise macht und nachher die Grenzen der Absorption bestimmt; zweckmäßiger ist es aber, an Stelle der Konzentration die Schichtendicke der Lösung zu ändern. Nach dem Beerschen Gesetze ist die Absorption dem Produkte der Konzentration und der Schichtendicke direkt proportional. Man erhält demnach die gleichen Absorptionsverhältnisse, wenn man z. B. die Konzentration der Lösung zehnmal vergrößert und eine zehnmal dünnere Schichte verwendet, oder umgekehrt bei zehnmaliger Verdünnung der Lösung eine zehnmal dickere Schichte benutzt (siehe I. Teil S. 21).

Diese Gesetzmäßigkeit ermöglicht bei spektroskopischen Arbeiten zu starke Schichtendicken zu vermeiden, indem man z. B. nur Schichtendicken von 0,1 bis zu 50 mm benützt und an Stelle der größeren Schichtendicke konzentriertere Lösungen verwendet, z. B. an Stelle der Schichtdicke von 60 mm die Schichtendicke von nur 10 mm einer sechsmal konzentrierteren Lösung.

Bei der graphischen oder tabellarischen Zusammenstellung der Ergebnisse werden dann diese Schichtendicken auf die am stärksten verdünnte Lösung bezogen, indem man die jeweilige Schichtendicke mit der betreffenden Konzentration multipliziert; die Konzentration der am stärksten verdünnten Lösung wird dabei als Einheit genommen.

Unsere Versuche haben die Gültigkeit des Beerschen Gesetzes bei Farbstoffen im allgemeinen bestätigt, nur in Fällen, wo man direkt von sehr verdünnten zu bedeutend konzentrierteren Lösungen übergeht, zeigen sich geringe Abweichungen; solche Fälle, z. B. ein direkter Übergang von einer Schichtdicke von 40 mm einer 1:10000 Lösung zur Schichtendicke von 5 mm einer 1:1000 Lösung sollen möglichst vermieden werden.

Bei der Untersuchung eines Farbstoffes auf seine Absorption kann man so verfahren, daß man sich zweckmäßig zuerst Lösungen in der Konzentration von 1:100, 1:1000, 1:10000 und 1:100000 vorbereitet und auf einer Platte photographische Aufnahmen von jeder dieser Lösungen nacheinander bei verschiedener Schichtendicke macht, z. B. bei den Schichtendicken 10 mm, 20 mm, 30 mm, 40 mm, 50 mm. Man erhält auf diese Weise auf der Probeplatte 20 Absorptionsspektren, nach welchen man leicht feststellen kann, welche Konzentration für die nötigen Absorptionsmaxima die geeignetste ist.

Die Intensität der Absorption ist bei verschiedenen Farbstoffen zwar sehr ungleich, nichtdestoweniger in den meisten Fällen eignen sich zur Absorptionsuntersuchungen die Farbstofflösungen 1:10000 am besten.

Es ist zwecklos, bei technischen Farbstoffen, die meistens keine reine chemische Verbindungen sind, molekulare Konzentration der Lösungen herzustellen. Diese Arbeitsweise ist nur bei Absorptionsuntersuchungen chemisch reiner Substanzen üblich, namentlich zu den theoretisch-wissenschaftlichen Zwecken, z. B. bei dem Studium der Beziehungen zwischen Lichtabsorption der Verbindungen und ihrer chemischen Konstitution. Die Molekularlösungen enthalten in 1000 ccm des Lösungsmittels ein Gramm-Mol oder entsprechend der Molekularkonzentration der Lösung geringere Menge der Substanz gelöst; z. B. eine n/1000 Lösung des Auramins, dessen Molekulargewicht 303 beträgt, wird durch Lösen von 303 mg des 100%igen Farbstoffes in 1000 ccm des Lösungsmittels bereitet.

Auf die optische Reinheit der Lösungsmittel soll eine große Sorgfalt gelegt werden; die gewöhnliche, wenn auch wenig gefärbte konzentrierte Schwefelsäure absorbiert nicht selten das Ultraviolett fast vollkommen. Die Lösungsmittel, die bei den Farbstoffuntersuchungen am meisten in Betracht kommen, nämlich destilliertes Wasser, Äthylalkohol, Amylalkohol und Schwefelsäure, sind allerdings, wenn sie rein sind, in den hierbei benutzten Schichtendicken für die ultravioletten Strahlen vollkommen durchlässig; ihre Absorption beginnt erst bei so kurzwelligen Strahlen, daß sie für die Farbstoffuntersuchung außer Betracht kommt.

Einstellung und Justierung des Spektrographen.

Die genaue Einstellung und Justierung eines Spektrographen erfordert eine sorgfältige Arbeit, sie kann nur durch photographische Aufnahmen versuchsweise ausgeführt werden.

Vor allem muß der Kollimator und die Kamera mit dem Hauptschnitte des Prismas in eine Ebene gebracht werden. Dann wird das Kollimatorrohr auf Unendlich eingestellt; das Prisma wird in eine solche Stellung gebracht, daß die mittleren Strahlen des Spektrums, in unserem Falle die Eisenlinie 310 $\mu\mu$, sich im Minimum der Ablenkung befinden. Die Längs- und Schrägstellung der Kamera zur optischen Achse des Apparates sowie die Schrägstellung der Kassette als auch die Einstellung des Kameraobjektives müssen versuchsweise gefunden werden. Die erste Einstellung des Apparates wird zweckmäßig mit Hilfe der mit Uranglaseinlage versehenen Mattscheibe, welche zur Sichtbarmachung des ultravioletten Spektrums dient, okular approximativ vorgenommen. Man wirft auf die Mattscheibe ein linienreiches Spektrum, z. B. das von Eisen, und beobachtet mit einer Lupe bei versuchsweise veränderter Stellung der Objektive, des Prismas und der Kamera seine Lage, Reinheit und die Schärfe der Linien.

Wenn das Spektrum bei okularer Beobachtung scharf genügend und rein erscheint, so sucht man ferner noch durch photographische Aufnahmen des Emissionsspektrums bei gleichzeitiger planmäßiger Änderung der Stellung der Objektive, des Prismas usw. die endgültige Einstellung, welche die größte Klarheit und Schärfe zeigt, zu finden, indem man die vorläufige Einstellung in engen Grenzen ändert und jedesmal das Spektrum photographiert.

Gleichzeitig ändert man bei diesen Versuchen auch die Spaltbreite, um sich über die Breite der Linien bei verschiedener Stellung des Spaltverschlusses zurechtzufinden.

Die eben kurz beschriebene Justierung des Quarzspektrographen, welche natürlich bei verschiedenen Typen dieser Apparate in jedem Falle eine besondere Ausführungsart verlangt, wird stets von den optischen Werkstätten, welche diese Apparate herstellen, besorgt, so daß jedes Instrument in vollkommen gebrauchsfähigem Zustande geliefert wird. Es werden auch jedem Spektrographen entsprechende Tabellen beigegeben, welche sämtliche Justierungsangaben des Instrumentes enthalten und mit deren Hilfe man leicht an der Hand der von der Firma angegebenen Anleitung die Justierung kontrollieren bzw. vervollständigen kann.

Was die Stellung des Eisenlichtbogens und des Absorptionsgefäßes bzw. des Kondensors anbelangt, so müssen dieselben in der optischen Achse des Apparates liegen; dicht an den Spalt stellt man das Absorptionsgefäß, dann folgt der Kondensor und schließlich die Lichtquelle. Die Höhe der Lichtquelle, d. i. die Mitte des Abstandes der Elektrodenenden, muß mit der Mitte des Spaltes übereinstimmen. Ob sich die Lichtquelle in der Verlängerung der optischen Achse des Apparates befindet, kann annähernd festgestellt werden, indem man über den Spalt und einen mittleren Punkt auf dem Spaltrohre visiert. Die richtige Lage der Lichtquelle erkennt man daran, daß das auf die Mattscheibe der Kamera geworfene Spektrum gleichmäßig, ohne Schattierungen, rein und intensiv erscheint. Man sucht durch seitliches geringes Links- und Rechtsdrehen der Lichtquelle ihre günstigste Stellung zu erreichen.

Die Entfernung des Eisenlichtbogens vom Spalte des Spektrographen beträgt 50 bis 100 cm. Bei Anwendung eines Kondensors wird seine Brennweite für die Stellung des Absorptionsgefäßes und des Eisenlichtbogens maßgebend.

Wie schon früher erörtert wurde, erkennt man die richtige Stellung des Absorptionsgefäßes daran, daß sich seine planparallelen Wände auf dem Spalte ohne Verkrümmungen und Lichtreflexe scharf abspiegeln.

Aufnahme der Absorptionsspektren.

Zum Zwecke der Aufnahme der Absorptionsspektren stellt man zuerst die Bogenlampe in geeigneter Weise gegen den Spalt des Spektrographen und macht zunächst eine probeweise Aufnahme des Eisenspektrums.

Die diesbezügliche schematische Zusammenstellung der einzelnen Apparate ist in der Fig. 33 dargestellt.

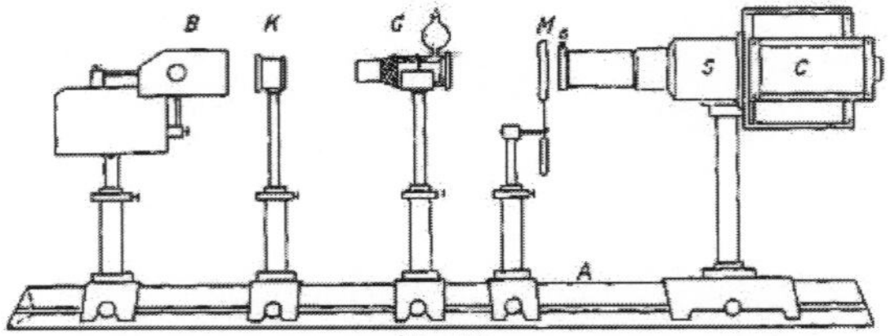

Fig. 33.

A Optische Bank. B Elektrische Handregulierlampe. K Quarzkondensor. G Absorptionsgefäß nach Baly. M Bewegliche Metallscheibe. S Quarzspektrograph mit photographischer Kassette C. s Spalt des Spektrographen.

Die Dauer der Exposition wird mit Hilfe eines Schiebers oder eines einfachen Verschlusses der photographischen Kamera geregelt.

Eine einfache und zweckmäßige von Plotnikov stammende Vorrichtung besteht darin, daß man eine runde drehbare Metallscheibe an das Gestell des Absorptionsgefäßes befestigt; diese Metallscheibe dient zur Abblendung des auf den Spalt fallenden Lichtstrahlbündels.

Die Expositionszeit kann in ziemlich weiten Grenzen variieren, sie hängt von der Lichtstärke des Spektrographen, von der angewandten Spaltweite, von der Insensität des Bogens und dessen Entfernung von dem Spalte, von der Beschaffenheit des Kondensors und von der Empfindlichkeit der photographischen Platte ab. Die Expositionszeit muß also vorher versuchsweise ausprobiert werden. Es genügen im allgemeinen für die Eisenlichtbogenaufnahme etwa 10 Sekunden und für die Aufnahmen der Absorptionsspektra etwa 20 bis 30 Sekunden. Man soll dafür sorgen, stets gleiche Intensität des Bogens und gleiche Expositionszeit einzuhalten und selbstverständlich photographische Platten von gleicher Provenienz zu verwenden, um einheitliche Ergebnisse zu erhalten. Besonders wichtig ist die gleichmäßige Intensität der Lichtquelle; ändert sich die Lichtintensität zwischen mehreren Aufnahmen wesentlich, so kann dieser Umstand zu falscher Beurteilung der Absorption führen. Es ist daher wichtig, die richtige Funktion des Lichtbogens vorher auszuprobieren.

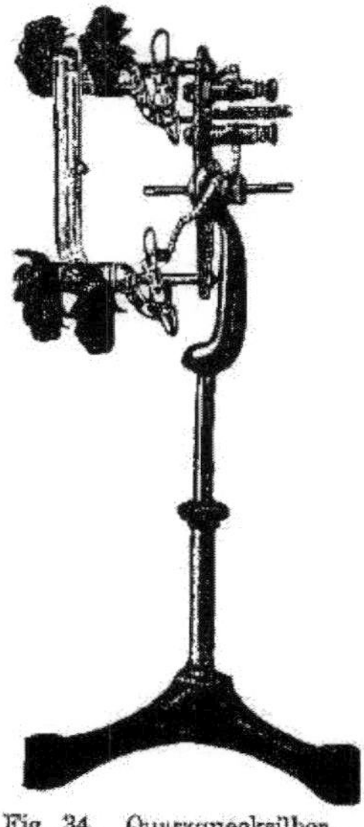
Fig. 34. Quarzquecksilberlampe.

Nachdem die Eisenbogenaufnahme photographisch ausprobiert wurde, so wird das in den Spektrographen gelangende Licht abgeblendet, die Kassette mit der Platte in die Kamera passend verschoben und das Balysche Gefäß mit der zu untersuchenden Lösung, deren geeignete Konzentration vorher durch einen Vorversuch ermittelt wurde, gefüllt. Die Konzentration der Farbstofflösung soll regelmäßig 1 : 10 000 betragen. Man stellt die Schichtendicke der Lösung auf 1 mm, läßt dann das Licht in den Apparat eintreten, eine bestimmte Zeit auf die photographische Platte bei geöffneter Kassette einwirken und macht auf diese Weise eine ganze Reihe von Absorptionsaufnahmen, indem man stets nach Abblenden des Lichtes und Verschieben der Kassette die Schichtendicke der Lösung entsprechend vergrößert.

Man kann aber auch auf eine andere Art verfahren, indem man die Lösungen verschiedener Konzentration und derselben Schichtendicken anwendet, nur muß man dafür sorgen, daß bei der angewandten Konzentration der Lösung sämtliche Absorptionsstreifen, d. h. ihre Dunkelheitsmaxima, auf der photographischen Platte erscheinen. Zuletzt nimmt man noch den Eisenbogen auf, entwickelt und fixiert die Platte auf die übliche Art und Weise.

Bei Benützung einer anderen Lichtquelle als der des Eisenlichtbogens, z. B. des kondensierten Uran-Molybdon-Funkens verfährt man bei der Aufnahme des Absorptionsspektrums in analoger Weise.

Wie weiter bei der Besprechung der Eichung des Spektrographen bzw. bei der Beschreibung der Ausmessung der Spektrogramme (der fertigen Platte) noch erörtert wird, ist die Bestimmung der Grenzen der Absorption unter Anwendung des Eisenspektrums als Meßskala für den mit diesem Spektrum weniger vertrauten Beobachter, welcher nur gelegentlich diese Untersuchungsmethode anwendet, ziemlich schwierig.

Man kann sich in der Fülle der Linien irren. Es ist daher für dieses Verfahren sehr bequem und zweckmäßig, neben dem Eisenspektrum noch ein weniger linienreiches charakteristisches Spektrum mitzuphotographieren, dessen Linien als Ausgangspunkte für die Ausmessung des Eisenspektrums dienen. Ein solches geeignetes Spektrum liefert die Quarzquecksilberlampe der Firma Heraeus in Hanau (Fig. 34).

In der beigeschlossenen Tabelle sind die lichtstärksten, am meisten charakteristischen Linien des Quecksilberspektrums angegeben.

Tabelle des Linienspektrums von Quecksilber.

690,7	386,0	**296,7**	240,0
623,4	382,1	294,7	237,8
612,3	379,0	**289,3**	235,4
607,3	377,0	285,7	225,9
579,1	375,2	**284,8**	221,3
577,0	370,3	280,4	217,3
567,9	**366,3**	276,2	216,7
546,1	**365,5**	276,0	216,4
536,5	**365,0**	275,3	**216,3**
496,0	350,3	272,4	**213,7**
491,6	356,1	270,8	212,7
435,9	354,4	269,9	211,0
434,8	339,0	265,5	209,8
434,4	**334,2**	265,4	207,0
433,9	**313,1**	265,2	204,8
410,9	**312,5**	264,0	199,1
407,8	**302,7**	257,6	198,7
404,7	302,5	**253,6**	197,3
398,4	302,3	253,5	197,0
390,6	302,2	248,2	193,0
390,0			

Nachdem die Quecksilberbogenlampe ziemlich kostbar und leicht zerbrechlich ist, kann man auch das Spektrum von Quecksilber oder von Helium mit Hilfe der Geißlerschen Röhren, die mit Quarzfenstern versehen sind, gleichzeitig zusammen aufnehmen. Zu diesem Zwecke werden Geißlersche Röhren mit kombinierter Füllung von Quecksilber und Helium in den Handel gebracht. In der beiliegenden Tabelle ist das Linienspektrum von Helium angeführt.

Linienspektrum von Helium.

728,1	402,1	414,4	381,9
706,5	471,3	412,1	370,5
667,8	447,1	402,6	361,3
587,6	443,7	396,5	318,8
504,7	438,8	388,9	294,5
501,5			

Die Firma Heraeus bringt auch Amalgamquarzlampen in den Handel, welche statt Quecksilber Amalgame verschiedener Metalle, wie Blei, Kadmium, Zink, Wismut enthalten. Diese Lampen geben ein noch intensiveres Licht als Quecksilberbogenlampe, ihre Lebensdauer ist aber kürzer.

Für die Aufnahme der Absorptionsspektren von Farbstoffen diene als Beispiel das folgende Schema:

Aufnahme			Schichtendicke der Farbstoff-Lösung in mm. Verdünnung: 1:10 000	Expositionszeit in Sekunden
1.	Quarzquecksilberlampe	Hg-Spektrum	—	10
2.	Eisenbogenlicht	Fe-Spektrum	—	10
3.	,,	,,	1	30
4.	,,	,,	2	30
5.	,,	,,	3	30
6.	,,	,,	4	30
7.	,,	,,	5	30
8.	,,	,,	6	30
9.	,,	,,	7	30
10.	,,	,,	8	30
11.	,,	,,	9	30
12.	,,	,,	10	30
13.	,,	,,	12	30
14.	,,	,,	14	30
15.	,,	,,	16	30
16.	,,	,,	18	30
17.	,,	,,	20	30
18.	,,	,,	25	30
19.	,,	,,	30	30
20.	,,	,,	35	30
21.	,,	,,	40	30
22.		,,	—	10
23.	Quarzquecksilberlampe	Hg-Spektrum	—	10

Fig. 35. Spektrum von Metanilgelb.

In der Fig. 35 ist nach dem eben beschriebenen Verfahren das Absorptionsspektrum von Metanilgelb extra [B] dargestellt, wobei als Lichtquelle der Eisenlichtbogen verwendet wurde.

Zur Aufnahme der Absorptionsspektren genügen vollständig die üblichen Bromsilbergelatineplatten, deren Empfindlichkeit im ultravioletten bzw. blauvioletten Teile des Spektrums sehr groß ist. Will man das Spektrum bis zu etwa 500 $\mu\mu$ aufnehmen, so verwendet man orthochromatische Platten.

Als Entwickler eignet sich sehr gut das Glyzin; die Zusammensetzung des Entwicklers ist die folgende:

I. Lösung:	II. Lösung:
1000 g Wasser,	1000 g Wasser,
100 g Natriumsulfit,	200 g kohlensaures Kali.
20 g Glyzin.	

Kurz vor dem Gebrauche werden gleiche Teile der Lösungen I und II gemischt.

Der Glyzinentwickler ist gut haltbar und man kann auch die schon gebrauchte Entwicklerlösung noch einigemal verwenden, wenn man zu der gebrauchten 10 Volumprozent der frischen Entwicklerlösung zufügt. Wendet man frische Lösungen an, so ist es vorteilhaft, einige Tropfen von 10%iger Kaliumbromidlösung beizufügen, um die Verschleierung der photographischen Platten zu verhindern. Sämtliche Platten sollen möglichst gleich stark entwickelt werden, was bei einiger Übung leicht gelingt. Zum Fixieren der Platten dient Natriumthiosulfatlösung von folgender Zusammensetzung:

I.	Natriumthiosulfat (Fixiernatron)	250 g,
	Wasser	1000 g.
II.	Natriumsulfitlösung 1:4	70 ccm,
	Weinsäure oder Zitronensäurelösung 1:2	40 ccm.

Die Säure darf erst zuletzt nach der Sulfitlösung zugesetzt werden, oder die Sulfitlösung wird zuerst mit der Säurelösung gemischt und sodann zu der Thiosulfatlösung zugefügt. Diese Fixierlösung ist sehr lange haltbar.

Nach dem Fixieren werden die Platten im fließenden Wasser etwa eine Stunde gewaschen und dann bei gewöhnlicher Temperatur getrocknet.

Eichung des Spektrographen und Auswertung der Spektrogramme.

Unter Eichung des Spektrographen versteht man die Feststellung der Wellenlängen, die den einzelnen Teilen des Spektrums entsprechen. Diese Arbeit muß mit der größten Sorgfalt durchgeführt werden, denn von einer richtigen Wellenlängenskala hängt im wesentlichen die Genauigkeit der späteren Ausmessung von Absorptionsspektren ab.

Zweckmäßig verfolgt man im unsichtbaren Teile des Spektrums den gleichen Weg, der für die Anfertigung der Wellenlängenskala im sichtbaren Teil allgemein üblich ist.

Von den optischen Anstalten werden auch Spektrographen mit Wellenlängenskala hergestellt, welche bei der Aufnahme des Absorptionsspektrums gleichzeitig aufgenommen wird, so daß man den Spektrographen nicht besonders eichen muß.

Diese Einrichtung ist zwar bequem, aber für den, der die Absorptionsspektren öfters zu untersuchen hat, empfiehlt es sich, die Eichung des Spektrographen selbst vorzunehmen.

Eichung auf Grund des Eisenlichtbogenspektrums und des Quecksilberspektrums als Meßskala.

Vor allem muß man eine leicht erkennbare Linie des Spektrums als Nullpunkt der Skala nehmen. Dazu eignet sich im Ultraviolett nach unseren Versuchen am besten die Linie 310 $\mu\mu$ des Eisenspektrums, welche ungefähr in der Mitte des Spektrums liegt und so stark und charakteristisch ist, daß man sie bei einiger Übung sofort erkennen kann. Befindet sich auf der photographischen Platte das Eisenspektrum und zugleich auch das Quecksilberspektrum, so ist es sehr leicht, die Eisenlinie 310 $\mu\mu$ zu finden, denn in deren unmittelbarer Nähe befinden sich die charakteristischen Quecksilberlinien 312,5 $\mu\mu$ und 313,1 $\mu\mu$. Nachdem die Eisenlinie 310 $\mu\mu$ festgestellt wurde, so werden

Eichungskurve.

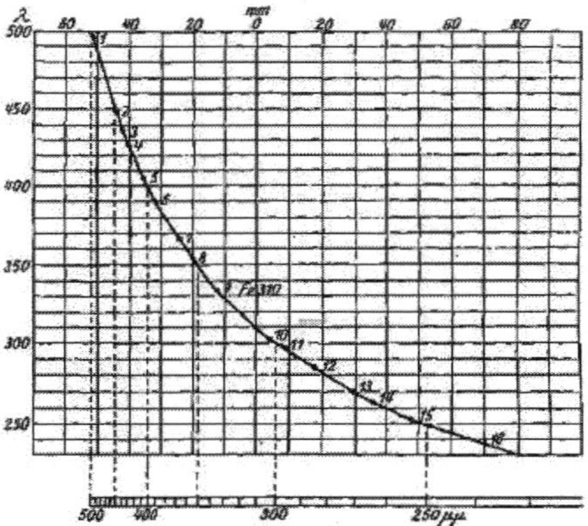

Fig. 36.

die Abstände der übrigen möglichst charakteristischen Eisen- und Quecksilberlinien von der 310 $\mu\mu$-Linie gemessen und in 10facher Vergrößerung in ein Koordinatensystem als Abszissen und die entsprechenden Wellenlängen als Ordinaten (z. B. im Maßstab 2 $\mu\mu$ = 1 mm) eingetragen. Nachher verbindet man die auf diese Weise erhaltenen Schnittpunkte und erhält dadurch die Eichungskurve, welche im verkleinerten Maßstabe in der Fig. 36 abgebildet ist. Es genügt zu diesem Zwecke etwa 30 bis 40 Eisenlinien und Quecksilberlinien, die man leicht finden kann, zu identifizieren.

Die in der Fig. 36 bezeichneten Zahlen bedeuten:

1.	Hg-Linie	496,0	9.	Hg-Linie	334,2
2.	Fe- „	448,2	10.	„	302,7
3.	Hg- „	435,9	11.	„	296,7
4.	Fe- „	427,2	12.	„	284,8
5.	Hg- „	404,7	13.	„	270,3
6.	Hg- „	390,6	14.	„	264,0
7.	Hg- „	365,5	15.	„	253,6
8.	Hg- „	354,4	16.	„	237,8

Mit Hilfe dieser Kurve werden dann die weiteren, den Wellenlängen 220 $\mu\mu$, 225 $\mu\mu$, 230 $\mu\mu$ usw. bis 450 $\mu\mu$ entsprechende Schnittpunkte graphisch gefunden und die auf diese Weise erhaltenen Abstände wieder auf die ursprüngliche Größe (also in zehnfacher Verkleinerung) reduziert und auf eine dünne Zelluloidplatte aufgetragen. Dann zieht man durch diese Punkte parallele Linien, bezeichnet sie nach den entsprechenden Wellenlängen und außerdem merkt man sich namentlich noch die Linie von der Wellenlänge 310 $\mu\mu$. Auf diese Weise erhält man eine Standardplatte zum Ausmessen des Spektrums.

Die Eisenlinien sind von verschiedenen Forschern, namentlich von Rowland[1]), Exner und Haschek[2]), Kayser und Runge[3]) und anderen Wissenschaftlern durchgemessen worden. Eine neue genaue photographische Aufnahme des Eisenspektrums findet man in den Annalen de la Société de la Faculté des Sciences de Marseille, von Buisson und Fabry[4]). In der folgenden Tabelle sind die Wellenlängen der stärksten Eisenlinien angeführt, soweit sie für die Eichung im Ultraviolett in Betracht kommen.

Tabelle der wichtigsten Eisenlichtbogenspektrallinien.

448,2	**427,2**	414,8	387,8	373,6	342,7
447,6	427,1	414,4	387,2	372,0	342,4
446,9	426,0	414,3	386,6	364,8	341,9
445,9	425,1	413,7	386,0	363,2	341,8
444,8	425,0	413,5	385,6	361,9	341,3
444,3	424,7	413,3	385,0	360,9	341,1
444,2	423,9	413,2	384,1	358,7	340,7
443,1	423,6	411,8	384,0	358,1	340,4
442,7	423,4	411,0	383,4	357,0	339,9
442,3	422,7	410,7	382,8	**356,5**	339,3
441,5	422,2	409,8	382,6	355,8	338,4
440,5	421,9	408,4	382,4	355,7	338,0
439,1	421,0	**407,2**	382,0	355,5	337,1
438,4	420,2	406,8	381,6	352,6	331,6
437,6	419,9	406,4	381,3	352,1	330,8
437,0	419,8	**406,3**	379,5	351,4	330,6
435,3	419,1	**404,6**	376,7	349,1	329,8
433,7	418,8	**400,5**	376,5	347,7	329,3
432,6	418,7	397,8	376,4	347,5	329,2
431,5	418,5	396,9	376,0	346,6	328,7
430,8	417,6	393,0	375,8	344,5	328,0
429,9	417,2	392,8	374,9	344,4	327,1
429,4	417,1	392,3	374,6	**344,1**	326,6
428,2	415,7	390,3	373,7	**344,0**	325,4

1) Rowland, H. A.: Preliminary table of solar spectrum wawe-lengths. Astrophys. J. 1—6.

2) Exner, F.-E. Haschek: Die Spektren der Elemente bei normalem Druck. 3 Bde. 1911—1912.

3) Kayser, H.-C. Runge: Über die Spektren der Elemente. Abh. d. Berl. Akad. 1888.
Kayser, H.: Handbuch der Spektroskopie. VI. Bd. 1912. Siehe auch Hagenbach-Konen: Atlas der Emissionsspektren der meisten Elemente. 1905.
Die neuesten Ergebnisse der Messung des Eisenspektrums siehe Kayser, H.-H. Konen: Handbuch der Spektroskopie. VII. Bd. 1924.

4) Tome XVII. Fascioule III. 1908.

Tabelle der wichtigsten Eisenlichtbogenspektrallinien.

324,4	299,9	283,2	273,1	259,2	246,5
323,9	299,4	282,6	272,8	258,8	245,3
322,6	298,7	282,3	272,4	258,6	244,8
322,2	298,5	281,7	272,1	258,5	244,3
322,0	298,4	281,3	271,9	258,3	244,2
321,7	298,1	280,7	271,8	257,8	244,0
321,6	297,3	280,5	271,4	257,7	243,6
320,5	297,0	279,8	270,9	257,6	243,1
320,0	296,7	279,5	270,7	257,1	242,9
318,0	296,5	279,0	269,9	256,7	242,8
317,6	296,0	278,8	269,7	256,3	242,4
316,1	295,0	278,4	269,6	255,3	241,3
315,1	294,8	278,2	267,9	255,1	241,1
313,4	294,1	277,8	266,9	254,5	240,7
312,5	293,8	277,5	266,7	254,2	240,5
311,7	293,7	277,3	266,6	253,7	240,4
310,1	292,9	277,2	266,5	253,1	239,9
310,0	292,7	276,8	266,2	252,9	239,6
309,2	291,8	276,4	266,1	252,7	238,9
308,4	291,2	276,2	265,6	252,6	238,3
306,7	290,2	276,0	264,8	252,3	238,2
305,9	289,9	275,7	264,4	251,8	237,9
305,7	289,5	275,6	264,2	251,1	237,5
304,8	287,7	275,1	263,6	250,2	237,3
304,3	287,4	275,0	263,1	249,9	236,9
304,0	287,2	274,7	262,8	249,3	236,5
303,0	286,9	274,5	262,6	249,1	236,2
302,6	286,7	274,4	262,4	249,0	236,0
302,4	286,4	274,3	262,2	248,8	234,8
302,1	285,4	274,2	261,4	248,4	233,8
301,9	285,2	274,0	261,2	248,3	233,3
301,8	284,9	273,7	260,7	247,7	233,1
301,0	284,6	273,4	260,6	247,5	232,7
300,8	284,4	273,2	259,8	246,9	228,9
300,1	283,8				

Bei gleichzeitiger Aufnahme des Quecksilberspektrums wird die Eichung des Spektrographen wesentlich erleichtert. Wie aus der auf S. 407 angeführten Tabelle des Quecksilberspektrums ersichtlich ist, enthält dieses Spektrum eine Reihe von charakteristischen, über das ganze Spektrum im Ultraviolett ziemlich gleichmäßig verteilten Linien, welche zufolge ihrer verschiedener Intensität leicht zu erkennen sind. Diese Linien genügen zwar für die Eichung des Spektrographen allein, wenn man aber noch einige zwischenliegende Eisenlinien des Eisenspektrums hinzunimmt, so kann die Eichungskurve mit großer Genauigkeit dargestellt werden.

Eichung auf Grund der Hartmannschen Dispersionsformel.

Die Eichung des Spektrographen läßt sich bequem nach der von Hartmann angegebenen empirischen Dispersionsformel

$$n = n_0 + \frac{c}{(\lambda - \lambda_0)^{\alpha}}$$

durchführen.

In dieser Formel bedeutet λ die Wellenlänge einer Linie, n den Brechungsexponenten für die betreffende Wellenlänge, n_0, λ_0, c, α sind vier Konstanten für das angewandte Prisma des Apparates.

Man bestimmt sie, indem man zuerst λ und n für vier verschiedene Spektrallinien ermittelt; durch Einsetzen dieser Werte in die obige Formel erhält man vier Gleichungen mit vier Unbekannten, und aus diesen Gleichungen berechnet man die Werte für λ_0, n_0, c, α. Die Gleichungen lassen sich indessen nicht direkt berechnen, sondern man muß in dieselben zuerst annähernde Werte für α (bei Quarzprismen etwa 1,5) und für λ_0 etwa z. B. $\lambda_0 = 900$ einsetzen und die übrigen Konstanten vorher annähernd ermitteln und dann unter Änderung der Werte für λ_0 und α nach den Regeln der Regula falsi endgültige genaue Zahlen für die Konstanten berechnen. Eine ausführliche Anleitung für diese Berechnungen wurde von Hartmann in der Zeitschrift für Instrumentenkunde veröffentlicht[1]).

Wenn man die Konstanten berechnet hat, so kann man mit der erwähnten Dispersionsformel genaue Bestimmungen der Wellenlängen im Ultraviolett ausführen; bei einfachen Apparaten, welche nur mit einem Prisma versehen sind, wird eine Genauigkeit bis auf ein Hundertstel einer Angströmeinheit erzielt.

An Stelle von n können auch andere bei der Beobachtung des prismatischen Spektrums direkt erhaltene Messungsergebnisse, wie die Ablesungen an der Skala, die Ablenkungen der Linien, die auf der Photographie des Spektrums gemessene Linienabstände angewandt werden, welche Werte eine Funktion der Wellenlänge darstellen. Bezeichnet man z. B. die an der photographischen Platte direkt gemessene Linienabstände von einem Ausgangspunkt mit d, so erhält man nach der obigen Formel für die Eichung des Spektrographen folgende Formel:

$$\lambda = \lambda_0 + \frac{c}{(d - d_0)^{\frac{1}{\alpha}}}.$$

Die Eichung des Spektrographen wird nun auf folgende Weise durchgeführt: Man bestimmt an einer fertigen Platte die Entfernung von einem Ausgangspunkte von vier Linien, welche in ungefähr gleicher Entfernung voneinander längs des Spektrums sich befinden. Der Ausgangspunkt für die Ausmessung kann z. B. bei dem Eisenbogenspektrum die stark auftretende Eisenlinie bei 310,0 $\mu\mu$ sein, wobei die rechts und links von dieser Linie gemessenen Linienabstände mit entgegengesetztem Vorzeichen bezeichnet werden.

Hat man das Quecksilberspektrum mitphotographiert, so kann die leicht erkennbare Linie 435,9 $\mu\mu$ auch als Nullpunkt gewählt werden; als weitere charakteristische und in geeigneter Entfernung voneinander befindliche Quecksilberlinien können für die obige Messung die Linien 404,7 $\mu\mu$, 312,5 $\mu\mu$ und 253,6 $\mu\mu$ dienen, deren lineare Abstände von der Linie 435,9 $\mu\mu$ an der Platte ausgemessen werden. Durch Einsetzen der so erhaltenen Werte für d in die obige Formel (für die Ausgangslinie

[1]) Hartmann, J.: Einige Regeln für den Gebrauch der empirischen Dispersionsformel und ihre Anwendung auf die Brechungsexponenten des Quarzes. Zeitschr. f. Instrumentenkunde 1917, S. 166.

ist *d* gleich Null) erhält man vier Gleichungen, welche, wie schon früher erwähnt, nach bestimmten Regeln berechnet werden. Wenn man einmal für allemal die Konstanten des Apparates bestimmt, so kann man leicht und genau die Wellenlänge, welche einer bestimmten Stelle im Spektrum entspricht, ermitteln, indem man in die Formel die vier bekannten Konstanten und für *d* die direkt an der Platte ausgemessene Entfernung der erwähnten Stelle von dem Ausgangspunkte einsetzt. Es wird wohl angenommen, daß die Lage des Prismas und der Kamera unverändert bei allen Aufnahmen des Spektrums bleibt.

Noch einfacher kann man auch, ohne eine Linie als Nullpunkt zu wählen, für *d* nur die den einzelnen Linien entsprechende Zahlen der Skala des Meßapparates zu benützen. Bei allen späteren Messungen muß jedoch die Platte stets in dieselbe Lage wie bei der ersten Abmessung gebracht werden (siehe weiter unten „Beispiel der Eichung des Spektrographen nach der Hartmannschen Interpolationsformel").

Zur Ausmessung der Absorptionsspektren von Farbstoffen, wo eine Genauigkeit auf eine Angströmeinheit vollständig ausreichend ist, kann man die angegebene Formel noch vereinfachen, indem man *a* gleich 1 statt 1,5 einsetzt. Mit der so vereinfachten Formel $\lambda = \lambda_0 + \frac{c}{d - d_0}$ lassen sich durch Ausmessung von drei Linien die Konstanten λ_0, d_0, c direkt durch einfache Berechnung der drei Gleichungen mit drei Unbekannten bestimmen; nachdem die Konstanten ermittelt wurden, so ist es nötig, durch Bestimmung der Wellenlängen einiger in verschiedenen Teilen des Spektrums liegenden Linien mit Hilfe dieser Konstanten zu prüfen, ob sie für den Bereich des ganzen ultravioletten Spektrums richtige Ergebnisse geben. Man wird in der Regel kleine Unterschiede der berechneten Wellenlängen und der direkt ermittelten Wellenlängen finden, in einem Gebiete des Spektrums mit positivem, in einem anderen Gebiete des Spektrums mit negativem Vorzeichen. Durch Herstellen einer Korrektionskurve aus ermittelten Differenzen oder Zusammenstellung einer Korrektionstabelle kann man durch Interpolation für jede Stelle des Spektrums die entsprechende Berichtigung feststellen und durch Zuzählen dieser Berichtigung zu der mit der einfachen Formel berechneten Wellenlänge das richtige Ergebnis erhalten. (Siehe weiter unten die Berechnung der Konstanten und Zusammenstellen der Korrektionskurve zur Ausmessung der Spektrogramme.)

Man kann auch, ohne Anbringung jeder Korrektion, mit der einfachen Formel recht genaue, für den vorliegenden Zweck vollständig ausreichende Ergebnisse erhalten, wenn man das Spektrum in mehrere Gebiete teilt und für jedes Gebiet die dazu gehörigen Konstanten wie früher angegeben bestimmt, z. B.:

	Quecksilberlinien:		
I. Gebiet	435,9	404,7	390,6
II. „	390,6	365,0	334,2
III. „	334,2	312,5	253,6

In diesem Falle erhält man drei Konstanten für jedes Gebiet; zur Berechnung der Wellenlänge werden dann in jedem Gebiete nur die für dieses Gebiet gültigen Konstanten benutzt. Das erste Verfahren, wobei die Korrekturen für das ganze Spektrum festgestellt werden, ist aber rechnerisch einfacher.

Wenn die Konstanten des Apparates einmal bestimmt wurden und man häufig Messungen der Wellenlängen im Spektrum auszuführen hat, so ist es bequem, aus der obigen Formel für die Wellenlängen 220 $\mu\mu$, 230 $\mu\mu$, 240 $\mu\mu$ usw. bis 500 $\mu\mu$, also in den Intervallen von 10 $\mu\mu$ zu 10 $\mu\mu$, die dazu gehörigen linearen Abstände zu berechnen und aus den so erhaltenen Zahlen einen Maßstab herzustellen, welcher direkt die Wellenlängen angibt. In der Fig. 37 ist eine solche Wellenlängenskala, ungefähr 2,5 mal vergrößert, abgebildet.

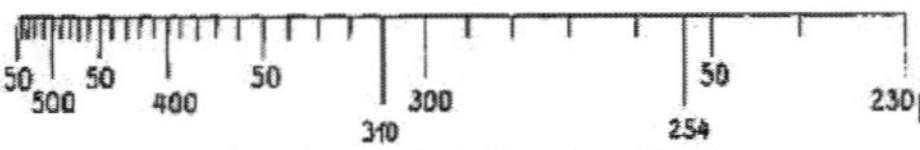

Fig. 37. Wellenlängenmaßstab.

Was die Herstellung dieses Maßstabes anbelangt, so ist es bei den Apparaten, welche nur verhältnismäßig kurze Spektra liefern, sehr schwer, die Abstände der Teilung für die längeren Wellen genau aufzuzeichnen; in dem Gebiete, wo die Dispersion gering ist, entspricht ein verhältnismäßig kleiner Fehler bei dem Auftragen der Teilung schon einem ziemlich erheblichen Fehler bei der Ablesung der Wellenlängen. Bei einem etwa 30 mm langen Spektrum betrug z. B. der Unterschied zwischen 440—430 $\mu\mu$, auf der Platte gemessen, 0,40 mm, zwischen 400—390 $\mu\mu$ 0,50 mm, zwischen 350—340 $\mu\mu$ 0,80 mm, zwischen 250 bis 240 $\mu\mu$ 2,90 mm. Es empfiehlt sich daher in einem solchen Falle, zuerst einen entsprechend vergrößerten Maßstab von 10—20facher Vergrößerung herzustellen und dann wieder diesen Maßstab photographisch auf die ursprüngliche Größe zu verkleinern. Man bekommt auf diese Weise einen Maßstab mit feiner Teilung.

Beispiel der Eichung des Spektrographen nach der Hartmannschen Interpolationsformel.

Zur Eichung wurden die Linien des Quecksilberspektrums benutzt (siehe Tafel XX); die Ausmessung der Quecksilberlinien wurde mit dem Meßmikroskop für Negative durchgeführt, und zwar mit einer Genauigkeit von 0,01 mm, indem die den einzelnen Quecksilberlinien entsprechenden Längeneinheiten der Meßskala abgelesen wurden.

Quecksilberlinien:	Teilung an der Meßskala:
546,1 $\mu\mu$	33,02 mm
491,6 „	31,77 „
435,9 „	30,01 „
410,9 „	28,95 „
390,6 „	27,94 „
370,3 „	26,73 „
334,2 „	23,95 „
312,5 „	21,75 „
296,7 „	19,72 „
269,9 „	15,28 „
253,6 „	11,665 „
237,8 „	7,12 „

Der Bequemlichkeit halber werden in der Berechnung die Wellenlängen in Angströmeinheiten, die an der Meßskala abgelesenen Werte in Hundertsteln Millimeter angegeben.

Zur Berechnung der Konstanten des Spektrographen wurde die vereinfachte Dispersionsformel (siehe S. 414) angewandt, weil die auf Grund dieser Formel erhaltenen und dann nach der Korrektionskurve korrigierten Wellenlängen für den vorliegenden Zweck zur Messung der Absorptionsstreifen der Farbstoffe völlig ausreichen.

Als Standardlinien zu dieser Berechnung wurden die Linien 546,1 $\mu\mu$, 312,5 $\mu\mu$ und 253,6 $\mu\mu$ gewählt.

Nach der Formel $\lambda = \lambda_0 + \frac{c}{d - d_0}$ ergibt sich:

$$\text{I.}\quad 5461 = \lambda_0 + \frac{c}{3302 - d_0},$$

$$\text{II.}\quad 3125 = \lambda_0 + \frac{c}{2175 - d_0},$$

$$\text{III.}\quad 2536 = \lambda_0 + \frac{c}{1166{,}5 - d_0}$$

in abgerundeten Zahlen also

$$\text{I.}\quad 18{,}032\,000 - 5461\,d_0 = 3302\,\lambda_0 - \lambda_0 d_0 + c,$$

$$\text{II.}\quad 6{,}797\,000 - 3125\,d_0 = 2175\,\lambda_0 - \lambda_0 d_0 + c,$$

$$\text{III.}\quad 2{,}958\,000 - 2536\,d_0 = 1166\,\lambda_0 - \lambda_0 d_0 + c.$$

$$\text{(I—II)}\quad 11{,}235\,000 - 2336\,d_0 = 1127\,\lambda_0,$$

$$\text{(II—III)}\quad 3{,}839\,000 - 589\,d_0 = 1009\,\lambda_0.$$

Aus (I—II) ergibt sich:

$$\lambda_0 = \frac{11{,}235\,000 - 2336\,d_0}{1127} = 9969 - 2{,}0728\,d_0,$$

und wenn dieser Wert in (II—III) gesetzt wird, so erhält man:

$$3{,}839\,000 - 589\,d_0 = 10{,}059\,000 - 2091\,d_0$$

$$1502\,d_0 = 6{,}220\,000$$

$$\underline{d_0 = 4141,}$$

dann ist

$$\underline{\lambda_0 = 1385.}$$

Die Konstante c berechnet man aus der Gleichung II:

$$6{,}797\,000 - 12{,}941\,000 - 3{,}012\,000 + 5{,}735\,000 = c.$$

$$\underline{c = -3{,}421\,000.}$$

Bei der Berechnung der Konstanten für das sichtbare Spektrum (Glasprisma) übt die Nichtbeachtung des Koeffizienten a (siehe S. 414) keinen allzu großen Einfluß auf die Berechnungsergebnisse ein, weil dabei a fast 1,0 beträgt.

Im Ultraviolett aber, wo bei Anwendung des Quarzprismas die Konstante a etwa 1,5 beträgt, sind die Ergebnisse der Berechnung mit erheblich größeren Fehlern verbunden.

Will man daher mit der einfachen Formel, wie oben gezeigt wurde, auch im Ultraviolett die Berechnung der Konstanten durchführen, so muß man noch nachträglich diese Fehler ermitteln und eine Korrektionskurve aus den erhaltenen Werten zusammenstellen. Aus dieser Korrektionskurve ergibt sich dann für jede Wellenlänge direkt die entsprechende Korrektion. Man erspart sich durch dieses Verfahren die etwas umständlichen Berechnungen mit der genauen Formel; die Ergebnisse sind zwar nicht ganz genau, aber für die Absorptionsmessungen der Farbstoffe mehr als ausreichend.

Zur Ermittelung der Fehler wurden nun die Wellenlängen der früher gemessenen Quecksilberlinien auf Grund der erhaltenen Konstanten berechnet wie folgt:

Quecksilberlinie 546,1 $\mu\mu$ entsprach der Teilung an der Meßskala 33,02 mm, $d = 3302$; nach der Formel

$$\lambda = \lambda_0 + \frac{c}{d - d_0}$$

ergibt sich:

$$\lambda = 1385 + \frac{-3{,}421\,000}{3302 - 4141} = 1385 + 4077 = 5462 \text{ (546,2 } \mu\mu).$$

Die nachfolgende Tabelle gibt die Unterschiede zwischen den berechneten und wahren Werten der Wellenlängen an.

λ	d	berechnet	Unterschied von dem wahren Werte
546,1 $\mu\mu$	3302	546,2 $\mu\mu$	+ 0,1 $\mu\mu$
491,6 „	3177	493,4 „	+ 1,8 „
435,9 „	3001	438,6 „	+ 2,7 „
410,9 „	2895	413,1 „	+ 2,2 „
390,6 „	2794	392,5 „	+ 1,9 „
370,3 „	2673	371,5 „	+ 1,2 „
334,2 „	2395	334,5 „	+ 0,3 „
312,5 „	2175	312,5 „	0,0 „
296,7 „	1972	296,2 „	− 0,5 „
269,9 „	1528	269,4 „	− 0,5 „
253,6 „	1166,5	253,5 „	− 0,1 „
237,8 „	712	238,0 „	+ 0,2 „

Wie man sieht, steigen die Unterschiede von einem Minimum zu einem Maximum und fallen dann wieder auf Null, und zwar ziemlich gleichmäßig in der positiven als auch in der negativen Richtung.

Die Korrektionskurve zeichnet man auf die Weise auf, indem man als Ordinaten die Wellenlängen und als Abszissen die entsprechenden Korrektionen aufträgt (siehe Fig. 38).

Beispiel der Anwendung der Korrektionskurve.

Es wurde die Lage einer Linie im Quecksilberspektrum $d = 2834$ (28,34 mm) gefunden. Dann ist

$$\lambda = 1385 + \frac{-3{,}421\,000}{2834 - 4141} = 1385 + 2617{,}5 = 4002{,}5 \text{ (400,25 } \mu\mu).$$

Die Korrektionskurve zeigt bei λ 400 μμ die Korrektion — 2,0 μμ an, somit ergibt sich die berechnete Wellenlänge zu 398,25 μμ. Der wahre Wert ist 398,4 μμ, der Fehler beträgt also — 0,15 μμ.

Es sei bemerkt, daß in diesem Falle bei sehr kurzer Länge des Spektrums, wo das ganze Ultraviolett nur eine Länge von etwa 22 mm hatte, dieser Fehler an diesem Orte einem linearen Abstand von etwa 0,007 mm entspricht.

Bei der folgenden Ausmessung der Spektrogrammen muß natürlich

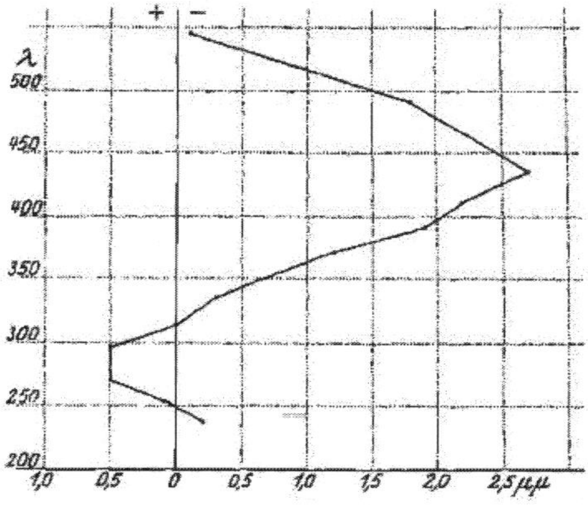

Fig. 38. Korrektionskurve.

die Platte immer in derselben Lage auf dem Tische des Meßmikroskopes befestigt werden, was man auf folgende Art bewirkt: Bei der Ausmessung der Linien behufs Berechnung der Konstanten bestimmt man genau die Lage einer charakteristischen Linie (z. B. bei der Ausmessung des Eisenspektrums die Linie 310,0 μμ); bei allen späteren Messungen in diesem Spektrum bringt man die Platte auf den Tisch des Meßmikroskops so, daß die Linie 310,0 mit der früher ermittelten Teilung genau zusammenfällt. Auf diese Weise werden bei allen Messungen auch die Fehler der Teilung an der Meßskala beseitigt.

Ausmessen der Absorptionsspektren mit Hilfe der Meßplatte.

Zur Ausmessung der fertigen Platte legt man die Meßplatte oder die Zelluloidskala auf die Platte so, daß der Teilstrich 310 μμ mit der entsprechenden Eisenlinie des Eisenlichtbogens bzw. des Eisenfunkenspektrums zusammenfällt; bei Uranfunkenspektren benutzt man am besten die Luftlinie 500,6 μμ oder die Kohlelinie 247,8 μμ.

Man kann nun die Grenzen der Absorptionsstreifen unmittelbar in Wellenlängen an der Skala ablesen, wobei die Stellen zwischen den einzelnen Teilstrichen der Skala interpoliert werden müssen. Es ergibt sich dabei, wenn man die Ablesung mit Hilfe einer Lupe vornimmt, eine Genauigkeit von etwa 1—2 $\mu\mu$. Eine größere Genauigkeit erzielen zu wollen, hat bei den Absorptionsspektren der Handelsfarbstoffe keinen Zweck.

Bei der Beobachtung werden die Platten gegen das Himmelslicht gerichtet oder besser, man legt sie an eine Milchglasplatte, die von unten mittels einer Glühlampe belichtet wird. Es lassen sich dadurch die feinsten Einzelheiten der Photographie erbringen und die Grenzen der Absorption recht genau bestimmen. Eine einfache Vorrichtung für die Ablesung mit der Lupe ist in der Fig. 39 abgebildet.

Dieselbe besteht aus einem Kasten, dessen oberer Deckel mit einer Milchglasscheibe *b* versehen ist. Über dieser Scheibe befindet sich eine bewegliche und verschiebbare Lupe *g*. Im Inneren des Kastens ist eine kleine Glühlampe *c* angebracht. Ein leicht verschiebbarer dünner Faden ermöglicht die bequeme Vergleichung der Linien mit der Wellenlängenskala.

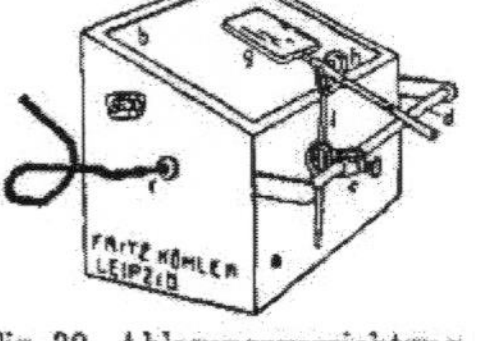

Fig. 39. Ablesungsvorrichtung.

Was die Bestimmung der Grenzen der Absorption anbelangt, so läßt sich eine gewisse Willkür in diesem Falle nicht vermeiden, da die Verstärkung bzw. Abschwächung der Absorption nicht plötzlich, sondern mehr oder weniger allmählich erfolgt; es ist daher ziemlich schwer, die Grenzen der Absorption objektiv festzustellen. Außerdem ist diese Grenze von der Lichtstärke des Spektrographen, von der Intensität der Lichtquelle, von der Expositionsdauer, von der Empfindlichkeit der photographischen Platte für einzelne Gebiete des Spektrums und schließlich von der Entwicklungsdauer bedeutend abhängig, so daß die für verschiedene Schichtendicken der Absorptionslösung gemessene Grenzen der Absorption nur einen relativen Wert haben.

Als Grenzen der Absorption nimmt man bei dem Eisenbogenspektrum solche Stellen an, wo die Eisenlinien augenscheinlich geschwächt in ihrer Intensität erscheinen; bei dem Uran-Molybdänfunkenspektrum kann das Verschwinden des schwachen Untergrundes als Anfang der Absorption genommen werden.

Nachdem bei der möglichst geringsten Schichtendicke diese Grenzen beiderseits des Absorptionsstreifens bestimmt wurden, wird das arithmetische Mittel der beiderseitigen Ablesungen als Kulminationspunkt (Maximum) des Streifens angenommen.

Es ist wichtig, daß die Bestimmung der Grenzen der Absorption bei der möglichst geringen Schichtendicke oder Konzentration der Lösung, wo die Absorptionsstreifen noch eben an der Photographie sichtbar sind, vorgenommen wird; die Absorptionsstreifen sind meistens unsymmetrisch, die Grenzen der Absorption bei den stärkeren Schichtdicken (bzw. Konzentrationen) dehnen sich nicht beiderseits des Maximums gleichmäßig aus, so daß das arithmetische Mittel der Wellenlängen der beiden Seiten des Streifens nicht in solchen Fällen dem wirklichen Maximum entspricht, sondern mehr oder weniger davon abweicht.

Die Ergebnisse der Messungen werden tabellarisch zusammengestellt, wobei, wie im sichtbaren Teile des Spektrums, nur die Maxima der Wellenlängen angegeben werden, was für den analytischen Nachweis der Farbstoffe in den meisten Fällen genügt. Oft ist es aber noch von Interesse, den ganzen Verlauf der Absorption zu kennen, was man dadurch feststellt, daß man in ein Koordinatensystem als Ordinate die Produkte der Konzentration und der Schichtendicke bzw. bei einer und derselben Lösung nur die Schichtendicken, als Abszisse die Wellenlängen aufzeichnet, die gefundenen Grenzen der Absorption in Wellenlängen bei den entsprechenden Schichtendicken einträgt und die auf diese Weise erhaltenen Schnittpunkte miteinander verbindet. Die so

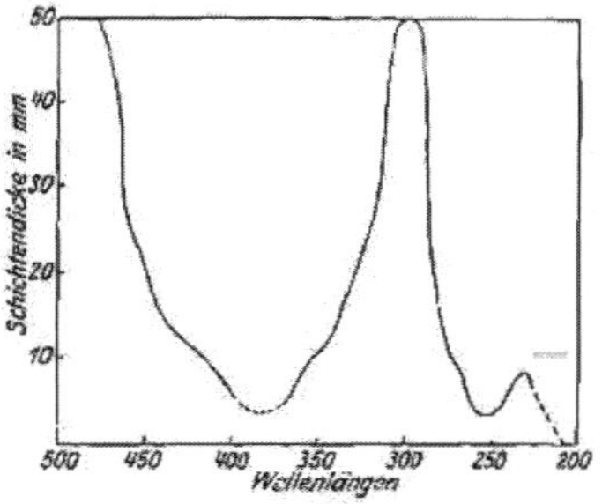

Fig. 40a. Absorptionskurve von Flavazin.

Fig. 40b. Spektrum des Flavazins.

gewonnene Absorptionskurve stellt in übersichtlicher Weise den Absorptionsverlauf eines Farbstoffes qualitativ dar. In den Fig. 40a u. b ist die photographische Aufnahme und Abbildung der Absorptionskurve von der wässerigen Lösung des Flavazins LL(M) 1:10000 dargestellt.

Insbesondere sind solche graphische Darstellungen zum Vergleiche geeignet, da aus dem gesamten Kurvenverlauf die Ähnlichkeit oder die Verschiedenheit der Absorption von zwei oder mehreren Farbstoffen direkt ersichtlich ist.

Das Verfahren, welches von Hartley[1]) zur systematischen Erforschung der Absorption organischer Verbindungen ausgearbeitet wurde, ist dann noch weiter vervollkommnet worden, indem statt der Wellenlängen die sog. Schwingungszahlen als Abszissen eingetragen werden. Die einer Wellenlänge entsprechende Schwingungszahl N wird berechnet, indem man die Lichtgeschwindigkeit c (300 000 km in 1 Sekunde) durch die Wellenlänge dividiert. Dann ist die Schwingungszahl

$$N = \frac{c}{\lambda}.$$

[1]) Siehe Kayser: Handbuch der Spektroskopie, III. Bd., III. Kapitel (1905).

Der Wellenlänge D = 589,3 $\mu\mu$ des Natriums entspricht die Schwingungszahl 509,1 × 10^{12}. Weniger oft wird statt der Schwingungszahl der Quotient $\nu = \frac{1}{\lambda}$, wobei λ in mm ausgedrückt wird, als Abszisse gebraucht; so entspricht z. B. der Wellenlänge 589,3 $\mu\mu$ $\nu = 1697{,}2$ (die Zahl der Schwingungen für 1 mm Länge). Manchmal werden die Schwingungen auch auf 1 cm berechnet; diese Zahl wird als Wellenzahl angegeben. So entspricht z. B. der Linie 589,3 $\mu\mu$ die Wellenzahl 16792.

Die von Rosanoff berechneten Werte für N und $\frac{1}{\lambda}$ sind in einer besonderen Tabelle in dem Buche von Plotnikov: „Photochemische Versuchstechnik" Leipzig 1912, zusammengestellt.

Noch übersichtlicher werden die Aufzeichnungen der Absorptionskurven, wenn statt der Schichtdicken bzw. der Produkten aus der Schichtendicke und der Konzentration deren Logarithmen als Ordinaten in das Koordinatensystem eingetragen werden (Verfahren von Baly und Desch).

Weil auf die oben geschilderte Weise die Absorptionskurven der reinen Verbindungen zu wissenschaftlichen Zwecken regelmäßig bestimmt werden, so bereitet man die Lösungen in molaren Verhältnissen, z. B. $\frac{\text{Mol.}}{1000}$, $\frac{\text{Mol.}}{10000}$ usw., wobei die Feststellung der Absorption bei den am stärksten verdünnten Lösungen erfolgt.

Die genaueste Art der Ermittelung der Absorption von organischen Verbindungen besteht in ihrer quantitativen Bestimmung durch Feststellen des sog. Extinktionskoeffizienten, d. h. des reziproken Wertes der Schichtendicke des absorbierenden Mediums, welche das durchgehende Licht auf das Zehntel seiner ursprünglichen Intensität abschwächt, und zwar für einzelne Wellenlängen des Absorptionsspektrums.

Wenn man dann in einem Koordinatensystem, wo als Abszissen die Wellenlängen oder Schwingungszahlen, als Ordinaten die Logarithmen der Schichtendicke eingetragen werden, solche Stellen miteinander verbindet, welche einer Absorption des Lichtes auf $^1/_{10}$ entsprechen, so bekommt man sog. Extinktionskurven. Diese Kurven sind für jede absorbierende Verbindung charakteristisch und frei von Fehlern, welche bei dem Verfahren nach Hartley - Baly - Desch durch die Kontrasterscheinungen entstehen können.

Handelt es sich um die Feststellung der Identität eines organischen Farbstoffes, welcher im sichtbaren Teile des Spektrums nur eine einseitige Absorption aufweist, so bestimmt man zuerst, wie oben erörtert, auf photographischem Wege im Ultraviolett die Lage des Maximums des Absorptionsstreifens bzw. der Absorptionsstreifen, wenn mehrere vorhanden sind; dann sucht man in der Tabelle einen Farbstoff mit den Wellenlängenzahlen, welche mit denen des untersuchten Farbstoffes übereinstimmen. Nachher bereitet man sich von dem in den Tabellen gefundenen Farbstoffe eine Lösung von derselben Konzentration wie für die spektrographische Aufnahme des Absorptionspektrums des untersuchten Farbstoffes, z. B. 1 : 10 000 vor und photographiert man das

Absorptionsspektrum dieses in den Tabellen gefundenen Farbstoffes mit demselben Spektralapparate unter Anwendung derselben Lichtquelle, derselben Schichtendicke, gleicher Expositionszeit usw.

Legt man die photographischen Aufnahmen beider Farbstoffe genau übereinander, so werden sich beide Absorptionsspektren vollständig decken, wenn die Farbstoffe identisch sind. Die Farbstoffe von ähnlicher Konstitution haben auch ähnliche Form der Absorptionskurven.

Meßmikroskope zur Ausmessung der Absorptionsspektren.

Ist eine größere Genauigkeit bei der Ausmessung der Spektra als 1 bis 2 $\mu\mu$ nötig, so bedient man sich besonderer Meßapparate, welche je nach der Art der Ausführung verschiedene Meßgenauigkeit haben. Von der Firma **Fr. Reichert** in **Wien** wird ein **Spektrummesser** nach Vorschlag von **Zelinsky** gebaut, der mit der Lupe und Fadenkreuz versehen ist und genauere Abmessungen der Absorptionsspektren gestattet.

Ein anderer für genaue Messungen geeigneter Apparat ist das **Meßmikroskop für Negative** Modell C der Firma **C. Zeiß** in **Jena**[1]) (siehe Fig. 41).

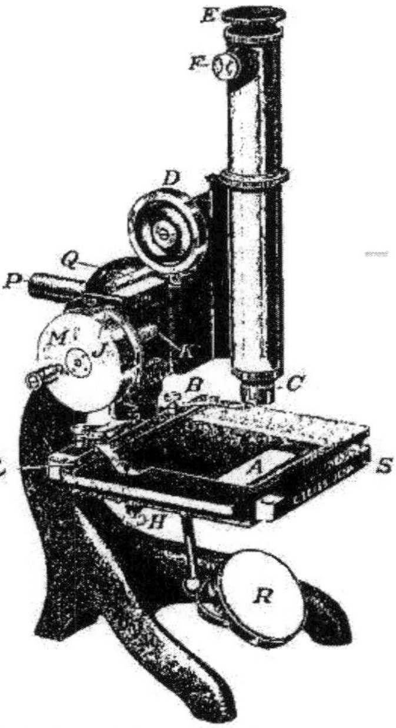

Fig. 41. Meßmikroskop für Negative.

Dieses Meßmikroskop ist in erster Linie zur Ausmessung der Photographien von Spektren, Interferenzfiguren usw. bestimmt, hat aber in Laboratorien eine vielfache Verwendung gefunden, da sein Oberteil abnehmbar ist und somit dieses Instrument auch als gewöhnliches Mikroskop verwendet werden kann.

Die photographischen Platten von den Dimensionen 6×9 cm oder $6^1/_2 \times 9$ cm werden mit zwei Federklemmen auf einen Metallrahmen befestigt, der auf der viereckigen Tischfläche in der Richtung von B nach S beweglich ist; dabei dient die linke und die rechte Stirnfläche des Tischchens als Führung und die Schrauben H

[1]) Löwe, F.: Zeitschr. f. wiss. Photographie. Bd. 4, S. 204 (1906).

zum Festklemmen. Durch das in dem Rahmen eingebrochene Fenster *A* kann man die Verschiebung an einer Millimeterteilung ablesen, die zusammen mit einer zweiten, dazu senkrechten, auf der Leiste *L* angebrachten Teilung als Koordinatensystem für die Bezeichnung einer Stelle auf der Platte dient. Die Verschiebbarkeit des Rahmens erleichtert den Vergleich gleicher Bezirke in übereinanderliegenden Spektren.

Die Meßgenauigkeit beträgt bei diesem Apparate 0,01 mm, was für sämtliche Zwecke der praktischen Spektroskopie vollständig genügt.

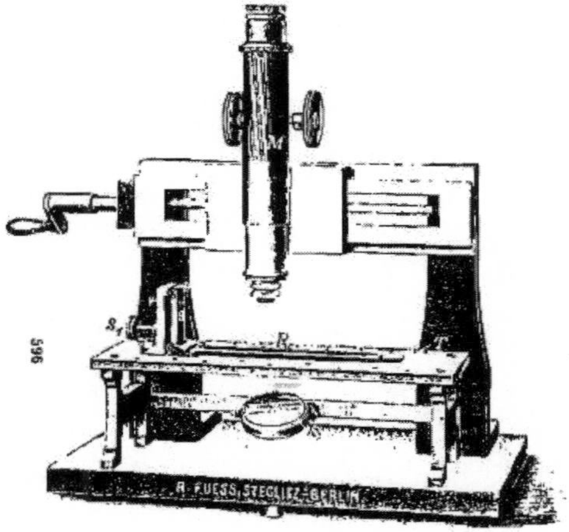

Fig. 42. Meßmikroskop für Negative.

Die Firma C. Zeiß hat auch einen besonderen Meßtisch konstruiert, dessen oberer Teil längs einer Millimeterteilung mittels einer in 100 Teile geteilten Trommel mit der Schraube von 1 mm Ganghöhe verschiebbar ist. Jeder Teil der Trommel entspricht einer Verschiebung von 0,01 mm. Dieser Meßtisch läßt sich an die Mikroskopstative von Zeiß mittels besonderer Vorrichtung befestigen und zu sämtlichen Ausmessungen der Spektrogramme gut verwenden. Zu diesen Ausmessungen bedient man sich höchstens einer 10- bis 25fachen Vergrößerung, sonst wird die Photographie unscharf und die Genauigkeit der Ablesung geringer.

Die Firma R. Fueß in Berlin-Steglitz bringt in den Handel einen Apparat zur Ausmessung von Spektren, welcher in der Fig. 42 dargestellt ist. Derselbe gestattet eine direkte Ablesung von 0,01 mm. Zur Messung dient eine 10 cm lange, in 0,1 mm geteilte, auf einer Glasplatte aufgetragene Skala, welche in den Messingrahmen R eingefaßt ist. Dieser

Rahmen ist an einem dreifachen Gelenk befestigt, mittels welchem die auf der unteren Seite des Glases befindliche Skala stets auf die Schichtenseite des Photogramms sanft angedrückt wird, wodurch Paralaxe bei den Messungen vermieden wird. Das vertikale Scharnierstück s liegt stets mit Federdruck gegen das verrundete Ende der Feinstellschraube s_1 an; dadurch ist es möglich, in bequemer Weise irgendeinen bestimmten Teilstrich der Skala, von dem man die Messung beginnen will, in Koinzidenz mit einer bestimmten Spektrallinie zu bringen.

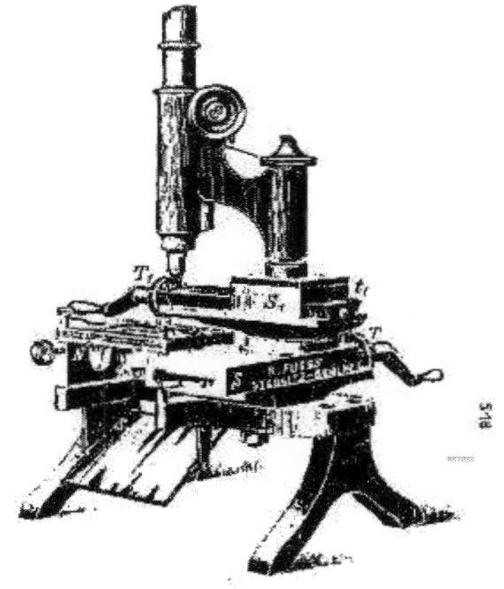

Fig. 43. Meßmikroskop für Negative.

Das Spektrogramm wird durch zwei Federklemmen festgehalten, für welche eine größere Anzahl von Löchern zum Einstecken in den Rahmen T vorgesehen ist.

Dieselbe Firma bringt auch in den Handel einen anderen, zur genauen Ausmessung von Photogrammen geeigneten Apparat, welcher in Fig. 43 abgebildet ist.

Der Apparat besteht aus zwei aus Eisen hergestellten beweglichen Schlitten S und S_1, dem Objekttisch N zum Auflegen der Negative, dem Mikroskop und dem Beleuchtungsspiegel Sp. Jeder der beiden Schlitten wird durch eine genaue Schraube von 1 mm Steigung betrieben. Die Trommeln T und T_1 sind in 100 Teile geteilt, so daß man $^1/_{100}$ mm direkt ablesen kann; die vollen Umdrehungen der Schrauben werden an zwei Längsskalen abgelesen, von denen die eine t_1 in der Figur noch sichtbar ist. Der obere Schlitten S_1 gestattet eine Verschiebung bis 85 mm, der untere Schlitten S eine Verschiebung bis 55 mm. Der Tisch N ist mit einer Feinstellvorrichtung f versehen, um z. B. Spektren, Linienreihen u. dgl. genau parallel oder senkrecht zu den Schlitten stellen zu können.

Ähnliche Meßapparate werden auch von anderen optischen Werkstätten mit verschiedener Ausrüstung gebaut.

Ausmessen der Eichungslinien.

Zur Ausmessung der Eichungslinien sind die beiden eben beschriebenen Apparate die bequemsten, zugleich auch die genauesten Einrichtungen. Man kann aber für den vorliegenden Zweck die Abstände der Linien mit genügender Genauigkeit mittels einer in $^1/_5$ mm oder

$^1/_{10}$ mm geteilten Skala ermitteln, wobei die Beobachtung mit Hilfe einer geeigneten Lupe vorgenommen wird. Solche an einer Glasplatte angebrachten Meßskalen sind von den optischen Werkstätten erhältlich; man kann sie aber selbst verfertigen, wenn man eine Millimeterteilung in entsprechender Entfernung photographiert und nach dem Negativ ein Diapositiv herstellt. Die fertige Platte besitzt dann die verkleinerte Meßskala, welche mit Hilfe der Lupe ziemlich genaue Ablesungen gestattet.

Ausmessung der Absorptionsspektren mit Hilfe des Projektionsapparates.

Wenn man einen Projektionsapparat zur Verfügung hat, so kann die Auswertung des Spektrogramms bequem so ausgeführt werden, daß man das Bild des Spektrums aus entsprechender Entfernung auf eine Millimeterskala oder einen entsprechend vergrößerten Wellenlängenmaßstab (Fig. 37, S. 415) entwirft; es genügt dabei für praktische Zwecke das Bild mit 5- bis 10facher Vergrößerung zu entwerfen. Die Grenzen der Absorption lassen sich schnell und bequem mit hinreichender Genauigkeit bestimmen. Man muß nur dafür sorgen, daß der Wellenlängenmaßstab der Vergrößerung des projizierten Bildes entspricht, was durch Ablesen der Wellenlängen einiger bekannten Quecksilber- oder Eisenlinien kontrolliert wird; die Linien müssen mit der entsprechenden Teilung der Meßskala übereinstimmen. Natürlich muß bei der Anwendung des Projektionsapparates jede Verletzung bzw. Veränderung der Gelatineschicht der Platte durch die Wärmestrahlung der Lampe sorgfältigst vermieden werden.

Physiologische Wirksamkeit der ultravioletten Strahlen.

Über die physiologische Wirksamkeit der ultravioletten Strahlen gibt es noch keine sicheren Angaben. Neuerdings neigt man zur Ansicht, daß nur die ganz kurzwelligen Strahlen (von 280 $\mu\mu$ abwärts) physiologisch schädlich sind, während diejenigen Lichtstrahlen, deren Wellenlänge zwischen 280 bis 400 $\mu\mu$ liegt, sogar einen fördernden Einfluß auf die Lebensprozesse ausüben.

Das Eisenbogenlicht enthält allerdings keine sehr intensive Lichtstrahlen unterhalb 280 $\mu\mu$, trotzdem wird man gut tun, das Gehäuse der Lampe womöglich geschlossen zu halten; hauptsächlich soll man vermeiden, mit ungeschützten Augen direkt die Flamme des Lichtbogens zu beobachten.

Erheblich stärkere Wirkungen hat die ultraviolette Strahlung der Quecksilberbogenlampe; wenn solche Strahlungen einige Zeit auf die ungeschützte Haut (das Gesicht, die Hände) einwirken, so wird man nach einigen Stunden mehr oder weniger starkes Brennen der Haut empfinden, welches von der leichten Entzündung der betroffenen Körperteile herrührt; ohne eine geeignete Schutzbrille (dunkelgrünes Glas) darf man die brennende Quecksilberlampe nicht beobachten. Das Nichtberücksichtigen dieser Vorsichtsmaßregel kann sehr schmerzhafte bzw. auch dauernd schädliche Augenentzündung herbeiführen.

Einige für das Ultraviolett noch wichtige Metallspektren.

Außer den früher beschriebenen Emissionsspektren von Eisen, Quecksilber und Helium können mitunter zur Eichung des Spektrographen mit Vorteil noch Emissionsspektren von Cadmium, Aluminium, Magnesium und Zink benutzt werden; die stärksten Linien der Spektren von diesen Metallen sind, sowie das Linienspektrum von Kohle, soweit sie für das Blauviolett und Ultraviolett in Betracht kommen, in Wellenlängen ausgedrückt, nachfolgend angeführt.

Funkenspektrum von Cadmium		Funkenspektrum von Aluminium	Funkenspektrum von Magnesium	
508,6	326,1	505,6	518,4	278,1
480,0	325,3	466,2	517,3	278,0
467,8	325,0	452,9	516,7	277,8
441,5	313,3	451,1	383,8	277,6
398,8	298,1	306,1	383,2	193,1
394,0	288,1	358,5	382,9	
361,3	283,7	199,0	285,2	
361,1	274,7	193,5	280,3	
353,6	257,3		279,8	
346,8	232,1		279,5	
346,6	231,3		279,1	
340,4	228,8		278,3	
	226,5			

Funkenspektrum von Zink	Linienspektrum von Kohle
481,0	426,6
472,2	283,7
468,0	251,2
334,5	247,8
330,7	229,7
307,6	

Im Kohlenspektrum kommen noch Linien von Aluminium bei **394,4** und bei **396,2**, von Calcium bei **422,7**, **396,9** und bei **393,4**, von Eisen bei **404,6** und bei **310,0** und von Kalium bei **404,4** und bei **404,7**.

Das Spektrum von Kohle enthält außerdem ein Bandenspektrum, in welchem besonders die Zyanbanden bei **388,4** charakteristisch sind; andere Bandenspektra entsprechen der Kohle selbst, dem Kohlenoxyd, Kohlendioxyd und den wasserstoffhaltigen Kohlenverbindungen. Ferner kommen im Kohlenspektrum Luftlinien: **464,2**, **463,0**, **500,6** und **399,5**.

Tabellen der gelben Farbstoffe.

I. Abteilung.

Grup

Handelsname	Eigenschaften	Wasser: Absorption	Wasser: Salzsäure	Wasser: Ammoniak	Wasser: Kalilauge	Äthyl…: Absorption	Äthyl…: Salzsäure
Brasilin (Rotholz, Fernambukholz)	in Wasser auch nach Zusatz von Salzsäure unlöslich, in Äthylalkohol und Amylalkohol mit gelber Farbe löslich, in Essigsäure mit orangegelber Farbe löslich	—	—	violettrot, **541,5** 498,0 [582,6]	ein Tropfen Kalilauge **547,5** 502,5 Überschuß von Kalilauge gelblichrot, verwaschener Streifen in Grün	525,0 einseitige Absorption in Blau und Violett	orangegelb verwaschene Streifen 528,0 488,0 455,0
Buttergelb O* [A]	in Wasser unlöslich, in Äthylalkohol und Amylalkohol mit gelber, in Essigsäure mit orangeroter Farbe löslich	—	—	—	—	ungefähr 513,0 einseitige Absorption in Blauviolett	gelbrot, verwaschene Streifen ungefähr 512,5 486,0
Oxychrombraun V [O]	in Wasser mit orangebrauner Farbe löslich; in Äthylalkohol schwer mit schwach roter Farbe löslich, in Amylalkohol auch nach Zusatz von Salzsäure unlöslich	breiter verwaschener Streifen ungefähr 496,0	Farbe geschwächt, der Streifen verschwindet	rot, verwaschener Streifen in Grün	wie bei Ammoniak	sehr schwacher Streifen ungefähr 492,0	gelb, einseitige Absorption in Blauviole…
Anthracenchromrot G [C]	wässerige und äthylalkoholische Lösung orangegelb; in Amylalkohol erst nach Zusatz von Salzsäure mit gelber Farbe löslich; essigsaure Lösung gelb	verwaschener Streifen ungefähr 495,0	entfärbt sich	rötlich, verwaschener Streifen ungefähr 496,0	rot, verwaschener Streifen ungefähr 543,0	verwaschener Streifen ungefähr 495,0	gelb, verwaschene Streifen ungefähr 491,0

pe I.

alkohol		Amylalkohol				Essigsäure 90 %	Schwefelsäure	Anmerkung
Ammoniak	Kalilauge	Absorption	Salzsäure	Ammoniak	Kalilauge			
rot, grüne Fluoreszenz, **547,5** 509,5	ein Tropfen rot, Absorption verstärkt, Streifen wie bei Ammoniak, Überschuß von Kalilauge (3 bis 4 Tropfen), verwaschener Streifen in Grün	**524,5** einseitige Absorption in Blau und Violett	orangegelb, verwaschene Streifen 531,0 **491,0** 456,0	rot, **550,5** 513,0	ein Tropfen rot, Absorption verstärkt, Streifen wie bei Ammoniak, Überschuß von Kalilauge (3 bis 4 Tropfen), verwaschener Streifen in Grün	verwaschener Streifen in Blau und Violett	gelb, **494,0** 463,0	Naturfarbstoff Fernambukholz enthält neben Brasilin auch Santalin
verwaschene Streifen in Grün	wie bei Ammoniak	ungefähr 514,5	orangegelb, verwaschene Streifen ungefähr 513,5 488,0	verwaschene Streifen in Grün	wie bei Ammoniak	verwaschene Streifen ungefähr 517,5 492,0	orangegelb **556,0** 521,5 einseitige Absorption in Blauviolett; nach kurzem Stehen 560,5 **528,5** einseitige Absorption in Blauviolett	basischer Monoazofarbstoff für Fette, Öle u. Spritlacke
rötlich, verwaschener Streifen in Grün	wie bei Ammoniak, verwaschener Streifen ungefähr 518,0	—	—	—	—	—	gelbrot, verwaschener Streifen in Gelbgrün, einseitige Absorption in Blauviolett	chromierbarer Azofarbstoff für Wolle nuanciert mit einem violetten Farbstoffe
unverändert	rötlich, verwaschener Streifen in Grün	—	verwaschener Streifen ungefähr 491,0	—	—	verwaschener Streifen ungefähr 491,0	blau, verwaschener Streifen 696,0	chromierbarer Azofarbstoff für Wolle

Grup-

Handelsname	Eigenschaften	Wasser				Äthyl-	
		Absorption	Salzsäure	Ammoniak	Kalilauge	Absorption	Salzsäure
Acidolchrombraun R [t. M] **Acidolchromatbraun R** [t. M]	wässerige, äthylalkoholische und amylalkoholische Lösung orangegelb, essigsaure Lösung gelb	schwacher Streifen ungefähr **498,5**	gelb, einseitige Absorption in Blauviolett	gelbrot, Streifen ungefähr **500,0**	wie bei Ammoniak	schwacher Streifen ungefähr **498,0** 572,5 ?	gelb, einseitige Absorption in Blauviolett
Vitolingelb 2 R* [t. M]	konzentriertere Lösungen: wässerige orangerot, äthylalkoholische orangerot, amylalkoholische orangegelb, essigsaure Lösung orangerot. Verdünnte Lösungen sämtlich orangegelb	schwacher Streifen ungefähr 490,5	gelb, einseitige Absorption in Blauviolett	orangegelb, Streifen ungefähr **500,0**	wie bei Ammoniak	verwaschener Streifen **494,0**	gelb, einseitige Absorption in Blauviolett
Lanasolorange 2 R [J]	wässerige Lösung orangegelb, äthylalkoholische und amylalkoholische Lösung rotorange, essigsaure Lösung gelb	verwaschener Streifen ungefähr 490,0	gelb, einseitige Absorption in Blauviolett	unverändert	unverändert	verwaschener Streifen ungefähr 493,0	orangegelb
Rosanthren GW [J]	wässerige Lösung orangegelb, in Äthylalkohol, Amylalkohol und in Essigsäure unlöslich	verwaschener Streifen ungefähr 490,0	Stich mehr rötlich, Streifen ungefähr 492,5	—	—	—	—
Azidinorange R [CJ] **Direktorange R** [J] **Oxydiaminorange R** [C] **Pyraminorange RT** [B] **Toluylenorange R** [M]	wässerige und äthylalkoholische Lösung orangegelb; in Amylalkohol unlöslich, in Essigsäure mit orangegelber Farbe löslich	ungefähr 490,0	gelbrot, konzentriertere Lösung ungefähr 564,0 520,0 493,0 später roter Niederschlag	unverändert	unverändert	ungefähr 493,0	orangegelb, Streifen ungefähr 490,0

e I.

kohol		Amylalkohol						
mmoniak	Kalilauge	Absorption	Salzsäure	Ammoniak	Kalilauge	Essigsäure 90 %	Schwefelsäure	Anmerkung
gelbrot, Streifen ungefähr 501,0	wie bei Ammoniak	schwacher Streifen ungefähr 498,0	gelb, einseitige Absorption in Blauviolett	gelbrot, Streifen ungefähr 503,0	wie bei Ammoniak	einseitige Absorption in Blauviolett	gelb, schwache, verwaschene Streifen 504,5 478,0	chromierbare Azofarbstoffe für Wolle
rötlich 502,0	wie bei Ammoniak	schwacher Streifen ungefähr 499,0	gelb, einseitige Absorption in Blauviolett	unverändert	unverändert	einseitige Absorption in Blauviolett	gelb, schwache Streifen 502,0 471,5	Farbstoff der Phosphingruppe, enthält einen roten Farbstoff (λ = 550), wahrscheinlich Fuchsin (für Baumwolle und Leder)
angerot	orangerot, Absorption verstärkt, Streifen ungefähr 495,0	verwaschener Streifen ungefähr 496,0	gelb, einseitige Absorption in Blauviolett	Stich ins Rot, Streifen unverändert	rotorange, Absorption verstärkt, Streifen ungefähr 497,0	einseitige Absorption in Blauviolett	orangegelb, stark verwaschene Streifen ungefähr 494,0 467,0	
—	—	—	—	—	—	—	rot 558,5 515,0	direkter Azofarbstoff (Diazotier-Farbstoff für Baumwolle)
verändert	unverändert	—	—	—	—	verwaschener Streifen 400,0	braungelb, verwaschene Streifen ungefähr 510,0 493,0	direkter Azofarbstoff für Baumwolle

Formánek II. 28

Grup-

Handelsname	Eigenschaften	Wasser				Äthyl-	
		Absorption	Salzsäure	Ammoniak	Kalilauge	Absorption	Salzsäure
Neuakridinorange R [L]	in Wasser, Äthylalkohol, Amylalkohol und und in Essigsäure mit gelber Farbe und schwacher grüner Fluoreszenz löslich	verwaschener Streifen ungefähr 488,0	rötlich, ungefähr 495,0	entfärbt sich beinahe, schwach grünlich-gelber Stich, der Streifen verschwindet	wie bei Ammoniak	**492,0**	mehr rötlich, Fluoreszenz geschwächt, Absorption verstärkt, **495,0**
Orange I.* [K], [t. M] **Orange B** [L] **Orange S** [B]	in Wasser, Äthylalkohol, Amylalkohol und in Essigsäure mit orangegelber Farbe löslich	**486,0**	unverändert	rot, zwei undeutliche Streifen	wie bei Ammoniak	**489,0**	unverändert
Corioflavin RR [O]	wässerige Lösung gelb, äthylalkoholische, amylalkoholische und essigsaure Lösung orangegelb	undeutlicher Streifen **485,0**	rosarot, schwache grüne Fluoreszenz, [533,0] **495,5** **464,0**	unverändert	unverändert	**495,0**	rotorange, sehr schwache grüne Fluoreszenz **496,0**
Flavophosphin R konc. [M]	wässerige, äthylalkoholische und amylalkoholische Lösung orangegelb mit grüner Fluoreszenz, essigsaure Lösung orangegelb mit sehr schwacher grüner Fluoreszenz	verwaschener Streifen ungefähr **482,0**	rosarot, **498,0** **465,0** konzentriertere Lösung außerdem [538,0]	unverändert	unverändert	verwaschener Streifen **494,0**	unverändert
Brillantphosphin R [J]	wässerige Lösung gelb mit schwacher grüner Fluoreszenz, äthylalkoholische und amylalkoholische Lösung orangegelb mit schwacher grüner Fluoreszenz, essigsaure Lösung orangegelb mit grüner Fluoreszenz	breiter verwaschener Streifen ungefähr **482,0**	rosarot, Fluoreszenz verstärkt, Streifen [530,0] **496,0** **464,0**	unverändert	Absorption geschwächt, Spektrum unverändert	verwaschener Streifen, ungefähr **489,0**	unverändert

pe I.

alkohol		Amylalkohol						
Ammoniak	Kalilauge	Absorption	Salzsäure	Ammoniak	Kalilauge	Essigsäure 90 °/₀	Schwefelsäure	Anmerkung
grünlich-gelb, Fluoreszenz verstärkt, ier Streifen verschwindet	wie bei Ammoniak	493,0	mehr rötlich, Fluoreszenz geschwächt, Absorption verstärkt 496,0	wie bei Äthylalkohol	wie bei Äthylalkohol	497,0	gelb, stark grün fluoreszierend, einseitige Absorption in Blauviolett	basischer Farbstoff der Akridingruppe für Baumwolle
rot, wei undeutliche Streifen	rot, wie bei Ammoniak	490,0	unverändert	gelbrot, zwei undeutliche Streifen	rot, wie bei Ammoniak	488,0	violettrot 589,5 554,0	saurer Azofarbstoff für Wolle und Seide
Farbe unverändert 497,0	entfärbt sich beinahe, schwacher Streifen ungefähr 490,0	495,0	496,0	Absorption verstärkt 498,0	entfärbt sich beinahe, der Streifen verschwindet, schwache grüne Fluoreszenz	undeutliche Streifen ungefähr 500,0 485,0 ?	gelb, grün fluoreszierend 456,0 430,0 ?	basischer Akridinfarbstoff für Baumwolle und Leder
unverändert	entfärbt sich teilweise, Fluoreszenz verstärkt 486,0	verwaschener Streifen 495,5	unverändert	unverändert	entfärbt sich teilweise, Fluoreszenz und Absorption verstärkt 482,0	496,0	gelb, grün fluoreszierend 459,5 einseitige Absorption in Violett	basischer Akridinfarbstoff für Baumwolle und Leder
nverändert	gelb, Fluoreszenz geschwächt 486,0	verwaschener Streifen ungefähr 490,0	Streifen unverändert, Fluoreszenz verstärkt	unverändert	entfärbt sich beinahe (gelber Stich) grüne Fluoreszenz 479,5	495,0	gelb, stark grün fluoreszierend 458,0 435,0	basischer Akridinfarbstoff für Baumwolle und Leder

Handelsname	Eigenschaften	Wasser				…	
		Absorption	Salzsäure	Ammoniak	Kalilauge	Absorption	Salz…
Flavophosphin RO [M] Flavophosphin RO neu [M]	in Wasser, Äthylalkohol, Amylalkohol und in Essigsäure mit orangegelber Farbe und schwacher grüner Fluoreszenz löslich	undeutlicher Streifen ungefähr 480,0	rosarot, Absorption geschwächt; konzentriertere Lösung: verwaschene Streifen 497,5 466,5	unverändert	unverändert	unscharfer Streifen 492,0	unver…
Corioflavin G [O] Corioflavin R [O]	wässerige konzentriertere Lösung orangegelb ohne Fluoreszenz, verdünnte wässerige Lösung gelb mit grüner Fluoreszenz; äthylalkoholische, amylalkoholische und essigsaure Lösung orangegelb mit starker grüner Fluoreszenz	unscharfer Streifen ungefähr 469,5	mehr orange, Farbe und Absorption geschwächt	Farbe heller	Farbe heller, der Streifen verschwindet	476,0	unver…
Patentphosphin R [J]	konzentriertere wässerige, äthylalkoholische, amylalkoholische und essigsaure Lösung braungelb ohne Fluoreszenz; verdünnte wässerige Lösung gelb, ohne Fluoreszenz, äthylalkoholische und amylalkoholische Lösung gelb mit schwacher grüner Fluoreszenz, essigsaure Lösung orangegelb mit schwacher grüner Fluoreszenz	verwaschener Streifen ungefähr 468,0	rosarot, Absorption geschwächt; konzentrierte Lösung: undeutlicher Streifen ungefähr 496,5	entfärbt sich teilweise, der Streifen verschwindet	wie bei Ammoniak	verwaschener Streifen, ungefähr 482,0	m… orang… der S… unver…

pe 1.

alkohol		Amylalkohol				Essigsäure 90 %	Schwefelsäure	Anmerkung
Ammoniak	Kalilauge	Absorption	Salzsäure	Ammoniak	Kalilauge			
unverändert	entfärbt sich teilweise, gelber Stich; Absorption geschwächt, Fluoreszenz verstärkt **485,5**	**492,5**	unverändert	unverändert	entfärbt sich beinahe, Absorption geschwächt, Fluoreszenz verstärkt **486,5**	unscharfer Streifen **492,5**	gelb, grün fluoreszierend **457,0** einseitige Absorption in Violett	basischer Akridinfarbstoff für Baumwolle und Leder
Absorption geschwächt	Absorption geschwächt **478,5**	**477,5**	unverändert	Absorption geschwächt **479,0**	Absorption geschwächt **480,0**	**474,5**	hellgelb, grün fluoreszierend schwacher Streifen ungefähr **456,0**	basischer Akridinfarbstoff für Baumwolle und Leder
entfärbt sich teilweise, der Streifen verschwindet	wie bei Ammoniak	verwaschener Streifen ungefähr **484,0**	orangegelb **485,0**	entfärbt sich teilweise, der Streifen verschwindet	wie bei Ammoniak	verwaschener Streifen, ungefähr **487,0**	grünlichgelb mit schwacher grüner Fluoreszenz, einseitige Absorption in Blauviolett	basischer Akridinfarbstoff für Baumwolle und Leder

Grup-

Handelsname	Eigenschaften	Wasser				Äthyl-	
		Absorption	Salzsäure	Ammoniak	Kalilauge	Absorption	Salzsäure
Patentphosphin G* [J]	konzentriertere wässerige Lösung braungelb ohne Fluoreszenz, äthylalkoholische Lösung braungelb mit grüner Fluoreszenz, amylalkoholische Lösung gelb mit grüner Fluoreszenz, essigsaure Lösung braungelb mit grüner Fluoreszenz; verdünnte wässerige Lösung gelb mit schwacher grüner Fluoreszenz, äthylalkoholische, amylalkoholische und essigsaure Lösung gelb mit grüner Fluoreszenz	unscharfer Streifen **467,0**	unverändert	entfärbt sich teilweise, der Streifen verschwindet	wie bei Ammoniak	**474,5**	unverändert
Aurophosphin G* [A]	konzentriertere wässerige Lösung orangegelb ohne Fluoreszenz, äthylalkoholische Lösung orangegelb mit starker grüner Fluoreszenz, amylalkoholische Lösung gelb mit starker grüner Fluoreszenz, essigsaure Lösung orangegelb mit starker grüner Fluoreszenz; verdünnt: wässerige Lösung gelb mit schwacher grüner Fluoreszenz, äthylalkoholische, amylalkoholische und essigsaure Lösung gelb mit starker grüner Fluoreszenz	schwacher, verwaschener Streifen **466,5**	orangegelb, der Streifen unverändert	entfärbt sich teilweise	wie bei Ammoniak	**471,5**	Farbe unverändert **472,5**

pe I.

alkohol		Amylalkohol				Essigsäure 90 %	Schwefelsäure	Anmerkung
Ammoniak	Kalilauge	Absorption	Salzsäure	Ammoniak	Kalilauge			
entfärbt sich teilweise konzentriertere Lösung **475,5**	entfärbt sich teilweise konzentriertere Lösung **476,5**	**476,5**	Farbe unverändert **477,5**	entfärbt sich teilweise konzentriertere Lösung **477,5**	entfärbt sich teilweise konzentriertere Lösung **478,0**	473,0	gelb, grün fluoreszierend 455,5?	basischer Akridinfarbstoff für Baumwolle und Leder
entfärbt sich teilweise, der Streifen verschwindet	wie bei Ammoniak	**473,0**	Stich ins Orangegelb **475,0**	entfärbt sich teilweise, der Streifen verschwindet	wie bei Ammoniak	471,0	hellgelb mit schwacher grüner Fluoreszenz, einseitige Absorption in Blauviolett	basischer Akridinfarbstoff für Leder

Grup-

Handelsname	Eigenschaften	Wasser				Äthyl-	
		Absorption	Salzsäure	Ammoniak	Kalilauge	Absorption	Salzsäure
Lanasol-orange G [J]	wässerige, äthylalkoholische und amylalkoholische Lösung orangegelb, essigsaure Lösung gelb; in Äthylalkohol und Amylalkohol sehr schwer löslich	undeutlicher Streifen ungefähr **465,0**	gelb, der Streifen verschwindet	unverändert	Absorption verstärkt, **469,0**	verwaschener Streifen ungefähr **486,0**	gelb, der Streifen verschwindet
Rheonin A konc. [B] Rheonin AL [B] Rheonin N [B]	konzentriertere wässerige Lösung braungelb ohne Fluoreszenz, äthylalkoholische und amylalkoholische Lösung gelb ohne Fluoreszenz, essigsaure Lösung	schwacher, unscharfer Streifen ungefähr **464,5**	unverändert	entfärbt sich teilweise, der Streifen verschwindet	wie bei Ammoniak	**475,5**	Fluoreszenz verstärkt **481,0**

Kalilauge	Amylalkohol Absorption	Salzsäure	Ammoniak	Kalilauge	Essigsäure 96 %.	Schwefelsäure	Anmerkung
Absorption verstärkt, Streifen unverändert	—	—	—	—	einseitige Absorption in Blauviolett	gelb, schwache Streifen 488,0 459,0	—
wie bei Ammoniak	476,5	Fluoreszenz verstärkt 485,5	entfärbt sich teilweise, der Streifen verschwindet	wie bei Ammoniak	unscharfer, breiter Streifen 479,0	hellbraun, grün fluoreszierend, konzentriertere Lösung: 502,5 einseitige Absorption in Violett	basischer Akridinfarbstoff für Baumwolle, Seide und Leder

Grup-

Handelsname	Eigenschaften	Wasser: Absorption	Wasser: Salzsäure	Wasser: Ammoniak	Wasser: Kalilauge	Äthyl-: Absorption	Äthyl-: Salzsäure
Patentphosphin GG [J]	konzentriertere wässerige Lösung braungelb ohne Fluoreszenz, äthylalkoholische Lösung braungelb mit grüner Fluoreszenz, amylalkoholische Lösung gelb mit grüner Fluoreszenz, essigsaure Lösung braungelb mit grüner Fluoreszenz; verdünnt: wässerige, äthylalkoholische, amylalkoholische und essigsaure Lösung gelb mit grüner Fluoreszenz	unscharfer Streifen ungefähr 463,5	unverändert	entfärbt sich teilweise, der Streifen verschwindet	wie bei Ammoniak	471,5	unverändert
Corioflavin GG [O]	konzentriertere wässerige Lösung orangegelb ohne Fluoreszenz; verdünnt gelb mit grüner Fluoreszenz; äthylalkoholische, amylalkoholische und essigsaure Lösung gelb mit grüner Fluoreszenz	unscharfer Streifen ungefähr 463,5	mehr rötlich, Absorption geschwächt	entfärbt sich teilweise, der Streifen verschwindet	wie bei Ammoniak	471,5	unverändert
Azophosphin GO [M]	konzentriertere wässerige Lösung braungelb, verdünnt gelb mit schwacher grüner Fluoreszenz; in Äthylalkohol und Amylalkohol schwer löslich; konzentriertere Lösung braungelb mit grüner Fluoreszenz; konzentriertere essigsaure Lösung braungelb mit grüner Fluoreszenz; verdünnte äthylalkoholische, amylalkoholische und essigsaure Lösung gelb mit grüner Fluoreszenz	schwacher undeutlicher Streifen ungefähr 463,0	unverändert	orangegelb, undeutlicher Streifen im Grünblau	gelbrot, unscharfer Streifen ungefähr 482,0	477,5	unverändert

Amylalkohol				Essigsäure 90 °/o	Schwefelsäure	Anmerkung
Absorption	Salzsäure	Ammoniak	Kalilauge			
473,5	unverändert	entfärbt sich teilweise, Absorption geschwächt konzentriertere Lösung 476,0	wie bei Ammoniak 477,0	469,0	gelb, schwache grüne Fluoreszenz, ungefähr 455,0 einseitige Absorption in Blauviolett	basischer Akridinfarbstoff für Baumwolle und Leder
473,5	unverändert	entfärbt sich teilweise 476,0	wie bei Ammoniak 477,0	469,0	hellgelb, grüne Fluoreszenz 455,0 einseitige Absorption in Blauviolett	basischer Akridinfarbstoff für Baumwolle und Leder, dem Spektrum nach identisch mit Patentphosphin GG [J]

Grup-

Handelsname	Eigenschaften	Wasser				Äthyl-	
		Absorption	Salzsäure	Ammoniak	Kalilauge	Absorption	Salzsäure
Brillantphosphin G* [J]	konzentriertere wässerige u. äthylalkoholische Lösung orangegelb, amylalkoholische und essigsaure Lösung gelb ohne Fluoreszenz; verdünnt: wässerige Lösung gelb mit schwacher grüner Fluoreszenz, äthylalkoholische, amylalkoholische und essigsaure Lösung gelb mit grüner Fluoreszenz	verwaschener Streifen **463,0**	orangegelb **463,5**	Farbe und Absorption etwas geschwächt	wie bei Ammoniak	**474,5**	Farbe unverändert **475,0**
Flavophosphin 2 GO [M] **Flavophosphin 2 GO neu [M]** **Flavophosphin 4 GO neu [M]**	konzentriertere wässerige Lösung braungelb mit schwacher grüner Fluoreszenz, verdünnt gelb mit stärkerer grüner Fluoreszenz; äthylalkoholische, amylalkoholische und essigsaure Lösung gelb mit starker grüner Fluoreszenz	verwaschener Streifen ungefähr **463,0**	Absorption und Fluoreszenz geschwächt	entfärbt sich teilweise, der Streifen verschwindet	wie bei Ammoniak	**473,0**	unverändert
Phosphin NA [K]	konzentriertere wässerige Lösung braungelb ohne Fluoreszenz, verdünnt gelb mit grüner Fluoreszenz; äthylalkoholische, amylalkoholische und essigsaure Lösung gelb mit grüner Fluoreszenz	unscharfer Streifen ungefähr **463,0**	orangegelb	unverändert	unverändert	**471,0**	orangegelb **472,5**
Akridinorange GG* [L]	konzentriertere wässerige Lösung orangegelb ohne Fluoreszenz, verdünnt gelb mit schwacher grüner Fluoreszenz; äthylalkoholische, amylalkoholische und essigsaure Lösung gelb mit grüner Fluoreszenz	verwaschener Streifen ungefähr **463,0**	Farbe, Fluoreszenz und Absorption geschwächt	entfärbt sich teilweise, der Streifen verschwindet	wie bei Ammoniak	**470,0**	Farbe unverändert **471,0**

pe I.

…lkohol		Amylalkohol				Essigsäure 90%	Schwefelsäure	Anmerkung
Ammoniak	Kalilauge	Absorption	Salzsäure	Ammoniak	Kalilauge			
unverändert	Farbe und Absorption geschwächt	477,5	Farbe unverändert 478,0	Absorption geschwächt	Farbe und Absorption geschwächt	469,5	gelb, schwache grüne Fluoreszenz 456,0?	basischer Akridinfarbstoff für Baumwolle und Leder
entfärbt sich teilweise, Absorption geschwächt 474,0	entfärbt sich teilweise, Absorption geschwächt 475,0	475,0	unverändert	entfärbt sich teilweise, Absorption geschwächt 476,0	entfärbt sich teilweise, Absorption geschwächt 477,0	469,5	hellgelb, grün fluoreszierend einseitige Absorption in Blauviolett	basischer Akridinfarbstoff für Baumwolle und Leder Flavophosphin 2 GO neu [M] nüanciert mit Blau
unverändert	unverändert	473,0	orangegelb 475,0	unverändert	unverändert	468,5	hellgelb, grün fluoreszierend 464,0	Akridinfarbstoff für Baumwolle und Leder
entfärbt sich teilweise, der Streifen verschwindet, Fluoreszenz unverändert	wie bei Ammoniak	471,0	Farbe unverändert 473,0	wie bei Äthylalkohol	wie bei Äthylalkohol	469,0	gelb, grün fluoreszierend, einseitige Absorption in Blauviolett	basischer Akridinfarbstoff für Baumwolle und Leder

Grup-

Wasser				Äthyl-	
Absorption	Salzsäure	Ammoniak	Kalilauge	Absorption	Salzsäure
unscharfer Streifen 462,0	Absorption geschwächt	entfärbt sich teilweise, der Streifen verschwindet	wie bei Ammoniak	473,5 (ziemlich scharf)	unverändert
462,0	orangegelb 464,0	Farbe heller, der Streifen verschwindet	wie bei Ammoniak	460,0	orangegelb 482,0 462,0
461,0	unverändert	Farbe geschwächt, der Streifen verschwindet	wie bei Ammoniak	469,0	Farbe unverändert 469,0
461,0	orangegelb 462,5	Farbe heller, der Streifen verschwindet	wie bei Ammoniak	458,0	orangegelb, Absorption verstärkt 480,0 460,0

alkohol		Amylalkohol				Essigsäure 90 %	Schwefelsäure	Anmerkung
Ammoniak	Kalilauge	Absorption	Salzsäure	Ammoniak	Kalilauge			
Farbe unverändert **475,0**	Farbe und Fluoreszenz geschwächt **476,0**	**475,0**	unverändert	Farbe unverändert **477,0**	Farbe und Fluoreszenz geschwächt **479,0**	**470,5**	gelb, grün fluoreszierend, Streifen ungefähr 458,0	basischer Akridinfarbstoff für Baumwolle und Leder
Absorption geschwächt	wie bei Ammoniak	462,0	orangegelb 484,0 464,0	Absorption geschwächt	wie bei Ammoniak	483,0 463,0	gelb 463,0	basischer Azofarbstoff für Baumwolle
Farbe und Absorption geschwächt 471,0	wie bei Ammoniak 472,5	**473,0**	unverändert **473,0**	Farbe und Absorption geschwächt 474,0	wie bei Ammoniak 475,0	**466,0**	gelb, grün fluoreszierend 452,0 ?	basischer Akridinfarbstoff für Baumwolle und Leder
Absorption geschwächt	wie bei Ammoniak	460,0	orangegelb 482,0 462,0	Absorption geschwächt	wie bei Ammoniak	482,0 462,0	gelb 462,0	basischer Azofarbstoff für Baumwolle

Handelsname	Eigenschaften	Wasser				Absorption
		Absorption	Salzsäure	Ammoniak	Kalilauge	
Brillantphosphin 5 G [J]	wässerige konzentriertere Lösung orangegelb ohne Fluoreszenz, verdünnt gelb mit grüner Fluoreszenz; konzentriertere sowie verdünnte äthylalkoholische, amylalkoholische und essigsaure Lösung gelb mit grüner Fluoreszenz	460,5	unverändert	entfärbt sich teilweise, der Streifen verschwindet	wie bei Ammoniak	470,0
Paraphosphin G [C] Paraphosphin GG [C]	wässerige Lösung gelb mit schwacher grüner Fluoreszenz; äthylalkoholische, amylalkoholische und essigsaure Lösung gelb mit grüner Fluoreszenz	schwacher, undeutlicher Streifen ungefähr 460,5	Farbe unverändert, Fluoreszenz verstärkt 461,0	wird fast vollständig entfärbt, der Streifen verschwindet	wie bei Ammoniak	470,0
Akridingoldgelb [L]	wässerige konzentriertere Lösung orangegelb ohne Fluoreszenz, verdünnt gelb mit grüner Fluoreszenz; konzentriertere sowie verdünnte äthylalkoholische, amylalkoholische und essigsaure Lösung gelb mit grüner Fluoreszenz	verwaschener Streifen 460,5	Farbe heller, Fluoreszenz verschwindet, Streifen unverändert	entfärbt sich teilweise, der Streifen verschwindet	entfärbt sich teilweise, der Streifen verschwindet, Fluoreszenz unverändert	469,5
Sellabrillantgelb P supra [G]	wässerige Lösung gelb mit schwacher grüner Fluoreszenz, äthylalkoholische und amylalkoholische Lösung gelb mit grüner Fluoreszenz, essigsaure Lösung orangegelb mit schwacher grüner Fluoreszenz	ungefähr 460,0	orangegelb 461,0	entfärbt sich teilweise, der Streifen verschwindet	wie bei Ammoniak	475,5

pe I.

alkohol		Amylalkohol				Essigsäure 90 %	Schwefelsäure	Anmerkung
Ammoniak	Kalilauge	Absorption	Salzsäure	Ammoniak	Kalilauge			
Farbe und Absorption geschwächt	entfärbt sich teilweise, konzentriertere Lösung **471,0**	**473,0**	unverändert	entfärbt sich teilweise, konzentriertere Lösung **474,0**	entfärbt sich teilweise, konzentriertere Lösung **475,0**	**466,0**	gelb, grüne Fluoreszenz 453,0 ?	basischer Akridinfarbstoff für Baumwolle und Leder
entfärbt sich beinahe, der Streifen verschwindet	entfärbt sich, der Streifen verschwindet	**472,0**	Farbe unverändert, Absorption und Fluoreszenz verstärkt **473,5**	wird fast entfärbt, der Streifen verschwindet	entfärbt sich, der Streifen verschwindet	**466,5**	gelb, grün fluoreszierend 460,0	basischer Akridinfarbstoff für Leder
entfärbt sich teilweise, der Streifen verschwindet, Fluoreszenz unverändert	wie bei Ammoniak	**472,5**	unverändert	wie bei Äthylalkohol	wie bei Äthylalkohol	**466,0**	gelb, grün fluoreszierend, einseitige Absorption in Blauviolett	basischer Akridinfarbstoff für Baumwolle und Seide, wahrscheinlich identisch mit Brillantphosphin 5 G (J)
entfärbt sich teilweise, der Streifen verschwindet	wie bei Ammoniak	**481,0**	mehr orangegelb **482,0**	entfärbt sich teilweise, der Streifen verschwindet	wie bei Ammoniak	**465,5**	hellgelb, schwach grün fluoreszierend, einseitige Absorption in Blauviolett	basischer Akridinfarbstoff

Handelsname	Eigenschaften	Wasser			
		Absorption	Salzsäure	Ammoniak	Kalilauge
Benzoflavin Nr. 0 [O]	wässerige Lösung gelb mit schwacher grüner Fluoreszenz, äthylalkoholische und amylalkoholische Lösung gelb mit starker grüner Fluoreszenz, essigsaure Lösung gelb mit schwacher grüner Fluoreszenz	ungefähr **460,0**	Farbe, Absorption und Fluoreszenz geschwächt	entfärbt sich, schwache Trübung	wie bei Ammoniak
Euchrysin 2 G [B]	wässerige konzentriertere Lösung orangegelb ohne Fluoreszenz, verdünnt gelb mit grüner Fluoreszenz; äthylalkoholische und amylalkoholische konzentrierte Lösung orangegelb mit grüner Fluoreszenz, verdünnt gelb mit grüner Fluoreszenz; essigsaure Lösung konzentriert sowie verdünnt gelb mit grüner Fluoreszenz; in Amylalkohol ziemlich schwer löslich, leichter nach Zusatz von Salzsäure	unscharfer Streifen **460,0**	Farbe ein wenig verstärkt **462,0**	wird fast entfärbt, der Streifen verschwindet	wie bei Ammoniak
Euchrysin GDX [B]	wässerige Lösung orangegelb mit grüner Fluoreszenz, äthylalkoholische, amylalkoholische und essigsaure Lösung gelb mit grüner Fluoreszenz	unscharfer Streifen **459,0**	unverändert	Farbe geschwächt, der Streifen verschwindet	wie bei Ammoniak
Paraphosphin R [C]	wässerige, äthylalkoholische und amylalkoholische Lösung orangegelb mit grüner Fluoreszenz, essigsaure Lösung gelb mit grüner Fluoreszenz	**458,0**	Farbe verstärkt, Fluoreszenz verschwindet, Absorption geschwächt, Streifen **458,0**	entfärbt sich teilweise, Fluoreszenz und Absorption geschwächt	entfärbt sich beinahe (schwache Trübung), der Streifen verschwindet, Fluoreszenz verschwindet

pe I.

alkohol		Amylalkohol				Essigsäure 90 %	Schwefelsäure	Anmerkung
Ammoniak	Kalilauge	Absorption	Salzsäure	Ammoniak	Kalilauge			
entfärbt sich	wie bei Ammoniak	471,0	unverändert	entfärbt sich	wie bei Ammoniak	463,0	gelb, grün fluoreszierend, einseitige Absorption in Blauviolett	basischer Akridinfarbstoff für Baumwolle
entfärbt sich teilweise, der Streifen verschwindet	wird fast entfärbt, der Streifen verschwindet	469,0	Farbe und Fluoreszenz verstärkt 475,5	entfärbt sich teilweise	wird fast entfärbt, der Streifen verschwindet	467,0	gelb, grün fluoreszierend 456,0 einseitige Absorption in Violett	basischer Akridinfarbstoff für Baumwolle und Leder
Farbe und Fluoreszenz unverändert 472,0	entfärbt sich teilweise 475,0	474,0	Farbe unverändert 475,0	Farbe und Fluoreszenz unverändert 474,5	Farbe und Fluoreszenz geschwächt 477,0	470,0	gelb, grün fluoreszierend 455,0	basischer Akridinfarbstoff für Baumwolle und Leder
Farbe und Fluoreszenz geschwächt, der Streifen verschwindet	entfärbt sich beinahe, Fluoreszenz und Streifen verschwinden	470,0 435?	Farbe verstärkt, Absorption unverändert	unverändert	entfärbt sich teilweise, der Streifen verschwindet	463,0	gelb, schwach grün fluoreszierend 458,0 konzentriertere Lösung 575,0 530,0	basischer Akridinfarbstoff für Leder

Grup-

Handelsname	Eigenschaften	Wasser				Äthyl-	
		Absorption	Salzsäure	Ammoniak	Kalilauge	Absorption	Salzsäure
Akridingelb [L]	wässerige, äthylalkoholische, amylalkoholische und essigsaure Lösung gelb mit grüner Fluoreszenz	**455,5**	Fluoreszenz verschwindet, die Lösung trübt sich	wird fast entfärbt	wie bei Ammoniak	**464,5**	unverändert
Chinolingelb A extra* **Brillantreingelb** [illegible] **extra** [B] **Chinolingelb KT extra konz.** [By] **Kitongelb GG** [J] **Chinolingelb N extra** [By]	wässerige, [illegible] schwer löslich, nach Zusatz von Salzsäure leicht löslich	**455,5** [illegible]	unverändert	unverändert	entfärbt sich	**454,5**	unverändert
Corioflavin 5 G [O]	wässerige, äthylalkoholische, amylalkoholische und essigsaure Lösung gelb mit grüner Fluoreszenz	**454,0**	Fluoreszenz geschwächt	Farbe und Absorption verschwinden beinahe, sehr schwache grüne Fluoreszenz	entfärbt sich, Fluoreszenz verschwindet	**463,5**	unverändert
Chinolingelb H extra konc. [M]	wässerige, äthylalkoholische, amylalkoholische und essigsaure Lösung grünlich-gelb	verwaschener Streifen ungefähr **451,0**	unverändert	entfärbt sich teilweise	entfärbt sich	**452,5**	unverändert
Chinolingelb wasserlösl. ex. [A], [B], [By], [M], [S] **Chinolingelb extra** [By] **Chinolingelb O** [M]	wässerige, äthylalkoholische, amylalkoholische und essigsaure Lösung grünlich-gelb, in Amylalkohol schwer löslich	verwaschener Streifen ungefähr **442,0**	unverändert	unverändert	entfärbt sich teilweise	**449,0**	unverändert
Chinaldingelb [J]	wässerige, äthylalkoholische, amylalkoholische und essigsaure Lösung gelb, in Amylalkohol schwer löslich	ungefähr **442,0**	unverändert	entfärbt sich teilweise	wie bei Ammoniak	**446,5**	unverändert

	Amylalkohol			Essigsäure 90°/o	Schwefelsäure	Anmerkung
…p-n	Salzsäure	Ammoniak	Kalilauge			
,5	unverändert	wie bei Äthylalkohol	wie bei Äthylalkohol	460,0	gelb, grün fluoreszierend, einseitige Absorption in Blauviolett	basischer Akridinfarbstoff für Baumwolle und Seide
,0	unverändert	unverändert	entfärbt sich	452,0	orangegelb, verwaschener Streifen in Grün und Blauviolett	Chinolinfarbstoff für Wolle und Seide Die Farbe der Lösungen von Kittongelb GG wird nach Zusatz von Salzsäure verstärkt
,5	Fluoreszenz geschwächt	entfärbt sich beinahe, Fluoreszenz verschwindet	entfärbt sich, Fluoreszenz verschwindet	459,0 430,0	gelb, bläulichgrün fluoreszierend 445,0	basischer Akridinfarbstoff für Baumwolle und Leder
,5	unverändert	Absorption geschwächt	entfärbt sich	448,0	orangegelb, verdünnt gelb, undeutliche Streifen in Grün	Chinolinfarbstoff für Wolle und Seide
,0	unverändert	unverändert	entfärbt sich	verwaschen ungefähr 445,5	orangegelb, zwei undeutliche Streifen in Blauviolett	Chinolinfarbstoff für Wolle und Seide
,0	unverändert	unverändert	entfärbt sich	ungefähr 443,0	orangegelb, undeutlicher Streifen in Grünblau	Chinolinfarbstoff für Wolle und Seide

Grup-

Handelsname	Eigenschaften	Wasser				Äthyl-	
		Absorption	Salzsäure	Ammoniak	Kalilauge	Absorption	Salzsäure
Brillantfettgelb C [J]	wässerige, äthylalkoholische, amylalkoholische und essigsaure Lösung gelb; in Amylalkohol schwer löslich	**440,0**	unverändert	unverändert	entfärbt sich teilweise	**447,0**	unverändert
Chinolingelb spritlösl.* [A], [B], [By], [M], [t. M], [S] **Chinolingelb A spritl.** [B]	in Wasser unlöslich, in Äthylalkohol, Amylalkohol und in Essigsäure mit gelber Farbe löslich	—	—	—	—	**441,0** konzentriertere Lösung außerdem 489,0	unverändert

Grup-

Uranin 3 B* [CJ]	in Wasser, Äthylalkohol und Amylalkohol mit gelblich rosaroter Farbe, in Essigsäure mit grünlich-gelber Farbe löslich; die Lösungen fluoreszieren grün	frische Lösung **502,0** **462,0** nach kurzem Stehen **505,5** **466,5**	grünlich-gelb, die Fluoreszenz verschwindet **464,0**	wie bei Kalilauge	rosarot, gelbgrüne Fluoreszenz **508,0** **473,5**	**520,0** 490,0 465,0	gelb, Fluoreszenz verschwindet **452,0**
Kitonechtorange G* [J]; **Orange G** [CJ] **Orange G** [O] **Säureorange 2 G** [G]	wässerige, äthylalkoholische, amylalkoholische und essigsaure Lösung orangegelb	**502,0** **475,0**	unverändert	Absorption geschwächt, Streifen unverändert	wird fast entfärbt, schwacher Stich ins Rosa, die Streifen verschwinden	**506,2** **477,0**	unverändert
Akridinorange NO* [L] **Homophosphin G** [L] **Euchrysin 3 R** [B] **Rhodulinorange N** [By] **Vitolinorange N** [t. M]	wässerige konzentriertere Lösung orangegelb ohne Fluoreszenz, verdünnt gelb mit grüner Fluoreszenz; konzentriertere äthylalkoholische, amylalkoholische und essigsaure Lösung orangegelb, mit grüner Fluoreszenz, verdünnt gelb mit grüner Fluoreszenz	**497,0** **467,0**	orangegelb, Streifen unverändert, Absorption gering geschwächt	gelb, Fluoreszenz und Streifen verschwinden	wie bei Ammoniak	**493,5** **463,0**	orangegelb **494,5** **463,0**

pe I.

…lkohol		Amylalkohol				Essigsäure 96 %	Schwefelsäure	Anmerkung
Ammoniak	Kalilauge	Absorption	Salzsäure	Ammoniak	Kalilauge			
unverändert	entfärbt sich	**448,5**	unverändert	Absorption geschwächt	entfärbt sich	ungefähr 445,0	orangegelb, verwaschener Streifen in Grünblau	—
unverändert	entfärbt sich	**444,5** konzentriertere Lösung außerdem 491,0	unverändert	unverändert	entfärbt sich	**440,0**	braungelb, zwei verwaschene Streifen in Blauviolett	Chinolinfarbstoff für Spritlacke und Wachs

pe II.

…lkohol		Amylalkohol				Essigsäure 96 %	Schwefelsäure	Anmerkung
Ammoniak	Kalilauge	Absorption	Salzsäure	Ammoniak	Kalilauge			
wie bei Kalilauge	rosarot, gelbgrüne Fluoreszenz **519,0** 484,5	525,0 (sehr schw.) **499,5** **467,5**	grünlichgelb, sehr schwache grüne Fluoreszenz 458,5	wie bei Kalilauge	rosarot, gelbgrüne Fluoreszenz **523,0** 486,0	449,0	gelb, schwach grün fluoreszierend 455,0	Phtaleinfarbstoff für Wolle und Seide, der Farbstoff ist gegen Alkali sehr empfindlich
unverändert	rötlich, Absorption geschwächt, sehr schwacher Streifen 506,0	**508,0** 479,0	unverändert	unverändert	rötlich, die Streifen verschwinden	**506,0** 477,0	orangegelb 510,0 **485,0** 460,0	saurer Azofarbstoff für Wolle
gelb, Fluoreszenz geschwächt, die Streifen verschwinden	wie bei Ammoniak	**494,0** 463,5	orangegelb **494,5** 464,0	wie bei Äthylalkohol	wie bei Äthylalkohol	**497,0** 466,0	gelblich, mit schwacher Fluoreszenz, einseitige Absorption in Blauviolett	basischer Akridinfarbstoff für Baumwolle, Seide und Leder

Wasser				Äthyl-	
Absorption	Salzsäure	Ammoniak	Kalilauge	Absorption	Salzsäure
493,5 460,0	grünlich-gelb, Fluoreszenz verschwindet, Absorption verstärkt **441,0**	wie bei Kalilauge	rosarot **493,5** 460,0	**500,0** 455,0	wie bei Wasser, **449,5**
493,5 460,0	grünlich-gelb, Fluoreszenz verschwindet **441,0**	wie bei Kalilauge	rosarot **493,5** 460,0 Fluoreszenz verstärkt	**488,0** **456,0**	grünlich-gelb Fluoreszenz verschwindet **449,5**
verwaschene Streifen ungefähr **493,0** **463,0**	unverändert	Absorption verstärkt, Streifen deutlicher	unverändert	unscharfe Streifen **492,0** **462,5**	Streifen schwächer
schwache Streifen **490,5** **464,0**	gelb, Streifen verschwinden	unverändert	rötlich **493,5**	531,5 495,0 460,0	gelb, die Streifen verschwinden
undeutlicher verwaschener Streifen im Grünblau	unverändert	unverändert	rötlich, verwaschene Streifen im Grün	**490,0** 459,5	rotgelb, verwaschene Streifen im Grün

II.

…hol		Amylalkohol				Essigsäure 90 %	Schwefelsäure	Anmerkung
…oniak	Kalilauge	Absorption	Salzsäure	Ammoniak	Kalilauge			
… bei …lauge	rosarot, 502,0 468,0	487,0 456,5	wie bei Äthylalkohol 451,5	wie bei Kalilauge	rosarot, 504,5 470,0	446,0	grünlichgelb, schwach grün fluoreszierend 442,5?	Phtaleinfarbstoff für Wolle und Seide
… bei …lauge	rosarot 502,0 468,0 Fluoreszenz verstärkt	490,0 459,0 429,5	grünlichgelb, Fluoreszenz verschwindet 451,5	wie bei Kalilauge	rosarot 504,5 470,0 Fluoreszenz verstärkt	446,0	grünlichgelb, schwach grün fluoreszierend 442,0?	Phtaleinfarbstoff für Wolle und Seide
…rändert	Absorption geschwächt	493,5 464,0	Streifen schwächer	Absorption verstärkt	Absorption geschwächt	zwei undeutliche Streifen in Grünblau	fuchsinrot, verwaschener Streifen ungefähr 556,0	chromierbarer Azofarbstoff für Wolle
…rändert	unverändert	531,0 496,0 460,0	gelb, die Streifen verschwinden	unverändert	gelb, sehr schwache Streifen 496,0 460,5	463,0 (verwaschen)	gelb 496,0 461,0	—
…rändert	rotgelb, verwaschenes Spektrum in Grün	491,0 460,0	rötlich, verwaschene Streifen in Grün	unverändert	rotgelb	—	weinrot, verwaschener Streifen in Grün	chromierbarer Azofarbstoff für Wolle

Grup-

Eigenschaften	Wasser: Absorption	Wasser: Salzsäure	Wasser: Ammoniak	Wasser: Kalilauge	Äthyl-: Absorption	Äthyl-: Salzsäure
wässerige Lösung bläulich rotbraun, äthylalkoholische und amylalkoholische Lösung braungelb, in Essigsäure mit rotgelber Farbe schwer löslich	verwaschener Streifen im Grünblau **488,0**	rotorange 542 **498,0**	orangegelb, verwaschener Streifen, ungefähr **502,0**	wie bei Ammoniak	**491,0** 459,0	rotorange 536 **496,0**
wässerige, äthylalkoholische und amylalkoholische Lösung konzentriert orangegelb, verdünnt gelb, mit starker grüner Fluoreszenz; essigsaure Lösung grünlichgelb, grün fluoreszierend	**485,0** 454,0	grünlich-gelb, Fluoreszenz geschwächt, **446,0**	wie bei Kalilauge	rosarot, Streifen weniger scharf, **496,5** 462,5 (Nebenstreifen sehr schwach)	504,0 **488,0** **457,0** 428,0	grünlich-gelb, **452,5**
in Wasser schwer, in Äthylalkohol und Amylalkohol leichter mit gelber Farbe löslich; die Lösungen fluoreszieren schwach grün; in Essigsäure mit grüngelber Farbe und grüner Fluoreszenz löslich	**485,0** **454,0**	grünlich-gelb, Absorption verstärkt **441,0**	wie bei Kalilauge	rosarot, starke grüne Fluoreszenz, **493,5** 460,0	**488,0** **456,0**	grünlich-gelb, Fluoreszenz verschwindet **449,5**

Grup-

wässerige, äthylalkoholische, essigsaure Lösung orangegelb; in Äthylalkohol wenig löslich, leichter nach Zusatz von Salzsäure; in Amylalkohol unlöslich	538,0 497,5	unverändert	unverändert	unverändert	516,0 487,0	unverändert
wässerige Lösung gelbrot, äthylalkoholische und amylalkoholische Lösung orangegelb, essigsaure Lösung gelbrot	535,0 (sehr schw.) **496,0**	Farbe und Absorption geschwächt **496,0**	unverändert	Absorption geschwächt	534,0 **494,5**	unverändert

II.

…hol		Amylalkohol				Essigsäure 90 %	Schwefelsäure	Anmerkung
…oniak	Kalilauge	Absorption	Salzsäure	Ammoniak	Kalilauge			
…rändert	rotorange, verwaschener Streifen ungefähr 503,0	492,0 459,5	rosarot 540,0 498,0	unverändert	verwaschener Streifen ungefähr 504,0	verwaschener Streifen ungefähr 489,0	bläulichrot 568,0 528,0 492,0	für Wolle
…s bei …llauge	rosarot 505,0 471,0	491,5 460,5 431.0	grünlichgelb 456,0	wie bei Kalilauge	rosarot 508,0 474,0	450,0	rötlich, einseitige Absorption in Violett	Phtaleïnfarbstoff für Seide
…e bei …llauge	rosarot, starke grüne Fluoreszenz 502,0 468,0	490,0 459,0 429,5	grünlichgelb, Fluoreszenz verschwindet 451,5	wie bei Kalilauge	rosarot 504,5 470,0	446,0	grünlichgelb, schwach grün fluoreszierend 442,5	Phtaleïnfarbstoff für Wolle und Seide; vergleiche mit Fluorescein [S] und Fluorescein [C] S. 454.

III.

…rändert	unverändert	—	—	—	—	ungefähr 515,0 486,0	rot 558,0 520,0 489,0	direkter Azofarbstoff für Baumwolle, Seide und Halbwolle
…rändert	mehr rötlich, Absorption geschwächt, die Streifen verschwinden beinahe	535,0 495,5	unverändert	unverändert	wie bei Äthylalkohol	538,0 499,0	violettrot 582,0 544,5	saurer Azofarbstoff für Wolle und Seide

Grup-

Handelsname	Eigenschaften	Wasser: Absorption	Wasser: Salzsäure	Wasser: Ammoniak	Wasser: Kalilauge	Äthyl-: Absorption	Äthyl-: Salzsäure
Echtscharlach LG [C]	in Wasser fast unlöslich, nach Zusatz von Kalilauge mit orangegelber Farbe löslich, in Äthylalkohol wenig löslich, in Amylalkohol unlöslich, nach Zusatz von Salzsäure mit orangegelber Farbe löslich, in Essigsäure gering löslich	—	—	—	kein charakteristisches Spektrum	**583,5** **495,5**	unverändert
Orange RRRL [O]	wässerige Lösung gelbrot, äthylalkoholische und amylalkoholische Lösung orangegelb, essigsaure Lösung gelbrot	532,5 **495,0**	unverändert	gelb, die Streifen verschwinden	wie bei Ammoniak	532,0 **496,0**	unverändert
Brillantorange R [CJ] **Orange N** [K] **Scharlach GR** [A] **Scharlach R** [By] **Xylidinorange 2 R** [t. M.]	wässerige Lösung orangerot, äthylalkoholische und amylalkoholische Lösung orangegelb, essigsaure Lösung orangerot	533,0 **493,5**	unverändert	Absorption geschwächt	orangegelb, die Streifen verschwinden	**529,0** **494,5**	unverändert
Sulfonorange G [By]	wässerige, äthylalkoholische, amylalkoholische und essigsaure Lösung orangegelb	530,0 **493,5**	unverändert	unverändert	mehr rötlich, Streifen verschwinden, einseitige Absorption in Blauviolett	525,0 **491,0**	unverändert
Brillantorange O [CJ] **Croceinorange** X [C]	wässerige Lösung orangerot, äthylalkoholische und amylalkoholische Lösung orangegelb, essigsaure Lösung orangerot	532,0 **493,0**	unverändert	Farbe unverändert, Absorption geschwächt	orangegelb, die Streifen verschwinden	**528,0** **493,5**	unverändert

	Amylalkohol			Essigsäure 90 %	Schwefelsäure	Anmerkung
	Salzsäure	Ammoniak	Kalilauge			
	orangegelb 534,5 **496,5**	—	—	535,5 497,5	rot **547,5** 518,5	—
5 **5**	unverändert	unverändert	unverändert	532,5 **497,0**	violettrot, ungefähr 574,0 **535,5** einseitige Absorption in Blauviolett	Monoazofarbstoff für Wolle, Seide und Papier nuanciert mit einem gelben Farbstoffe
) **5**	unverändert	unverändert	Farbe geschwächt, die Streifen verschwinden	532,0 **497,0**	rot 547,2 **515,0** 490,5	saurer Azofarbstoff für Wolle und Seide Brillantorange R (CJ) u. Xylidinorange 2 R (t.M.) enthalten einen roten Farbstoff
0 **0**	unverändert	unverändert	wie bei Äthylalkohol	527,0 **493,0**	gelbrot **573,2** 587,0 einseitige Absorption in Blauviolett	saurer Azofarbstoff für Wolle
0 **5**	unverändert	unverändert	gelb, die Streifen verschwinden	531,0 **496,5**	rot 546,8 **513,5** 490,0	saurer Monoazofarbstoff für Wolle, Seide, Halbwolle und Halbseide

Handelsname	Eigenschaften	Wasser		
		Absorption	Salzsäure	Ammoniak
Orange R* [B], [C], [J] **Orange T** [K], [t. M]	wässerige Lösung orangerot, äthylalkoholische und amylalkoholische Lösung orangegelb, essigsaure Lösung orangerot	531,0 **493,0**	unverändert	unverändert
Diaminbrillantorange SS [C]	wässerige Lösung orangerot, äthylalkoholische Lösung orangegelb; in Amylalkohol unlöslich, auch nach Zusatz von Salzsäure wenig löslich, essigsaure Lösung orangerot	532,0 **493,0**	rot 534,0 **495,0**	Farbe unverändert, Absorption geschwächt
Diazobrillantorange G [By]	wässerige Lösung orangegelb, äthylalkoholische und essigsaure Lösung gelb; in Amylalkohol unlöslich	525,5 **492,5**	mehr rötlich, trübt sich, 527,5 **494,5**	unverändert
Xylidinorange [t. M]	wässerige Lösung gelbrot, äthylalkoholische und amylalkoholische Lösung orangegelb, essigsaure Lösung gelbrot	531,0 **492,0**	unverändert	unverändert
Orange GT [By]	wässerige Lösung orangerot, äthylalkoholische und amylalkoholische Lösung orangegelb, essigsaure Lösung orangerot	verwaschene Streifen 523,5 **492,0**	unverändert	Farbe unverändert, Absorption geschwächt
Kitonechtorange 2 R [J]	wässerige, äthylalkoholische, amylalkoholische Lösung orangegelb, essigsaure Lösung orangerot; in Amylalkohol schwer löslich, leichter nach Zusatz von Salzsäure	524,0 **491,0**	unverändert	unverändert

Amylalkohol			Essigsäure 90 %	Schwefelsäure	Anmerkung
Salzsäure	Ammoniak	Kalilauge			
unverändert	unverändert	Farbe geschwächt, Streifen verschwinden	532,5 **496,0**	violettrot **575,8** 539,2 nach längerem Stehen 578,0 **544,0** 508,0	saurer Monoazofarbstoff für Wolle Orange R (C) ist nuanciert mit einem roten Farbstoff
orangegelb 512,0 **485,0**	—	—	schwache Streifen 514,0 492,0	rosarot **551,5** 508,0	direkter Azofarbstoff für Baumwolle
—	—	—	ungefähr 514,5 **486,0**	rot **540,0** 504,0	direkter Azofarbstoff, Diazotierfarbstoff für Baumwolle
unverändert	unverändert	gelb, Streifen verschwinden	532,0 **495,0**	rot 546,5 **513,5** 487,5	saurer Azofarbstoff für Wolle und Seide

Grup-

Handelsname	Eigenschaften	Wasser: Absorption	Wasser: Salzsäure	Wasser: Ammoniak	Wasser: Kalilauge	Äthyl-: Absorption	Äthyl-: Salzsäure
Tuchechtorange R [J]	wässerige Lösung orangerot, äthylalkoholische Lösung gelbrot, essigsaure Lösung rosarot; in Amylalkohol unlöslich	530,0 **491,0**	unverändert	unverändert	orangegelb, Streifen schwächer	520,0 **487,5** (Streifen fast gleich)	unverändert
Orange X* [B]	wässerige, äthylalkoholische und amylalkoholische Lösung orangegelb, essigsaure Lösung orangerot	525,0 **490,5**	unverändert	unverändert	entfärbt sich teilweise, Streifen verschwinden	523,0 **490,0**	unverändert
Brillantorange O* [M] Brillantorange RO [CJ] Croceinorange R [By], [t. M]	wässerige, äthylalkoholische und essigsaure Lösung orangegelb; in Amylalkohol schwer löslich	524,5 **490,0**	unverändert	Absorption geschwächt	entfärbt sich, teilweise, Streifen verschwinden	528,5 **490,5**	unverändert
Orange GR spez. [C]	wässerige, äthylalkoholische, amylalkoholische, essigsaure Lösung orangegelb; in Amylalkohol schwer löslich	520,5 **490,0**	unverändert	unverändert	Absorption geschwächt, Streifen verschwinden	521,0 489,0	unverändert
Goldorange [By], [D], [t. M] Mandarin G [B] Mandarin G extra [A] Orange II* [B], [C], [J], [CJ], [K], [M], [t. M] Orange Nr. 2 [M] Orange II B [By] Orange II P [B] Orange II PL [B] Orange A [L] Orange G [H] Orange P [O] Orange RR [M] Säureorange A [G]	wässerige, äthylalkoholische, amylalkoholische und essigsaure Lösung orangegelb	unscharfe Streifen 514,0 **486,5**	unverändert	unverändert	rosarot, Streifen verschwinden	515,0 **486,5**	unverändert

Amylalkohol				Essigsäure 90 %	Schwefelsäure	Anmerkung
Absorption	Salzsäure	Ammoniak	Kalilauge			
—	—	—	—	**525,0** **492,0**	rosarot **537,5** **503,0** 486,0	saurer Azofarbstoff
524,5 **491,5**	unverändert	unverändert	entfärbt sich teilweise, die Streifen verschwinden	**525,0** **492,0** (verwaschen)	gelbrot **573,5** **539,0**	saurer Azofarbstoff für Wolle, Seide, Halbwolle und Halbseide
523,5 **490,5**	unverändert	unverändert	Farbe geschwächt, Streifen verschwinden	**525,5** **492,0**	rosarot 537,5 **504,0**	saurer Monoazofarbstoff für Wolle
521,0 489,0	unverändert	unverändert	wie bei Äthylalkohol	522,5 **491,0**	fuchsinrot **571,0** 536,5	saurer Azofarbstoff für Wolle, Seide und Halbseide
516,5 **488,0**	unverändert	unverändert	rötlich, Streifen verschwinden	518,0 **489,0** (Streifen wenig scharf)	violettrot **567,0** **532,0** nach längerem Stehen rot, Absorption verstärkt **569,5** **532,0** 499,5	saurer Monoazofarbstoff für Wolle und Seide

Grup-

Handelsname	Eigenschaften	Wasser: Absorption	Wasser: Salzsäure	Wasser: Ammoniak	Wasser: Kalilauge	Äthyl-: Absorption	Äthyl-: Salzsäure
)range I [M]	wässerige, äthylalkoholische, amylalkoholische und essigsaure Lösung orangegelb, in Amylalkohol schwer löslich	512,0 **486,0** verwaschen	unverändert	rosarot, Absorption geschwächt 514,0 488,0	rosarot, die Streifen verschwinden	514,0 **485,0** verwaschen	unverändert
'annin-orange R [C]	wässerige, äthylalkoholische, amylalkoholische und essigsaure Lösung orangegelb	verwaschene Streifen 512,0 486,0	unverändert	rötlich, Absorption geschwächt, schwache Trübung 530,0 490,5	wie bei Ammoniak	verwaschene Streifen 513,5 485,0	unverändert
:itongelb SR* [J]	wässerige, äthylalkoholische, amylalkoholische und essigsaure Lösung gelb; in Amylalkohol schwer löslich	485,0 454,0	unverändert	entfärbt sich teilweise, die Streifen verschwinden	wie bei Ammoniak	ungefähr 487,0 458,0	unverändert

Grup-

Handelsname	Eigenschaften	Wasser: Absorption	Wasser: Salzsäure	Wasser: Ammoniak	Wasser: Kalilauge	Äthyl-: Absorption	Äthyl-: Salzsäure
'erasin-orange I [C] 'erotin-orange G extra [CJ] 'ottorange A [K] 'ettorange 4 A [J] [otiorange R fetl. [t. M] yronal-orange [D] pritorange I [L] udan I* [A]	in kaltem Wasser unlöslich, in siedendem Wasser wenig löslich; in Äthylalkohol, Amylalkohol und in Essigsäure mit orangegelber Farbe löslich	–	–	–	–	**514,0** **485,0** unscharf	unverändert
ermanent-orange R in Teig [A]	in Wasser schwer mit rosaroter Farbe löslich, in Äthylalkohol schwer mit gelber Farbe löslich, in Amylalkohol unlöslich, nach Zusatz von Salzsäure mit gelber Farbe löslich, in Essigsäure mit gelber Farbe löslich	549,5 **498,0**	unverändert	unverändert	Farbe unverändert 541,5 **492,0**	503,0 477,0 verwaschen	unverändert

pe III.

alkohol		Amylalkohol				Essigsäure 90%	Schwefelsäure	Anmerkung
Ammoniak	Kalilauge	Absorption	Salzsäure	Ammoniak	Kalilauge			
rötlich	rötlich, undeutlicher Streifen in Grün	516,0 486,5 verwaschen	–	unverändert	rötlich, Absorption geschwächt, Streifen undeutlich	516,0 486,0 verwaschen	violettrot, ungefähr 565,0 588,0	saurer Monoazofarbstoff
Farbe unverändert, 517,5 487,5	rötlich, Streifen verschwinden	verwaschene Streifen 517,0 487,5	unverändert	unverändert	rötlich, die Streifen verschwinden	513,0 485,5	rot 561,0 527,0	basischer Monoazofarbstoff
unverändert	entfärbt sich teilweise	488,5 459,5	unverändert	unverändert	entfärbt sich teilweise	verwaschene Streifen 488,0 457,0	gelb 497,0 466,0	–

pe IIIa.

unverändert	rötlich (schwache Trübung) die Streifen verschwinden	515,0 486,0 unscharf	unverändert	unverändert	rötlich, die Streifen verschwinden	519,0 489,0 unscharf	rot 555,5 521,5 492,0 später 557,0 525,5 495,0 nach längerem Stehen 527,5 496,0 571,0	Ceresorange I [By] Autolorange [B] saurer Monoazofarbstoff für Öle und Spritlacke
unverändert	rotgelb, die Streifen verschwinden	–	504,0 478,0 verwaschen	–	–	505,0 479,0 verwaschen	violettrot, ungefähr 579,0 538,0	saurer Monoazofarbstoff für Lacke

30*

Handelsname	Eigenschaften	Wasser			
		Absorption	Salzsäure	Ammoniak	Kalilauge
Lackrot C [M]	in Wasser schwer, in Äthylalkohol, in Amylalkohol und in Essigsäure mit orangegelber Farbe löslich	ungefähr 544,0 **495,0**	trübt sich	unverändert	rosarot, 547,5 497,0
Sudan II* [A]	in Wasser unlöslich, in Äthylalkohol und Amylalkohol mit orangegelber Farbe, in Esaigsäute mit orangeroter Farbe löslich	—	—	—	—
Orange LRR [O]	in Wasser mit [illegible] und Amylalkohol schwer mit orangegelber Farbe löslich, in Essigsäure mit gelbroter Farbe löslich	529,0 **493,0**	unverändert	Absorption geschwächt	orangegelb, die Streifen verschwinden
Diaminorange F [C]	in Wasser mit orangegelber Farbe löslich, in Äthylalkohol schwer mit gelber Farbe löslich, in Amylalkohol erst nach Zusatz von Salzsäure löslich; in Essigsäure mit orangegelber Farbe löslich	stark verwaschene Streifen ungefähr 532,0 498,0	entfärbt sich teilweise	unverändert	unverändort
Benzoechtorange S [By] **Congoorange RG** [By]	in Wasser mit orangeroter Farbe, in Äthylalkohol schwer mit orangegelber Farbe löslich; in Amylalkohol unlöslich, nach Zusatz von Salzsäure löslich; in Essigsäure mit oranger Farbe löslich	530,5 **493,0**	534,5 **495,5** dann rot, 551,5 **497,0** trübt sich allmählich	unverändert	mehr rötlich, Absorption geschwächt, 543,5 **500,5**

pe III a.

alkohol		Amylalkohol				Essigsäure 90 %	Schwefelsäure	Anmerkung
Ammoniak	Kalilauge	Absorption	Salzsäure	Ammoniak	Kalilauge			
unverändert	mehr rötlich, Spektrum verwaschen	ungefähr 520,0 488,5	unverändert	unverändert	wie bei Äthylalkohol	ungefähr 516,0 490,0	violettrot 583,0 545,5	saurer Monoazofarbstoff für Lacke
unverändert	Absorption geschwächt	**532,0 495,0** Streifen fast gleich	unverändert	unverändert	mehr gelb, Absorption geschwächt	**536,5 499,5**	violettrot, zuerst 572,5 **538,5** 501,5 nach längerem Stehen **547,5 515,0**	saurer Monoazofarbstoff für Fette und Spirituslacke
unverändert	Farbe heller, die Streifen verschwinden	**529,5 494,0**	unverändert	unverändert	Farbe heller, die Streifen verschwinden	**531,0 495,0** (Streifen wenig scharf)	rot 547,0 **514,5** 489,5	saurer Azofarbstoff für Wolle, Seide und Papier
unverändert	unverändert	—	verwaschene Streifen 512,0 ? 486,0	—	—	verwaschene Streifen 511,0 ? 485,0 ?	blau, verwaschenes Spektrum in Gelb	direkter Azofarbstoff für Baumwolle, Wolle und Seide
unverändert	mehr rötlich, Absorption geschwächt, der Farbstoff schlägt sich allmählich nieder	—	**513,5 484,0**	—	—	**517,0 487,0**	violettrot **551,0** 511,0	direkter Azofarbstoff für Baumwolle, Wolle und Seide

Handelsname	Eigenschaften	Wasser				
		Absorption	Salzsäure	Ammoniak	Kalilauge	Absorption
Direktechtorange SE [J]	in Wasser mit rotoranger Farbe, in Äthylalkohol mit gelber Farbe löslich; in Amylalkohol unlöslich, in Essigsäure mit orangegelber Farbe löslich	531,5 **492,5**	mehr rötlich, Farbe und Absorption verstärkt. 533,0 **494,0**	unverändert	mehr rötlich 545,5 **500,5**	512,5 485,5
Congoorange G [A], [By]	wässerige Lösung orangegelb, äthylalkoholische, amylalkoholische und essigsaure Lösung gelb; in Amylalkohol schwer löslich, leichter nach Zusatz von Salzsäure	514,0 492,5	rötlich, entfärbt sich teilweise, Absorption geschwächt, konzentriertere Lösung 530,0 496,0 460,0	unverändert	unverändert	508,0 488,0

ohol		Amylalkohol						
mmoniak	Kalilauge	Absorption	Salzsäure	Ammoniak	Kalilauge	Essigsäure 90 %	Schwefelsäure	Anmerkung
verändert	rosarot, die Streifen verschwinden	—	—	—	—	**497,0** (verwaschen)	violettrot **549,7** **508,5** 438,0	direkter Azofarbstoff für Baumwolle, Wolle und Seide
verändert	unverändert	509,0 489,0	unverändert	unverändert	unverändert	verwaschene, undeutliche Streifen 505,0 485,0	blau 673,0 493,0 einseitige Absorption in Blauviolett	direkter Azofarbstoff für Baumwolle
nverändert	Absorption geschwächt	**529,0** **493,0** Streifen fast gleich	unverändert	unverändert	die Streifen verschwinden	verwaschene Streifen **533,0** **497,0**	violettrot **569,5** **534,0** 497,0 ? später 573,0 **542,0** 511,0 zuletzt **547,5** **515,5** 489,0	saurer Monoazofarbstoff für Fette und Spirituslacke
unverändert	Absorption geschwächt	**526,0** **492,5** Streifen fast gleich	unverändert	unverändert	Absorption geschwächt	**531,5** **497,0**	violettrot **570,0** **534,5** 499,0 ? nach längerem Stehen **547,5** **515,5** 489,0	saurer Monoazofarbstoff für Fette und Lacke

Handelsname	Eigenschaften	Wasser			
		Absorption	Salzsäure	Ammoniak	Kalilauge
Litholrot R [B]	in Wasser, auch in der Wärme, schwer mit orangegelber Farbe löslich; äthylalkoholische, amylalkoholische und essigsaure Lösung orangegelb; in Amylalkohol schwer löslich, nach Zusatz von Salzsäure löslich	ungefähr 518,0 **491,0**	unverändert	unverändert	unverändert
Congo-orange R [A]	in Wasser und Äthylalkohol schwer mit orangegelber Farbe löslich; in Amylalkohol unlöslich, nach Zusatz von Salzsäure wenig löslich; in Essigsäure mit orangegelber Farbe löslich	**491,0** stark verwaschen	drei verwaschene Streifen wie bei Congo-orange G S. 468	unverändert	unverändert
Orange RN* [O]	wässerige, äthylalkoholische, amylalkoholische und essigsaure Lösung orangegelb; in Amylalkohol schwer löslich	525,0 **490,5**	unverändert	unverändert	rötlich, Streifen verschwinden
Orange LR [O]	wässerige Lösung rotgelb, äthylalkoholische, amylalkoholische und essigsaure Lösung orangegelb; in Amylalkohol fast unlöslich, nach Zusatz von Salzsäure leichter löslich	524,5 **490,0**	unverändert	Absorption geschwächt	orangegelb, entfärbt sich teilweise, Streifen verschwinden

Amylalkohol			Essigsäure 90 %	Schwefelsäure	Anmerkung
Salzsäure	Ammoniak	Kalilauge			
524,5 492,0 unscharf	—	—	ungefähr 525,5 493,0	violettrot 592,5 555,0	saurer Monoazofarbstoff für Lacke
ungefähr 515,0 491,0	—	—	505,0 485,0	blau, Streifen 673,0 493,0 einseitige Absorption in Blauviolett	direkter Azofarbstoff für Baumwolle
unverändert	unverändert	rötlich, Streifen verschwinden	526,5 493,0	violettrot 575,5 540,0	saurer Monoazofarbstoff für Wolle, Seide und Papier
524,0 491,0	—	—	525,0 492,0	rot 537,0 505,0	saurer Azofarbstoff für Wolle, Seide und Papier
unverändert	unverändert	Streifen verschwinden	518,0 487,5	rosarot 547,0 508,2	direkter Azofarbstoff für Baumwolle (Diazotierfarbstoff)

Handelsname	Eigenschaften	Wasser: Absorption	Wasser: Salzsäure	Wasser: Ammoniak	Wasser: Kalilauge	Äthyl-: Absorption	Äthyl-: Salzsäure
Echtorange O [M] **Echtorange R [B]**	wässerige, äthylalkoholische, amylalkoholische und essigsaure Lösung orangegelb; in Amylalkohol schwer löslich	519,0 **489,0**	Absorption etwas geschwächt	unverändert	rot, Absorption geschwächt; konzentriertere Lösung: **490,0** (verwaschen)	**506,5** **481,5** unscharfe Streifen	unverändert
Polarorange GS [G]	wässerige und äthylalkoholische Lösung gelb; in Amylalkohol unlöslich, nach Zusatz von Salzsäure mit roter Farbe löslich; in Essigsäure mit orangegelber Farbe löslich	**522,0** **487,0** (Streifen wenig scharf)	die Streifen werden schärfer **525,0** **489,0**	unverändert	Streifen verschwinden	**519,0** **486,0** Streifen fast gleich	unverändert
Brillantorange G [M] **Croceinorange G [K]** **Croceinorange GR [t. M]** **Orange ENL [C]** **Orange GRX [B]** **Ponceau 4GB [A]** **Pyrotinorange [D]** **Heliorange CAG [By]** **Halbwollechtorange R [C]** **Halbwollechtorange G [C]**	wässerige, äthylalkoholische, amylalkoholische und essigsaure Lösung orangegelb; in Amylalkohol schwer löslich	**513,5** **485,0**	unverändert	Farbe unverändert, Absorption geschwächt	rötlich, Streifen verschwinden	**515,0** **485,0**	unverändert
Orange LG [O]	wässerige, äthylalkoholische, amylalkoholische und essigsaure Lösung orangegelb; in Amylalkohol sehr schwer löslich, leichter nach Zusatz von Salzsäure	**514,2** **485,0**	rötlich, Farbe und Absorption geschwächt	rötlich, Farbe geschwächt	rötlich, Streifen verschwinden	**517,0** **487,0**	unverändert

pe IIIa.

alkohol		Amylalkohol				Essigsäure 90 %	Schwefelsäure	Anmerkung
Ammoniak	Kalilauge	Absorption	Salzsäure	Ammoniak	Kalilauge			
unverändert	rot, Absorption geschwächt; konzentrierter Lösung: verwaschene Streifen **543,0** **497,5**	**500,0** **484,0**	unverändert	unverändert	rot, Absorption geschwächt; zwei verwaschene Streifen in Grün	**510,0** **485,5**	violettrot, ungefähr **585,5** 552,0 einseitige Absorption in Violett	saurer Monoazofarbstoff für Lacke
unverändert	Streifen verschwinden	–	**519,0** **486,0**	–	–	**520,0** **488,0**	rot **536,0** **501,0**	saurer Azofarbstoff für Wolle
Absorption etwas geschwächt	rötlich, Streifen verschwinden	**516,0** **486,0**	unverändert	unverändert	rötlich, Streifen verschwinden	**516,5** **487,0**	gelbrot **527,5** **496,0**	direkter Azofarbstoff für Baumwolle Helioorange CAG [By] ist ein Lackfarbstoff Halbwollechtorange R [C] enthält einen violetten Farbstoff Halbwollechtorange G [C] enthält einen gelben Farbstoff
unverändert	mehr rot, Streifen verschwinden	sehr schwache Streifen 517,0 490,0	515,0 486,0	–	–	**514,0** **487,0**	orangerot, scharfe Streifen **526,5** **495,5**	saurer Azofarbstoff für Wolle, Seide und Papier

Grup-

Handelsname	Eigenschaften	Wasser: Absorption	Wasser: Salzsäure	Wasser: Ammoniak	Wasser: Kalilauge	Äthyl-: Absorption	Äthyl-: Salzsäure
Pigment-orange RR Pulver [M]	in kaltem Wasser unlöslich, in heißem Wasser ziemlich gut mit orangegelber Farbe löslich; äthylalkoholische, amylalkoholische und essigsaure Lösung orangegelb; in Amylalkohol schwer löslich	**516,0** **484,0** unscharf	unverändert	rötlich, Streifen verschwinden	gelbrot, Streifen verschwinden	ungefähr **508,0** **483,0**	unverändert
Mennige-Ersatz C [C]	in Wasser, Äthylalkohol, Amylalkohol und in Essigsäure wenig mit orangegelber Farbe löslich; in Amylalkohol nach Zusatz von Salzsäure besser löslich	**514,0** **483,0**	unverändert	Farbe heller, Absorption schwächer	Farbe heller, Streifen verschwinden, konzentriertere Lösung gelbrot, undeutlicher Streifen in Grün ungefähr **504,0**	**515,0** **484,0**	unverändert

Grup-

Lackrot D [M]	in kaltem Wasser unlöslich, in heißem Wasser wenig mit rosaroter Farbe löslich; in Äthylalkohol, Amylalkohol (schwer) und in Essigsäure mit orangegelber Farbe löslich	**564,0** **512,0**	orangegelb, trübt sich	unverändert	unverändert	**515,0** **485,5**	verwaschene Streifen **506,6** **479,0**
Dianilecht-orange O* [M]	in Wasser mit orangegelber Farbe löslich, in Äthylalkohol wenig mit gelber Farbe löslich; in Amylalkohol schwer, leichter nach Zusatz von Salzsäure mit gelber Farbe löslich; in Essigsäure mit gelber Farbe löslich	**538,0** **499,0**	Farbe unverändert **539,0** **500,0**	Farbe unverändert, undeutliche Streifen 527,0 490,0	Farbe unverändert, die Streifen verschwinden, einseitige Absorption in Grün und Blauviolett	**514,0** **485,0**	unverändert

pe IIIa.

alkohol		Amylalkohol						
Ammoniak	Kalilauge	Absorption	Salzsäure	Ammoniak	Kalilauge	Essigsäure 90%	Schwefelsäure	Anmerkung
unverändert	gelbrot, Streifen verschwinden	ungefähr 509,0 484,0	unverändert	unverändert	gelbrot, Streifen verschwinden	513,0 486,5 (unscharf)	violettrot 570,0 537,0	saurer Monoazofarbstoff für Lacke
unverändert	Farbe heller, Streifen verschwinden; konzentriertere Lösung: orangegelb, undeutlicher Streifen in Grün ungefähr 518,0	—	515,0 484,0	—	—	516,0 485,0	orangegelb 527,0 495,5	saurer Azofarbstoff
pe IV.								
unverändert	unverändert	520,0 488,5	510,0 480,0	unverändert	unverändert	512,5 485,0	violettrot 574,0 538,0	saurer Monoazofarbstoff für Lacke
unverändert	Farbe unverändert, die Streifen verschwinden	—	515,5 486,5 einseitige Absorption in Violett	—	—	517,0 488,0 einseitige Absorption in Violett	gelbrot 549,5 511,5 484,0 einseitige Absorption in Violett	direkter Azofarbstoff für Baumwolle

Handelsname	Eigenschaften	Wasser				Äthyl-	
		Absorption	Salzsäure	Ammoniak	Kalilauge	Absorption	Salzsäure
Helioechtrot RL [By] Litholechtscharlach RPN [B] Sitaechtrot RL [t. M]	in Wasser unlöslich, in Äthylalkohol und Amylalkohol mit orangegelber Farbe schwer löslich; in Essigsäure mit rosaroter Farbe löslich	–	–	–	–	ungefähr 517,0 480,0	unverändert
Pigmentscharlach G [M]	in Wasser erst nach Zusatz von Ammoniak oder Kalilauge mit orangegelber Farbe löslich; in Äthylalkohol und Amylalkohol erst nach Zusatz von Salzsäure, Ammoniak oder Kalilauge mit orangegelber Farbe löslich; essigsaure Lösung orangegelb	–	–	515,0 485,0 (unscharf)	wie bei Ammoniak	–	verwaschene Streifen 510,0 479,0
Pigmentrot B Pulver [M]	in Wasser unlöslich, in Äthylalkohol und Amylalkohol schwer mit orangegelber Farbe löslich, in Essigsäure mit orangegelber Farbe löslich	–	–	–	–	ungefähr 509,0 485,0	unverändert
Pigmentrot G i. Teig [M]	in Wasser unlöslich, in Äthylalkohol und Amylalkohol schwer mit orangegelber Farbe löslich, in Essigsäure mit orangegelber Farbe löslich	–	–	–	–	ungefähr 508,0 484,0	unverändert
Tuscalinorange G [B]	in Wasser unlöslich; in Äthylalkohol, Amylalkohol und in Essigsäure schwer mit orangegelber Farbe löslich	–	–	–	–	ungefähr 502,5 477,0	unverändert

Amylalkohol			Essigsäure 90 %	Schwefelsäure	Anmerkung
Salzsäure	Ammoniak	Kalilauge			
unverändert	unverändert	—	524,0 493,5	violett 599,0 559,0	saurer Monoazofarbstoff für Lacke
verwaschene Streifen 511,0 480,5	519,0 488,0	519,5 488,5	512,0 484,5	rot 544,0 510,0	saurer Monoazofarbstoff für Lacke
unverändert	unverändert	wie bei Äthylalkohol	515,5 489,0	violettrot 580,0 543,5	im Xylol: 514,0 485,5 saurer Monoazofarbstoff für Lacke
unverändert	unverändert	violettrot, verwaschene Streifen in Grün	514,5 488,0	violettrot 578,5 542,0	im Xylol orangegelbe Lösung: 513,5 485,0 saurer Monoazofarbstoff für Lacke
unverändert	unverändert	rot 588,5 495,5	506,5 482,0	violettrot 585,0 552,0	saurer Azofarbstoff für Kattundruck und Lacke

Gruppe IV.

Wasser				Äthylalkohol		
Absorption	Salzsäure	Ammoniak	Kalilauge	Absorption	Salzsäure	Ammoniak
497,0 460,0	unverändert	Farbe und Absorption geschwächt, Streifen verschwinden	wie bei Ammoniak	496,0 466,5	Fluoreszenz verstärkt, Streifen fließen zusammen 481,0	Farbe u… Absorp… geschw… 466,((sehr schwach
schwache Streifen ungefähr 491,0 456,0	Fluoreszenz verstärkt 493,0 461,0	entfärbt sich teilweise, Streifen verschwinden	wie bei Ammoniak	496,0 463,0	Farbe mehr orangegelb, Fluoreszenz stärker, ungefähr 500,0 468,0	Fluore… verstärk… Streifen … schwind…
sehr schwache Streifen ungefähr 485,5 458,5	orangegelb 489,0 462,0	entfärbt sich teilweise, grünlich-gelb, Streifen verschwinden	wie bei Ammoniak	schwache, unscharfe Streifen ungefähr 494,5 464,5	orangegelb 502,0 472,0	entfärbt … teilwei… grünlich… gelb, Str… fen ver… schwind…
sehr schwache Streifen 485,0 458,0	Farbe unverändert 488,0 461,0	entfärbt sich teilweise, grünlich-gelb, Streifen verschwinden	wie bei Ammoniak	494,0 464,0	orangegelb 501,5 471,0	entfärbt… teilweis… grünlich… gelb, Streifen… schwind…

pe IV.

alkohol		Amylalkohol				Essigsäure 90%	Schwefelsäure	Anmerkung
Ammoniak	Kalilauge	Absorption	Salzsäure	Ammoniak	Kalilauge			
Farbe und Absorption geschwächt 466,0 (sehr schwach)	entfärbt sich fast vollständig, die Streifen verschwinden	496,5 467,0	Fluoreszenz verstärkt, Streifen fließen zusammen 484,0	Farbe fast unverändert 468,0	entfärbt sich, Streifen verschwinden	498,5 464,5	gelb, grün fluoreszierend, schwacher Streifen 458,0	Akridinfarbstoff
Fluoreszenz verstärkt, Streifen verschwinden	Farbe geschwächt, Streifen verschwinden	498,0 466,0	rosarot, Fluoreszenz stärker, ungefähr 510,0 482,0	wie bei Äthylalkohol	wie bei Äthylalkohol	rotgelb 493,0 461,0 konzentriertere Lösung außerdem 554,0	gelb, stark grün fluoreszierend 456,0	basischer Akridinfarbstoff für Leder und Baumwolle
entfärbt sich teilweise, grünlichgelb, Streifen verschwinden	wie bei Ammoniak	497,0 466,5	orangegelb, ungefähr 509,0 478,0	wie bei Äthylalkohol	wie bei Äthylalkohol	492,0 462,5	grünlichgelb, grün fluoreszierend 456,0	basischer Akridinfarbstoff für Leder, Baumwolle rund Seide Xanthin [J] ist unreines Phosphin; es enthält Fuchsin
entfärbt sich teilweise, grünlichgelb, Streifen verschwinden	wie bei Ammoniak	496,5 466,0	orangegelb 507,5 477,0	wie bei Äthylalkohol	wie bei Äthylalkohol	491,5 462,0	gelb, grün fluoreszierend 455,0	basischer Akridinfarbstoff für Baumwolle, Leder und Seide

Handelsname	Eigenschaften	Wasser					
		Absorption	Salzsäure	Ammoniak	Kalilauge	Absorption	Salz
Echtlicht-orange G [By] **Krystall-orange GG** [D] **Orange G*** [A], [B], [K], [M], [t. M] **Orange GG** [C]	wässerige, äthylalkoholische, amylalkoholische und essigsaure Lösung orangegelb; in Amylalkohol schwer löslich	**502,0** **474,0**	unverändert	unverändert	entfärbt sich, schwach rosarot, Streifen verschwinden	**506,0** 476,0	unver
Omega-chromrot B [S]	wässerige, äthylalkoholische, amylalkoholische und essigsaure Lösung orangegelb	ungefähr 491,0 462,5	mehr gelb, Streifen verwaschen	unverändert	gelbrot, Streifen verwaschen	**489,0** 461,0	Stich i Str verw
Coriphosphin O [By]	wässerige, konzentriertere Lösung braungelb, verdünnt gelb mit grüner Fluoreszenz; äthylalkoholische, amylalkoholische und essigsaure Lösung braungelb mit grüner Fluoreszenz; in Amylalkohol schwer löslich	verwaschene Streifen ungefähr 482,0 463,0	unverändert	entfärbt sich teilweise, Streifen verschwinden	wie bei Ammoniak	**481,0** 457,5	unver
Diamant-phosphin R [C]	konzentriert braungelb ohne Fluoreszenz, verdünnt gelb mit grüner Fluoreszenz; äthylalkoholische, amylalkoholische und essigsaure Lösung konzentriert braungelb mit grüner Fluoreszenz, verdünnt gelb mit starker grüner Fluoreszenz	gefähr 472,0 453,5		unverändert, Absorption geschwächt	teilweise, die Streifen verschwinden	gefähr **474,5** 450,5	ur **47**

Amylalkohol				Essigsäure 90 °/₀	Schwefelsäure	Anmerkung
Absorption	Salzsäure	Ammoniak	Kalilauge			
506,5 476,5	unverändert	unverändert	unverändert	**506,0** 476,0	gelb, verwaschen, ungefähr 510,5 **484,0**	saurer Monoazofarbstoff für Wolle, Seide und Halbseide
491,0 463,0	orangerot, Absorption geschwächt, Streifen verwaschen	Streifen schärfer **491,0** 463,0	Streifen verwaschen	verwaschene Streifen	violettrot, verwaschene Streifen ungefähr **561,0** 531,0	chromierbarer Azofarbstoff
481,5 458,0	unverändert	wie bei Äthylalkohol	wie bei Äthylalkohol	**482,0** 458,5	hellgelb, schwach grün fluoreszierend, einseitige Absorption in Blauviolett	basischer Akridinfarbstoff für Leder und Baumwolle
476,0 452,0	orangegelb **477,0**	Absorption geschwächt **477,5**	entfärbt sich teilweise, Absorption geschwächt **478,0**	ungefähr **472,5** 448,5	schwach gelb, geringe grüne Fluoreszenz, einseitige Absorption in Blauviolett	basischer Akridinfarbstoff für Baumwolle und Seide

31*

Grup-

Handelsname	Eigenschaften	Wasser				Äthyl-	
		Absorption	Salzsäure	Ammoniak	Kalilauge	Absorption	Salzsäure
Diamantphosphin GG* [C]	wässerige konzentriertere Lösung braungelb ohne Fluoreszenz, verdünnt gelb mit grüner Fluoreszenz; äthylalkoholische, amylalkoholische und essigsaure Lösung konzentriert braungelb, verdünnt gelb mit starker grüner Fluoreszenz	**470,5** 451,0	unverändert	Farbe und Absorption geschwächt	wie bei Ammoniak	**475,0** 451,0 Nebenstreifen kaum sichtbar	unverändert

Grup-

Handelsname	Eigenschaften	Absorption	Salzsäure	Ammoniak	Kalilauge	Absorption	Salzsäure
Alizarinrot Nr. 6* [M] **Alizarinpurpurin 20% Teig [By]** **Purpurin [B]**	in Wasser unlöslich, in Äthylalkohol und Amylalkohol mit orangegelber Farbe löslich	—	—	violettrot **548,5** 510,5 480,0 konzentriertere Lösung außerdem 618,0: Der Streifen gehört dem Alizarin; nach längerem Stehen schlägt sich der Farbstoff nieder	wie bei Ammoniak	522,5 **488,0** 458,0	unverändert
Alizarinbordeaux BD 20% Teig [By]	in Wasser unlöslich, in Äthylalkohol und Amylalkohol mit orangegelber Farbe löslich	—	—	violettrot 588,0 **546,0** 500,0	1 Tropfen: rot, undeutlicher Streifen in Grün; 2 Tropfen: wie bei Am-	565,0 546,5 **532,5** 518,5 ein-	unverändert

Amylalkohol				Essigsäure 90%	Schwefelsäure	Anmerkung
Absorption	Salzsäure	Ammoniak	Kalilauge			
477,0 453,0 Nebenstreifen kaum sichtbar	unverändert	Farbe und Absorption geschwächt **478,0**	wie bei Ammoniak **478,5**	**472,5** 448,5	hellgelb, grün fluoreszierend 456,0?	basischer Akridinfarbstoff für Baumwolle und Seide
524,5 **489,5** 459,5	unverändert	rot **562,0** **526,0** 492,0	rot **553,0** **515,3** 484,0 konzentriertere Lösung außerdem **628,5** der Streifen gehört dem Alizarin	—	rot **523,0** **488,5** 457,5 konzentriertere Lösung außerdem 564,0	1, 2, 4 Trioxyanthrachinon Beizenfarbstoff für Baumwolle
548,2 **534,3** 520,5 einseitige Absorption in Blauviolett; mehr verdünnt, außerdem: **492,5** **460,0** (verwaschen)	unverändert	violettrot, ungefähr **554,0**	2 Tropfen: violettblau **629,5** **582,0** 541,5 501,0?	—	violett 640,5 603,0 **576,0** **531,0** **494,5**	Anthrachinonfarbstoff Beizenfarbstoff für Baumwolle

Grup-

Handelsname	Eigenschaften	Wasser: Absorption	Wasser: Salzsäure	Wasser: Ammoniak	Wasser: Kalilauge	Äthyl-: Absorption	Äthyl-: Salzsäure
Alizarinrot PS* [By]	wässerige, äthylalkoholische und amylalkoholische Lösung orangegelb; in Amylalkohol schwer löslich	verwaschene Streifen 519,5 **485,0** 456,0	unverändert	rot **542,5** **506,4** 477,0	rot, wie bei Ammoniak	**522,2** **487,0** 458,0	unverändert
Santalin (Sandelholz)	in kaltem Wasser unlöslich, in heißem Wasser wenig löslich, in Äthyl- und Amylalkohol mit orangegelber, in Essigsäure mit gelblichroter Farbe löslich	verwaschene Streifen 510,0 **475,5** 445,5	rot, verwaschene Streifen in Grünblau	Absorption geschwächt	rot, verwaschene Streifen in Grün und Blau	**510,0** **475,5** 445,0	rot, verwaschene Streifen in Grün
Orlean (Bixin, Orellin)	wässerige, alkoholische und essigsaure Lösung gelb; in Wasser schwer löslich	kein charakteristisches Absorptionsspektrum	–	–	–	494,0 **461,0** 434,5	unverändert

Grup-

Neugelb extra [By] **Orange IV*** [B], [By], [C], [H], [L], [M], [t. M] **Orange Nr. 4** [M] **Orange GS** [O] **Orange N** [B], [J] **Säuregelb kryst.** [C] **Säuregelb D extra** [A] **Tropaeolin** [G] **Tropaeolin OO** [C] **Viktoriagelb dopp.** [M]	wässerige konzentriertere Lösung orangegelb, verdünnt gelb; äthylalkoholische und amylalkoholische Lösung gelb; essigsaure Lösung violettrot	486,0 ? 459,0 einseitige Absorption in Blauviolett	violettrot **538,0**	unverändert	unverändert	einseitige Absorption in Blauviolett	rötlich, **551,0** einseitige Absorption in Blauviolett

…e V.

…lkohol		Amylalkohol				Essigsäure 90%	Schwefelsäure	Anmerkung
…mmoniak	Kalilauge	Absorption	Salzsäure	Ammoniak	Kalilauge			
rot 562,5 524,0 490,0	rot 551,5 513,6 482,5 konzentriertere Lösung außerdem 625,0	524,0 489,2 459,6	unverändert	rot 564,7 525,8 491,3	rot 553,7 515,2 483,7 konzentriertere Lösung außerdem 628,2	orangegelb, verwaschene Streifen 520,4 485,7 456,6	gelbrot 560,0 523,0 487,7 456,7	Purpurinsulfosäure Beizenfarbstoff für Wolle
…bsorption schwächt, Streifen …nverändert	violettrot, verwaschene Streifen in Grün und Blau	510,5 476,0 445,5	violettrot, verwaschene Streifen in Grünblau	ändert sich nicht	violettrot, verwaschene Streifen in Blaugrün	gelblichrot, ungefähr 508,0 474,0	—	Naturfarbstoff
Farbe …verändert, …rwaschene Streifen ungefähr 487,5 456,0 431,5	wie bei Ammoniak	496,5 463,5 436,5	unverändert	Farbe unverändert, verwaschene Streifen ungefähr 491,5 458,5 433,5	wie bei Ammoniak	verwaschene Streifen in Blau und Violett	—	Naturfarbstoff

…e VI.

…nverändert	unverändert	einseitige Absorption in Blauviolett	rötlich 555,0 einseitige Absorption in Blauviolett	unverändert	unverändert	violettrot 545,0 schwache einseitige Absorption in Blauviolett	violettblau 577,0 (verwaschen)	saurer Monoazofarbstoff für Wolle, Seide, Halbwolle und Halbseide Tropaeolin (G) ist nuanciert mit blauem und rotem Farbstoff

Grup-

Handelsname	Eigenschaften	Wasser				Äthyl-	
		Absorption	Salzsäure	Ammoniak	Kalilauge	Absorption	Salzsäure
Metanilgelb [By], [C], [K] Metanilgelb konz. [D] Metanilgelb extra [A], [B], [C], [G], [K], [O], [S] Metanilgelb pur. [G], [K] Metanilgelb GR extra konz. [t. M] Metanilgelb O [L] Metanilgelb OOO [O] Orange MN, MNO [J] Tropaeolin G [C]	wässerige, äthylalkoholische und amylalkoholische Lösung gelb; essigsaure Lösung violettrot	einseitige Absorption in Blauviolett	violettrot, **536,0** (verwaschen), einseitige Absorption in Blauviolett	unverändert	unverändert	einseitige Absorption in Blauviolett	rötlich, mehr Säure und konzentriertere Lösung gelbrot **561,0** starke einseitige Absorption in Blauviolett, verdünnt: gelb
Hämateïn Hämatoxylin Blauholz	wässerige, äthylalkoholische, amylalkoholische und essigsaure Lösung orangegelb	einseitige Absorption in Blauviolett 565,0	gelb, einseitige Absorption in Blauviolett	violett, verwaschene Streifen in Grün	blauviolett, verwaschener Streifen in Gelbgrün 545,0	einseitige Absorption in Blauviolett	rötlich 535,0
Echtazogranatbase M [M]	in Wasser unlöslich, nach Zusatz von Salzsäure löslich; in Äthylalkohol und Amylalkohol mit gelber Farbe löslich; essigsaure Lösung rot	—	rot 495,0	—	—	einseitige Absorption in Blauviolett	gelbrot 498,0

…kohol		Amylalkohol				Essigsäure 90 %	Schwefelsäure	Anmerkung
…moniak	Kalilauge	Absorption	Salzsäure	Ammoniak	Kalilauge			
…verändert	unverändert	einseitige Absorption in Blauviolett	rötlich, mehr Säure und konzentriertere Lösung gelbrot **561,0** starke einseitige Absorption in Blauviolett verdünnt: gelb	unverändert	unverändert	ungefähr **544,0**	blauviolett, verdünnt rotviolett, verwaschener Streifen **575,0** einseitige Absorption in Blauviolett	saurer Monoazofarbstoff für Wolle und Seide
…iolettrot **572,0** 540,0	violett, verwaschener Streifen in Gelbgrün 540,0	einseitige Absorption in Blauviolett	rötlich, 537,5	violettrot **575,0** 536,5	violett, verwaschener Streifen in Gelbgrün	einseitige Absorption in Blauviolett	—	Naturfarbstoff; Hämatoxylin ist in Wasser unlöslich; nach Zusatz von Ammoniak oder Kalilauge löst es sich in Wasser mit violetter Farbe und gibt dasselbe Absorptionsspektrum wie Hämatein

Gru

Handelsname	Eigenschaften	Wasser				Äth	
		Absorption	Salzsäure	Ammoniak	Kalilauge	Absorption	Salzsäur
Spritgelb R [K]	in Wasser unlöslich; in Äthylalkohol und Amylalkohol mit gelber Farbe, in Essigsäure mit gelbroter Farbe löslich	—	rot **494,0**	—	—	einseitige Absorption in Blauviolett	orangegel **492,0**

Gru

Azidinorange D2R [CJ] **Diphenylorange RR** [G] **Direktbraun R** [G] **Echtbaumwollbraun R** [G] **Polychromin B** [G]	in Wasser und Äthylalkohol mit braungelber Farbe löslich; in Amylalkohol und Essigsäure unlöslich	einseitige Absorption in Blauviolett	violettblau, verwaschener Streifen ungefähr **588,3**	unverändert	unverändert	einseitige Absorption in Blauviolett	rot, verwasche Streifen **551,0** **498,0**
Cerasingelb ATG [C] **Fettorange R*** [J] **Fettorange R 8186** [J] **Spritgelb D** [L]	in kaltem Wasser unlöslich, in heißem Wasser wenig mit gelber Farbe löslich; äthylalkoholische und amylalkoholische Lösung gelb, essigsaure Lösung rot	einseitige Absorption in Blauviolett	violettrot **545,0** **509,0**	unverändert	unverändert	einseitige Absorption in Blauviolett	rot **551,0** **516,0**
Helianthin [B] **Methylorange*** [A]	wässerige konzentriertere Lösung orangegelb, verdünnt gelb; äthylalkoholische und amylalkoholische Lösung gelb, essigsaure Lösung rot	einseitige Absorption in Blauviolett; verdünnte Lösung: schwacher Streifen, ungefähr 486,0	rot **541,0** **504,5**	unverändert	unverändert	einseitige Absorption in Blauviolett	rot **552,8** **517,5** einseitige Absorptio in Blauviol

Amylalkohol				Essigsäure 90 %	Schwefelsäure	Anmerkung
Absorption	Salzsäure	Ammoniak	Kalilauge			
einseitige Absorption in Blauviolett	orangegelb 492,0	unverändert	unverändert	ungefähr 496,0	gelb, einseitige Absorption in Blauviolett	basischer Monoazofarbstoff für Lacke und Fette
–	–	–	–	–	rot, ungefähr 497,0	Stilbenfarbstoffe für Baumwolle Echtbaumwollbraun R (G) = Braun und Gelb Azidinorange D2R (CJ) = Braun und Gelb
einseitige Absorption in Blauviolett	rot 553,5 518,5	unverändert	unverändert	549,5 514,0	gelb, einseitige Absorption in Blauviolett	saurer Azofarbstoff für Lacke und Fette
einseitige Absorption in Blauviolett	556,0 520,5 einseitige Absorption in Blauviolett	unverändert	unverändert	548,5 514,0	orangegelb, einseitige Absorption in Blauviolett	saurer Monoazofarbstoff für Wolle und Seide

Grup-

Handelsname	Eigenschaften	Wasser				Äthyl-	
		Absorption	Salzsäure	Ammoniak	Kalilauge	Absorption	Salzsäure
Fettgelb BG [K]	in Wasser unlöslich; in Äthylalkohol und Amylalkohol mit gelber Farbe, in Essigsäure mit violettroter Farbe löslich	—	—	—	—	einseitige Absorption in Blauviolett	violettrot **532,5** **516,0**
Gelb II [B]	in Wasser unlöslich; in Äthylalkohol und Amylalkohol mit gelber Farbe, in Essigsäure mit violettroter Farbe löslich	—	—	—	—	einseitige Absorption in Blauviolett	violettrot **550,5** **514,0**
Echtgelb extra [CJ]	wässerige, äthylalkoholische und amylalkoholische Lösung gelb, essigsaure Lösung rot	einseitige Absorption in Blauviolett	orangegelb, ungefähr 519,0 **493,0**	unverändert	unverändert	einseitige Absorption in Blauviolett	orangegelb, ungefähr 529,0 **498,0**
Echtgelb Y [B]	wässerige, äthylalkoholische und amylalkoholische Lösung gelb, essigsaure Lösung gelbrot	einseitige Absorption in Blauviolett	orangegelb, ungefähr 518,0 **494,0** (verwaschen)	unverändert	unverändert	einseitige Absorption in Blauviolett	orangegelb, ungefähr 532,0 502,0 (verwaschen)
Echtgelb S [M]	wässerige, äthylalkoholische und amylalkoholische Lösung gelb, essigsaure Lösung rosarot	einseitige Absorption in Blauviolett	orangegelb 519,0 493,0 (verwaschen)	unverändert	unverändert	einseitige Absorption in Blauviolett	orangegelb, ungefähr 529,5 498,0 (verwaschen)
Echtgelb G 81 grünlich [D]	wässerige, äthylalkoholische und amylalkoholische Lösung gelb, essigsaure Lösung rot; in Amylalkohol schwer löslich	einseitige Absorption in Blauviolett	orangegelb ungefähr **493,0**	unverändert	unverändert	einseitige Absorption in Blauviolett	orangegelb 532,0 497,0 (verwaschen)

· VIa.

…ohol		Amylalkohol				Essigsäure 90 %	Schwefelsäure	Anmerkung
…moniak	Kalilauge	Absorption	Salzsäure	Ammoniak	Kalilauge			
…verändert	unverändert	einseitige Absorption in Blauviolett	**554,0** **518,5**	unverändert	unverändert	**549,5** **514,0**	gelb, einseitige Absorption in Blauviolett	—
…verändert	unverändert	einseitige Absorption in Blauviolett	**552,5** 516,5	unverändert	unverändert	**549,0** **511,0**	gelb, einseitige Absorption in Blauviolett	nach Zusatz von Salzsäure mehr blaustichig als Fettgelb BG (K)
…verändert	unverändert	einseitige Absorption in Blauviolett	rotorangegelb **531,5** 501,0	unverändert	unverändert	ungefähr **500,0** 537,0	braungelb, schwache verwaschene Streifen 520,0 **493,0**	saurer Monoazofarbstoff für Wolle und Seide
…verändert	unverändert	einseitige Absorption in Blauviolett	ungefähr 534,0 **504,0** (verwaschen)	unverändert	unverändert	529,0 498,0 (verwaschen)	orangegelb 517,0 **492,5** (verwaschen)	saurer Monoazofarbstoff für Wolle
…verändert	unverändert	einseitige Absorption in Blauviolett	ungefähr 532,0 **500,0** (verwaschen)	unverändert	unverändert	532,0 **498,0**	gelb, einseitige Absorption in Blauviolett	saurer Monoazofarbstoff für Wolle und Seide
…verändert	unverändert	einseitige Absorption in Blauviolett	rosarot 534,0 **500,0**	unverändert	unverändert	**531,0** **497,0**	orangegelb 518,0 **490,0**	Azofarbstoff

Grup

Handelsname	Eigenschaften	Wasser: Absorption	Wasser: Salzsäure	Wasser: Ammoniak	Wasser: Kalilauge	Äthyl: Absorption	Äthyl: Salzsäure
Echtgelb extra* [B], [By], [J] **Echtgelb G** [B] **Echtgelb O** [M] **Echtgelb S** [C] **Säuregelb G** [A] **Säuregelb R** [A]	wässerige, äthylalkoholische und amylalkoholische Lösung gelb, essigsaure Lösung rot	einseitige Absorption in Blauviolett	orangegelb, ungefähr 516,0 492,0	unverändert	unverändert	einseitige Absorption in Blauviolett	orangerot, ungefähr 526,0 495,5 (verwaschen)
Spritgelb G [K]	konzentriertere wässerige, äthylalkoholische und amylalkoholische Lösung orangegelb, verdünnt gelb; essigsaure Lösung gelbrot	einseitige Absorption in Blauviolett	gelbrot, ungefähr 517,0 491,0 (verwaschen)	unverändert	unverändert	einseitige Absorption in Blauviolett	gelbrot, ungefähr 524,0 494,0

Grup-

Handelsname	Eigenschaften	Wasser: Absorption	Wasser: Salzsäure	Wasser: Ammoniak	Wasser: Kalilauge	Äthyl: Absorption	Äthyl: Salzsäure
Litholechtorange R [B]	in Wasser auch nach Zusatz von Säure und Alkali unlöslich, in Äthylalkohol und Amylalkohol unlöslich, nach Zusatz von Kalilauge mit blauer Farbe löslich; in Essigsäure schwer mit orangegelber Farbe löslich	–	–	–	–	–	–

Amylalkohol				Essigsäure 90 %	Schwefelsäure	Anmerkung
Absorption	Salzsäure	Ammoniak	Kalilauge			
einseitige Absorption in Blauviolett	orangerot ungefähr 531,0 500,0 (verwaschen)	unverändert	unverändert	ungefähr 528,0 497,0 (verwaschen)	gelb, einseitige Absorption in Blauviolett	saurer Monoazofarbstoff für Wolle und Seide
einseitige Absorption in Blau-	gelbrot ungefähr 525,0 495,0	unverändert	unverändert	522,5 493,0 wenig scharf	gelb, einseitige Absorption in Blauviolett	basischer Monoazofarbstoff für Lacke und Fette

Handelsname	Eigenschaften	Wasser: Absorption	Wasser: Salzsäure	Wasser: Ammoniak	Wasser: Kalilauge	Äthyl: Absorption	Äthyl: Salzsäure
Azoflavin [D] **Azoflavin 3G extra** [B] **Azoflavin S, S neu** [B] **Azogelb konz.** [M] **Azogelb I** [J] **Azogelb** [S] **Azogelb G** [K] **Azogelb 3G konz.** [t. M] **Azogelb 3GN konz.** [t. M] **Azogelb O** [J] **Helianthin G** [G], **GFF** [G] **Indischgelb G** [By], [C], [H]	in Wasser, Äthylalkohol und in Essigsäure mit gelber Farbe löslich; in Amylalkohol schwer löslich	einseitige Absorption in Blauviolett	unverändert	unverändert	orangegelb, einseitige Absorption in Blauviolett	einseitige Absorption in Blauviolett	unverändert
Alizaringelb R Teig [M]	in Wasser unlöslich, in Äthylalkohol und Amylalkohol mit gelber Farbe löslich; in Essigsäure schwer mit gelber Farbe löslich	—	—	—	gelbrot, ungefähr **499,0**	einseitige Absorption in Blauviolett	unverändert
Anthrachromrot A [L] **Anthracenchromrot A** [C]	wässerige, äthylalkoholische, amylalkoholische und essigsaure Lösung gelb; in Amylalkohol schwer löslich	einseitige Absorption in Blauviolett	unverändert	gelbrot, ungefähr **498,5**	wie bei Ammoniak	einseitige Absorption in Blauviolett	unverändert
Chrysazin* [M]	in Wasser unlöslich; in Äthylalkohol, Amylalkohol und in Essigsäure mit gelber Farbe löslich	—	—	wenig löslich, rosarot **500,0**	gelbrot **498,0**	einseitige Absorption in Blauviolett	unverändert

Amylalkohol			Essigsäure 90 %	Schwefelsäure	Anmerkung
Salzsäure	Ammoniak	Kalilauge			
nverändert	unverändert	violettrot, verwaschen, ungefähr **561,0**	einseitige Absorption in Blauviolett	violettrot, ungefähr **526,0**	Monoazofarbstoffe für Wolle und Seide
nverändert	Stich ins Orange	gelbrot, ungefähr **505,0**	einseitige Absorption in Blauviolett	gelb, ungefähr 480,0	Monoazofarbstoff (Beizenfarbstoff für Wolle)
nverändert	orangegelb 491,0 462,5	gelbrot 499,0	einseitige Absorption in Blauviolett	gelb 503,5 477,0	chromierbarer Azofarbstoff für Wolle
nverändert	orangegelb, einseitige Absorption in Blauviolett	rot 504,0	einseitige Absorption in Blauviolett	rot 573,5 **534,0** **496,0** 467,0	—

Handelsname	Eigenschaften	Wasser			
		Absorption	Salzsäure	Ammoniak	Kalilauge
Chromechtbordeaux A [A]	wässerige, äthylalkoholische, amylalkoholische und essigsaure Lösung gelb; in Amylalkohol schwer löslich	einseitige Absorption in Blauviolett	unverändert	rot **497,0**	wie bei Ammoniak
Vigoureuxrot I [M]	wässerige, äthylalkoholische, amylalkoholische und essigsaure Lösung gelb; in Amylalkohol schwer löslich	sehr schwacher Streifen ungefähr 494,0 einseitige Absorption in Blauviolett	Farbe heller, einseitige Absorption in Blauviolett	gelbrot **496,5**	wie bei Ammoniak
Azidingelb T [CJ]	in Wasser und Äthylalkohol mit gelber Farbe löslich, in Amylalkohol unlöslich; in Essigsäure wenig mit schwach gelber Farbe löslich	einseitige Absorption in Blauviolett	Farbe verstärkt	unverändert	orangegelb **496,0** (undeutlich)
Alizaringelb R* [By] **Alizaringelb RW** [M] **Beizengelb 3R** [B] **Metachromorange R dopp. i. Plv.** [A] **Terracotta R** [G] **Walkorange R** [L]	in Wasser, Äthylalkohol, Amylalkohol und in Essigsäure schwerer mit gelber Farbe löslich	einseitige Absorption in Blauviolett	entfärbt sich, gallertartiger Niederschlag	orangegelb, ungefähr **495,0** (verwaschen)	gelbrot **495,0**

Amylalkohol			Essigsäure 90 %	Schwefelsäure	Anmerkung
Salzsäure	Ammoniak	Kalilauge			
unverändert	orangegelb, ungefähr **492,0** **462,0**	rot, ungefähr **499,0**	einseitige Absorption in Blauviolett	gelb, schwache, verwaschene Streifen 502,0 475,5	chromierbarer Azofarbstoff für Wolle wahrscheinlich identisch mit Anthrachromrot A [L], S. 494
unverändert	mehr orange, einseitige Absorption in Blauviolett **491,0** **457,0**	rot ungefähr 543,0 ? 496,0	einseitige Absorption in Blauviolett	gelb **503,0** **481,5**	chromierbarer Azofarbstoff für Wolle
—	—	—	einseitige Absorption in Blauviolett	gelb, einseitige Absorption in Blauviolett	direkter Azofarbstoff für, Baumwolle Seide und Kunstseide

Wasser				Äthy	
Absorption	Salzsäure	Ammoniak	Kalilauge	Absorption	Salzsäure
einseitige Absorption in Blauviolett	entfärbt sich	orangegelb, undeutliche Streifen in Grünblau	orangerot, ungefähr **495,0**	einseitige Absorption in Blauviolett	entfärbt si teilweise
einseitige Absorption in Blauviolett	unverändert	orangegelb, ungefähr **495,0** (verwaschen)	wie bei Ammoniak	einseitige Absorption in Blauviolett	unveränder
einseitige Absorption in Blauviolett	unverändert	orangegelb, ungefähr **495,0**	wie bei Ammoniak	einseitige Absorption in Blauviolett	unveränder
einseitige Absorption in Blauviolett	unverändert	braun, undeutlicher Streifen ungefähr **493,0**	dunkelbraun, Streifen wie bei Ammoniak	einseitige Absorption in Blauviolett	unveränder
einseitige Absorption in Blauviolett	Farbe geschwächt	unverändert	orangegelb, Streifen ungefähr **492,0**	einseitige Absorption in Blauviolett	unverände

Amylalkohol			Essigsäure 90 °/₀	Schwefelsäure	Anmerkung
Salzsäure	Ammoniak	Kalilauge			
unverändert	unverändert	unverändert	einseitige Absorption in Blauviolett	violettrot, ungefähr 575,0 543,0	chromierbarer Azofarbstoff für Wolle
einseitige Absorption in Blauviolett	—	—	einseitige Absorption in Blauviolett	violettrot, ungefähr 543,0	Disazofarbstoff für Baumwolle und Papier
unverändert	orangegelb,	rotgelb, ungefähr 497,0	einseitige Absorption in Blauviolett	violettrot, ungefähr 550,0 509,0 einseitige Absorption in Violett	—
—	—	braungelb, Streifen ungefähr 492,5	einseitige Absorption in Blauviolett	rot, verwaschene Streifen 525,0 497,0	Disazofarbstoff für Wolle
unverändert	unverändert	orangegelb, Streifen ungefähr 493,0	einseitige Absorption in Blauviolett	violettrot, ungefähr 587,0 552,0	direkter Azofarbstoff für Baumwolle

Handelsname	Eigenschaften	Wasser			
		Absorption	Salzsäure	Ammoniak	Kalilauge
Azidingelb G [CJ] **Chrysamin G** [A], [By], [H], [L], [S] **Chrysamin G extra konc.** [t. M]	in Wasser mit gelber Farbe löslich, in Äthylalkohol schwer mit gelber Farbe löslich; in Amylalkohol unlöslich, in Essigsäure wenig mit gelber Farbe löslich	einseitige Absorption in Blauviolett	Farbe heller	orangegelb, einseitige Absorption in Blauviolett	gelbrot, verdünnt orangegelb, Streifen ungefähr **491,0**
Anthracengelb RN [C]	in Wasser mit gelber Farbe, in Äthylalkohol schwer mit gelber Farbe löslich; in Amylalkohol unlöslich, in	einseitige Absorption in Blau-	unverändert	orangegelb	orangegelb, schwacher, undeutlicher Streifen ungefähr **485,0**

	Amylalkohol					
b- rp- on	Salzsäure	Ammoniak	Kalilauge	Essigsäure 90 %	Schwefelsäure	Anmerkung
—	—	—	—	einseitige Absorption in Blauviolett	violettrot, ungefähr **543,0**	direkter Azofarbstoff für Baumwolle
—	—	—	—	einseitige Absorption in Blauviolett	rotgelb, undeutlicher Streifen in Grün	saurer Azofarbstoff (Beizenfarbstoff für Wolle)
n- tige b- rp- n in au- lett	unverändert	Stich ins Orange, Absorption unverändert	orangegelb **480,0**	einseitige Absorption in Blauviolett	—	Naturfarbstoff
n- tige b- rp- n in au- lett	unverändert	unverändert	orangegelb, der Farbstoff schlägt sich nieder	einseitige Absorption in Blauviolett	orangegelb, ungefähr **492,0**	chromierbarer Azofarbstoff für Baumwolldruck
—	—	—	—	einseitige Absorption in Blauviolett	rotorangegelb, ungefähr **526,0** **494,0**	saurer Monoazofarbstoff für Wolle

Grup-

Handelsname	Eigenschaften	Wasser: Absorption	Wasser: Salzsäure	Wasser: Ammoniak	Wasser: Kalilauge	Äthyl-: Absorption	Äthyl-: Salzsäure
Anthrachryson* [M]	in Wasser erst nach Zusatz von Kalilauge mit orangegelber Farbe löslich; in Äthylalkohol, Amylalkohol und in Essigsäure mit orangegelber Farbe löslich	—	—	—	orangegelb, verdünnt gelb **452,5**	einseitige Absorption in Blauviolett	gelb, einseitige Absorption in Blauviolett

Grup-

Handelsname	Eigenschaften	Wasser: Absorption	Wasser: Salzsäure	Wasser: Ammoniak	Wasser: Kalilauge	Äthyl-: Absorption	Äthyl-: Salzsäure
Chromazurol S [G] **Chromazurol S konz.** [G]	wässerige Lösung braungelb, äthylalkoholische Lösung gelbrot, stark verdünnt violettrot, amylalkoholische Lösung gelb, essigsaure Lösung orangegelb	einseitige Absorption in Blauviolett	unverändert	grünlich-gelb **610,0** einseitige Absorption in Blauviolett	blau **603,5** 559,0	**589,0** 545,0 einseitige Absorption in Blauviolett	gelb, einseitige Absorption in Blauviolett
Chromalblau G konz. [G] **Chromalblau G für Druck** [G]	wässerige Lösung braungelb, äthylalkoholische Lösung braungelb, verdünnt mehr rötlich; amylalkoholische Lösung gelb, essigsaure Lösung gelb; in Amylalkohol schwer löslich	einseitige Absorption in Blauviolett	orangegelb, trübt sich	gelb	blau **600,5** 553,0	**589,0** einseitige Absorption in Blauviolett, nach längerem Stehen gelbrot	unverändert
Azarin S [M]	wässerige, äthylalkoholische, amylalkoholische und essigsaure Lösung gelb	einseitige Absorption in Blauviolett	unverändert	gelbrot, ungefähr **492,0** dann violettrot und violett 572,0	violettrot **557,0**	einseitige Absorption in Blauviolett	unverändert
Braun fettlösl. BRC [O]	in Wasser unlöslich; in Äthylalkohol und Amylalkohol mit brauner Farbe, in Essigsäure mit braungelber Farbe löslich					einseitige Absorption in Blauviolett	mehr gelb

…p-n	Amylalkohol Salzsäure	Amylalkohol Ammoniak	Amylalkohol Kalilauge	Essigsäure 90 %	Schwefelsäure	Anmerkung
…i- …ige …i- …p- in …u- …ett	gelb, einseitige Absorption in Blauviolett	orangegelb **452,0**	orangegelb, verwaschener Streifen in Grün, die Lösung trübt sich	einseitige Absorption in Blauviolett	gelbrot **510,0** 475,0	—
…i- …ige …i- …p- in …u- …ett	unverändert	unverändert	blau, im reflektierten Lichte violett **610,0** 563,0 der Farbstoff schlägt sich allmählich nieder	einseitige Absorption in Blauviolett	karminrot **545,0** 506,0	chromierbarer Triphenylmethanfarbstoff für Wolle
…i- …ige …i- …p- in …u- …ett	unverändert	unverändert	grünlichblau **612,0** 566,0 später wird allmählich trüb	einseitige Absorption in Blauviolett	karminrot **538,5** 501,0	chromierbarer Triphenylmethanfarbstoff für Baumwolldruck Chromalblau G für Druck nuanciert mit Rot und Blau
…i- …ige …i- …p- in …u- …ett	unverändert	orangegelb, ungefähr 496,0	rot **547,0** **476,0**	einseitige Absorption in Blauviolett	orangegelb, dann violettrot **588,5** 549,5	Monoazofarbstoff (nicht mehr im Handel)
…i- …ige …i- …p in …u- …ett	unverändert	blaurot 548,0 499,0	wie bei Ammoniak	einseitige Absorption in Blauviolett	blau, verwaschene Streifen 610,0 570,0	saurer Monoazofarbstoff für Fette und Öle

Gru

Handelsname	Eigenschaften	Wasser: Absorption	Wasser: Salzsäure	Wasser: Ammoniak	Wasser: Kalilauge	Äthy: Absorption	Äthy: Salzsäure
Azarin R* [M]	in Wasser, Äthylalkohol (schwer) und in Essigsäure mit gelber Farbe löslich; in Amylalkohol unlöslich, in Essigsäure wenig löslich	einseitige Absorption in Blauviolett	unverändert	orangegelb, ungefähr **492,0** nach längerem Stehen violettrot, undeutliche Streifen in Grün	violettrot [600,0?] **541,0** 503,0	einseitige Absorption in Blauviolett	unveränd
Cerasinbraun AN [C]	in Wasser erst nach Zusatz von Kalilauge mit bläulich-roter Farbe löslich; in Äthylalkohol, Amylalkohol und Essigsäure mit gelbbrauner Farbe löslich	—	—	—	bläulichrot, ungefähr 535,0 499,0	einseitige Absorption in Blauviolett	unveränd
Orange NA [O]	in Wasser mit bräunlichoranger Farbe, in Äthylalkohol mit gelber Farbe löslich; in Amylalkohol mit gelber Farbe wenig löslich; essigsaure Lösung orangegelb	verwaschener Streifen in Grünblau	unverändert	violettrot, ungefähr **495,0?**	wie bei Ammoniak	einseitige Absorption in Blauviolett	unveränd

Gru

Handelsname	Eigenschaften	Wasser: Absorption	Wasser: Salzsäure	Wasser: Ammoniak	Wasser: Kalilauge	Äth: Absorption	Äth: Salzsäur
Brillantalizarinbordeaux R Teig* [By]	in Wasser unlöslich, nach Zusatz von Ammoniak oder Kalilauge mit rotvioletter bis violetter Farbe löslich; äthylalkoholische und amylalkoholische Lösung gelb	—	—	rotviolett, verwaschene Streifen **623,0** **575,5** **540,0**	1 Tropfen: violettrot, Streifen ungefähr **540,0** 4 Tropfen: violett **619,5** **574,0** 535,5	einseitige Absorption in Blauviolett	unveränd

pe VIIa.

alkohol		Amylalkohol				Essigsäure 90 %	Schwefelsäure	Anmerkung
Ammoniak	Kalilauge	Absorption	Salzsäure	Ammoniak	Kalilauge			
orangegelb, ein schwacher, unbestimmter Streifen in Grünblau 490,0 später violettrot	allmählich violettrot, ungefähr 610,0 554,0	—	—	—	—	einseitige Absorption in Blauviolett	die anfangs orangegelbe Lösung wird allmählich violettrot 585,5 542,0 493,0	Monoazofarbstoff (nicht mehr im Handel)
rot, verwaschene Streifen in Grünblau	violettrot 540,0 499,0 (sehr verwaschen)	einseitige Absorption in Blauviolett	unverändert	mehr rötlich	bläulich-rot, ungefähr 541,0 501,0	einseitige Absorption in Blauviolett	blau, verwaschene Streifen in Orangegelb	Fettfarbstoff, nuanciert mit Blau und Rot
rotorangegelb, verwaschener Streifen in Grün	rot, ungefähr 534,0 497,0	—	—	—	—	verwaschener undeutlicher Streifen in Grün	violett, ungefähr 574,0	Monoazofarbstoff für Wolle, Seide und Papier

pe VIIb.

alkohol		Amylalkohol				Schwefelsäure	Schwefelsäure-Borsäure	Anmerkung
Ammoniak	Kalilauge	Absorption	Salzsäure	Ammoniak	Kalilauge			
violettrot, verwaschener Streifen ungefähr 555,0	1 Tropfen: blauviolett; 4 Tropfen: blauviolett 630,5 582,5 541,5	einseitige Absorption in Blauviolett	unverändert	violettrot, verwaschener Streifen ungefähr 540,0	1 bis 4 Tropfen: violettblau 631,5 583,5 542,5	violett 641,0 581,0 536,0 501,0	violettblau, verwaschene Streifen 643,0 590,0 501,0 und einseitige Absorption in Violett	1, 2, 5, 8 Tetraoxyanthrachinon (Beizenfarbstoff für Baumwolle)

Handelsname	Eigenschaften	Absorption	Wasser		
			Salzsäure	Ammoniak	Kalilauge
Alizarin V1 rein [B] **Alizarinrot Nr. 1* [M]** **Alizarinrot I extra [By]**	in Wasser unlöslich, nach Zusatz von Ammoniak oder Kalilauge mit violettroter bis rotvioletter Farbe löslich; äthylalkoholische und amylalkoholische Lösung gelb		—	violettrot, verwaschener Streifen in Grün, nach Zusatz von überschüssigem Ammoniak: rotviolett, 613,0 **569,5** 530,0	nach Zusatz von Spuren Kalilauge: rot verwaschener breiter Streifen in Grün **506,0** nach Zusatz von überschüssiger Kalilauge 613,0 **569,5** 530,0
Alizarinrot 3G* 20% Teig [By]	in Wasser unlöslich, nach Zusatz von Ammoniak oder Kalilauge mit gelbroter Farbe löslich; äthylalkoholische und amylalkoholische Lösung orangegelb		—	verwaschene Streifen in Grün	610,0 **566,0** 530,0
Alizarinrot VG [By]	in Wasser unlöslich, nach Zusatz von Ammoniak oder Kalilauge mit roter bis violettroter Farbe löslich; äthylalkoholische und amylalkoholische Lösung orangegelb		—	rot, einseitige Absorption in Grün und Blauviolett	Spuren von Kalilauge: rot, einseitige Absorption in Grün und Blauviolett, 2—6 Tropfen: violettrot, 610,0 **566,0** 528,0

e VIIb.

…kohol		Amylalkohol				Schwefelsäure	Schwefelsäure-Borsäure	Anmerkung
…moniak	Kalilauge	Absorption	Salzsäure	Ammoniak	Kalilauge			
violett, verwaschene Streifen in Grün	violettblau 627,0 **579,5** 539,0	einseitige Absorption in Blauviolett	unverändert	wie bei Äthylalkohol	violettblau 628,5 **581,0** 540,5	violettrot, konzentriertere Lösung: 615,0 und breiter Streifen in Grünblau; verdünnte Lösung: 615,0 543,5 **499,0** **464,5**	rosarot **499,0** **465,0** und einseitige Absorption in Violett	1, 2 Dioxyanthrachinon (Beizenfarbstoff für Baumwolle)
rot	1 Tropfen: rot, verwaschene Streifen in Grün; mehrere Tropfen: rot 617,0 **572,0** 542,0	einseitige Absorption in Blauviolett	unverändert	rot	mehrere Tropfen: violett, unscharfe Streifen 606,0 **563,0** 520,4?	rot 534,5 **494,0** 458,0	rosarot, verwaschene Streifen 539,0 456,0 [511,0, 495,5] konzentriertere Lösung: **500,0**	Anthrachinonbeizenfarbstoff für Baumwolle
rot, undeutliche Streifen in Grün	1 Tropfen: gelbrot, undeutliche Streifen in Grün; 2 Tropfen: gelbrot 626,0 **578,5** 541,0 6 Tropfen (Überschuß), rot 621,5 **574,0** 537,5	einseitige Absorption in Blauviolett	unverändert	rot, wie bei Äthylalkohol	1 Tropfen: rot 628,0 **580,5** 542,5 2 u. mehrere Tropfen: Streifen werden undeutlich	rot **533,5** **493,5** 461,0	rosarot, verwaschene Streifen 539,0 456,0 [511,0, 495,5] konzentriertere Lösung außerdem noch **500,0**	Anthrachinonbeizenfarbstoff für Baumwolle

Handelsname	Eigenschaften	Wasser: Absorption	Wasser: Salzsäure	Wasser: Ammoniak	Wasser: Kalilauge	Äth… Absorption	Salzsäu…
Alizarinrot RFX Teig [By]	In Wasser unlöslich, nach Zusatz von Ammoniak oder Kalilauge mit roter bis rotvioletter Farbe löslich; äthylalkoholische und amylalkoholische Lösung gelb		—	rot, verwaschener Streifen in Grün	1 Tropfen: rot, verwaschener Streifen in Grün, 6 Tropfen: rotviolett **610,0** **565,0** 529,0	einseitige Absorption in Blauviolett	unveränd
Alizarin GI [B] **Alizarin RG** [B] **Alizarinrot XG** [By] **Alizarinrot XGG** [By]	In Wasser unlöslich, nach Zusatz von Ammoniak oder Kalilauge mit orangeroter bis violettroter Farbe löslich; äthylalkoholische und amylalkoholische Lösung gelb	—	—	orangerot	1 Tropfen: rot, verdünnt orangegelb **612,0** verwaschene, undeutliche Streifen in Grün; Alizarin RG (B) **613,0** **567,0** 530,0 4 Tropfen: **610,0** **566,0** 528,0 7 Tropfen: violettrot **604,0** **562,0** 522,0	einseitige Absorption in Blauviolett	unveränd
Alizarin GD [B] **Alizarinrot WR** [By]	In Wasser unlöslich, nach Zusatz von Ammoniak oder Kalilauge mit roter bis rotvioletter Farbe löslich; äthylalkoholische und amylalkoholische Lösung orangegelb	—	—	rot, undeutlicher Streifen in Grün ungefähr **539,0**	1 Tropfen: rot, ungefähr **536,0** 6 Tropfen: rotviolett **609,0** **565,0** 528,0	einseitige Absorption in Blauviolett	Farbe hell

Kalilauge	Amylalkohol: Absorption	Amylalkohol: Salzsäure	Amylalkohol: Ammoniak	Amylalkohol: Kalilauge	Schwefelsäure	Schwefelsäure-Borsäure	Anmerkung
1 Tropfen: rot, verwaschener Streifen in Grün; 6 Tropfen: rot 626,0 **579,0** 539,5	einseitige Absorption in Blauviolett	unverändert	rot, undeutlicher verwaschener Streifen in Grün	1 bis mehrere Tropfen: rot bis rotviolett 629,0 **582,0** 542,5	rot 534,5 **494,5** 458,5	rosarot, verwaschene Streifen 539,0 456,0 [511,0, 496,0] konzentriertere Lösung außerdem noch **500,0**	Anthrachinonbeizenfarbstoff für Baumwolle
1 Tropfen: rot, verdünnt, orangegelb **627,0** verwaschene, undeutliche Streifen in Grün; 2 Tropfen: 626,5 **579,0** 542,0 6 Tropfen: 603,5 **559,5** 523,0	einseitige Absorption in Blauviolett	unverändert	orangerot	2 Tropfen: rot 601,5 **558,5** 520,0	rot 533,0 **492,5** 460,5	rosarot **537,5** **494,0** 457,5	1, 2, 6 Trioxyanthrachinon (Beizenfarbstoff für Baumwolle)
1 Tropfen: rot, ungefähr 546,0 6 Tropfen: rotviolett 624,5 **576,5** 537,5	einseitige Absorption in Blauviolett	Farbe heller	rot, undeutliche Streifen in Grün	1 u. mehrere Tropfen: violett 627,0 **579,0** 540,0	rot 549,0 **506,0** 475,5	rötlichbraun **512,0** 479,0 452,5	1, 2, 7 Trioxyanthrachinon (Beizenfarbstoff für Baumwolle)

Handelsname	Eigenschaften	Wasser			
		Absorption	Salzsäure	Ammoniak	Kalilauge
Alizarinrot SX [B] **Alizarin SX [B]**	in Wasser unlöslich, nach Zusatz von Ammoniak oder Kalilauge mit roter bis rotvioletter Farbe löslich; äthylalkoholische und amylalkoholische Lösung orangegelb	—	—	rot, verwaschene Streifen in Grün **539,0**	1 Tropfen: ro **536,0** 6 Tropfen: **609,0** **565,0** 528,0
Alizarinrot RX* [M]	in Wasser unlöslich, nach Zusatz von Ammoniak oder Kalilauge mit roter bis violettroter Farbe löslich; äthylalkoholische und amylalkoholische Lösung orangegelb	—	—	rot, verwaschener Streifen in Grün **550,0**	1 Tropfen: violettrot, undeutliche Streifen in Grün; 7 Tropfen: violettrot **608,0** **564,0** 528,0
Alpha-Nitroalizarin in Plv. [M] **α-Nitroalizarin* [M]**	in Wasser unlöslich, nach Zusatz von Ammoniak oder Kalilauge mit rotvioletter bis violetter Farbe löslich; in Äthylalkohol und Amylalkohol schwer mit orangegelber Farbe löslich	—	—	rotviolett, ungefähr **500,0**	1 Tropfen: rotviolett, verdünnt rot ungefähr **500,0** 3 Tropfen: violett, **604,0** **561,0** 525,0
Alizarinrot W [By] **Alizarinrot W extra [By]** **Alizarinrot 1WS Plv. [M]**	in Wasser mit orangegelber Farbe löslich, in Äthylalkohol schwer mit gelber Farbe löslich, in Amylalkohol schwer löslich Alizarinrot 1WS Plv. in Amylalkohol unlöslich	einseitige Absorption in Blauviolett	gelb	rotviolett, **590,5** **557,0** 519,5 488,0	1 Tropfen: violettrot, verdünnt rot verwaschene Streifen in Grün; 3 Tropfen: rotviolett, **590,5** **557,0** 519,5 488,0

Kalilauge	Amylalkohol: Absorption	Amylalkohol: Salzsäure	Amylalkohol: Ammoniak	Amylalkohol: Kalilauge	Schwefelsäure	Schwefelsäure-Borsäure	Anmerkung
1 Tropfen: rotviolett 624,5 576,5 537,5 6 Tropfen: rotviolett 618,0 572,0 532,0	einseitige Absorption in Blauviolett	Farbe heller	rot, verwaschene Streifen in Grün	1 Tropfen: violett 628,0 579,0 538,0 6 Tropfen: violett 610,0 564,0 527,0 (unscharf, verwaschen)	rot 502,0	rötlichgrau 513,0 481,0 450,5	1, 2, 7 Trioxyanthrachinon (Beizenfarbstoff für Baumwolle)
1 Tropfen: violettrot, undeutliche Streifen in Grün; 7 Tropfen: violettrot, ungefähr 613,5 568,0 530,5	einseitige Absorption in Blauviolett	gelb	wie bei Äthylalkohol, trübt sich allmählich	violett 617,5 571,0 533,0 trübt sich allmählich	rot 552,0 510,5 480,0	rötlichbraun 513,0 481,0 450,5	1, 2, 7 Trioxyanthrachinon (Beizenfarbstoff für Baumwolle)
1 Tropfen: violett, mehrere Tropfen: blauviolett 614,5 569,5 530,5	einseitige Absorption in Blauviolett	Farbe hellgelb	rot, ungefähr 520,0 verdünnt zwei undeutliche Streifen	violett 625,5 570,5 531,5 nach längerem Stehen bildet sich ein Niederschlag	orangegelb, undeutliche Streifen in Grünblau	wie bei Schwefelsäure	—
. u. mehrere Tropfen: violettrot, unscharfe Streifen 620,5 566,0 501,5 nach kurzem Stehen bildet sich ein Niederschlag	einseitige Absorption in Blauviolett	unverändert	wie bei Äthylalkohol	violettblau, Streifen verwaschen	orangegelb, ungefähr 529,0 489,0 459,0	orangerot, undeutlicher Streifen ungefähr 493,0	Natriumsalz der Alizarinsulfosäure (Beizenfarbstoff für Wolle)

Handelsname	Eigenschaften	Wasser: Absorption	Wasser: Salzsäure	Wasser: Ammoniak	Wasser: Kalilauge	Äth…: Absorption	Äth…: Salzsäur…
Alizarinrot SDG* [M]	in Wasser unlöslich, nach Zusatz von Ammoniak oder Kalilauge mit orangeroter Farbe löslich; äthylalkoholische und amylalkoholische Lösung gelb	—	—	orangerot, einseitige Absorption in Grün und Blauviolett	1 Tropfen: orangerot, undeutliche Streifen in Grün; 7 Tropfen: orangerot, **597,5** **556,0** 515,0 einseitige Absorption in Grün und Blauviolett	einseitige Absorption in Blauviolett	gelb
Alizarinrot 3WS Plv. [M]	in Wasser und Äthylalkohol mit braungelber Farbe löslich, in Amylalkohol fast unlöslich	einseitige Absorption in Blauviolett	gelb	rot, undeutliche Streifen ungefähr **550,0** **495,0**	1 [illegible] Streifen **550,0** **495,0** Überschuß von Kalilauge: violettrot, **599,0** **553,0** 495,0?	[illegible] Absorption in Blauviolett	gelb
Alizarinrot SSS* [B]	in Wasser mit orangegelber Farbe, in Äthylalkohol mit gelber Farbe löslich; in Amylalkohol mit gelber Farbe wenig löslich	einseitige Absorption in Grün und Blauviolett	gelb	gelbrot, verwaschene Streifen in Grün	1 Tropfen: gelbrot, **597,5** **546,5?** 3 Tr[illegible] **5[illegible]5,0** **552,0** 514,0 mehrere Tropfen (Überschuß): **596,0** **552,0** 514,0	einseitige Absorp[illegible]	unveränd…

e VII b.

kohol		Amylalkohol						
mmoniak	Kalilauge	Absorption	Salzsäure	Ammoniak	Kalilauge	Schwefelsäure	Schwefelsäure Borsäure	Anmerkung
wie bei Wasser	1 Tropfen: orangegelb, einseitige Absorption in Grün und Blauviolett; 7 Tropfen: orangerot 602,0 **559,0** 522,0 einseitige Absorption in Grün und Blauviolett	einseitige Absorption in Blauviolett	gelb	wie bei Wasser	1 Tropfen: wie bei Äthylalkohol, mehrere Tropfen: rot 602,0 **559,0** 522,0 einseitige Absorption in Blauviolett	rot 533,0 **492,5** 460,5	rosarot **537,5** 494,0 457,5	Flavopurpurin (1, 2, 6 Trioxyanthrachinon) (Beizenfarbstoff für Baumwolle)
rot, deutliche reifen in Grün	6 Tropfen: rotviolett, unscharfe Streifen 622,0 **575,5** 540,0 der Farbstoff schlägt sich allmählich nieder	einseitige Absorption in Blauviolett	gelb	—	—	orangegelb 530,0 **492,5** 459,0	rosarot, verwaschener Streifen ungefähr 495,5 und undeutliche Absorptionsstreifen in Grün und Blau	Flavopurpurinsulfosäure (Beizenfarbstoff für Wolle)
gelbrot, waschene reifen in Grün	3 Tropfen: rot, verwaschene Streifen ungefähr 625,0 **580,0** 543,0 mehrere Tropfen: Spektrum unverändert	einseitige Absorption in Blauviolett	gelb	hellrot	1 Tropfen: violett 628,5 **580,5** 541,0	gelbrot, ungefähr 492,0	rot, verdünnt gelbrot, verwaschener Streifen ungefähr 495,0	Flavopurpurinsulfosäure (Beizenfarbstoff für Wolle)

Gru

Handelsname	Eigenschaften	Wasser				Äthy	
		Absorption	Salzsäure	Ammoniak	Kalilauge	Absorption	Salzsäure
Alizarinorange N Teig [M] **Alizarinorange N 20%** [M] **β-Nitroalizarin** [M]	in Wasser unlöslich, nach Zusatz von Ammoniak und Kalilauge mit roter bis violettroter Farbe löslich; äthylalkoholische und amylalkoholische Lösungen orangegelb	—	—	violettrot **580,0** **535,0** 495,0	1 Tropfen: rot, verdünnt orangegelb, einseitige Absorption in Grün und Blauviolett; 2 Tropfen: violettrot, **580,0** **535,0** 495,0	einseitige Absorption in Grün und Blauviolett	hellgelb
Alizarinorange Pulver* [M]	in Wasser mit orangegelber Farbe löslich (konzentrierte Lösung rotgelb), in Äthylalkohol und Amylalkohol unlöslich, nach Zusatz von Salzsäure mit gelber Farbe löslich	einseitige Absorption in Grünblau und Violett	unverändert	violettrot 580,0 **535,0** 483,0	violettrot 580,0 **535,0** 495,0	—	gelb, einseitige Absorptio[n] in Blauviol[ett]
Alizarinorange NL [M] **Alizarinorange P** [M] **Alizarinorange R** [M] **Alizarinorange SW Plv.** [B]	in Wasser unlöslich, nach Zusatz von Ammoniak oder Kalilauge mit roter Farbe löslich; äthylalkoholische und amylalkoholische Lösung orangegelb	—	—	rot, Streifen wie bei Kalilauge	Spuren von Kalilauge: rot, verdünnt gelbrot, undeutliche Absorption in Grünblau; 1 und mehrere Tropfen: rot, **579,5** **585,0** 492,5	einseitige Absorption in Grün und Blauviolett	gelb

alkohol		Amylalkohol						
Ammoniak	Kalilauge	Absorption	Salzsäure	Ammoniak	Kalilauge	Schwefelsäure	Schwefelsäure-Borsäure	Anmerkung
orangerot, verwaschener Streifen ungefähr **490,0**	1 Tropfen: rot, undeutlicher Streifen ungefähr **490,0** der Farbstoff schlägt sich nieder; Überschuß von Kalilauge: Spektrum unverändert	einseitige Absorption in Grün und Blauviolett	hellgelb	orangerot, undeutlicher Streifen in Grün	1 Tropfen und mehrere Tropfen: rot, Streifen ungefähr **490,0** der Farbstoff schlägt sich nieder	orangegelb, undeutliche Streifen in Grün und Blau	wie bei Schwefelsäure	1, 2 Dioxy 3-nitroanthrachinon (Beizenfarbstoff für Baumwolle)
—	—	—	gelb, einseitige Absorption in Blauviolett	—	—	orangegelbe Lösung, ungefähr **490,5**	rötlichorangegelb, ungefähr 544,0? **495,5**	1, 2 Dioxy 3-nitroanthrachinon (Beizenfarbstoff für Baumwolle)
rötlich, einseitige Absorption in Grün und Blauviolett	1 u. mehrere Tropfen: rot, ungefähr **485,0** der Farbstoff schlägt sich nieder; Alizarinorange R (M) nach Zusatz von 3 Tropfen Kalilauge: rot, konzentriertere Lösung: 627,0 **580,0** 540,0 **492,5** der Farbstoff schlägt sich allmählich nieder	einseitige Absorption in Grün und Blauviolett	gelb	rötlich, einseitige Absorption in Grün und Blauviolett	3 Tropfen: rot **492,5** Alizarinorange R (M) rot, konzentriertere Lösung: 629,0 **582,0** 542,0 **494,5**	orangegelb, undeutliche Streifen ungefähr **490,0**	rötlich orangegelb, ungefähr 542,0? **495,5**	1, 2 Dioxy 3-nitroanthrachinon (Beizenfarbstoff für Baumwolle)

Grup-

Handelsname	Eigenschaften	Wasser: Absorption	Wasser: Salzsäure	Wasser: Ammoniak	Wasser: Kalilauge	Äthyl-: Absorption	Äthyl-: Salzsäure
Azoorange NA [M]	in Wasser schwer mit hellgelber Farbe löslich; in Äthylalkohol, Amylalkohol und in Essigsäure mit gelber Farbe leicht löslich	einseitige Absorption in Blauviolett	entfärbt sich	schwach gelb	schwach gelb	einseitige Absorption in Blauviolett	entfärbt sich
Baumwollgelb GX [B]	in Wasser und Äthylalkohol mit gelber Farbe löslich, in Amylalkohol erst nach Zusatz von Salzsäure mit schwach gelber Farbe löslich, in Essigsäure fast unlöslich	einseitige Absorption in Blauviolett	entfärbt sich	unverändert	orangegelb	einseitige Absorption in Blauviolett	entfärbt sich teilweise
Beizengelb GT [B]	in Wasser, Äthylalkohol und Amylalkohol mit gelber Farbe löslich	einseitige Absorption in Blauviolett	entfärbt sich	Farbe verstärkt	orangegelb	einseitige Absorption in Blauviolett	entfärbt sich
Carbazolgelb W [B]	in Wasser und Äthylalkohol mit braungelber Farbe löslich, in Amylalkohol erst nach Zusatz von Salzsäure mit braungelber Farbe löslich	einseitige Absorption in Blauviolett	entfärbt sich beinahe	unverändert	orangegelb	einseitige Absorption in Blauviolett	unverändert
Chlorantinlichtgelb RL [J]	in Wasser und Äthylalkohol mit gelber, in Amylalkohol mit schwach gelber Farbe schwer löslich, besser nach Zusatz von Salzsäure	einseitige Absorption in Blauviolett	entfärbt sich	unverändert	Farbe verstärkt	einseitige Absorption in Blauviolett	orangegelb

alkohol		Amylalkohol				Essigsäure 90 %	Schwefelsäure	Anmerkung
Ammoniak	Kalilauge	Absorption	Salzsäure	Ammoniak	Kalilauge			
unverändert	unverändert	einseitige Absorption in Blauviolett	entfärbt sich	unverändert	unverändert	gelb, einseitige Absorption in Blauviolett	farblos	m-nitro o-Anisidin (Entwicklungsfarbstoff für Baumwolle)
unverändert	Farbe verstärkt	—	einseitige Absorption in Blauviolett	—	—	—	rotgelb, ungefähr **495,0**	direkter Azofarbstoff für Baumwolle
Farbe stärker	orangegelb	einseitige Absorption in Blauviolett	unverändert	Farbe stärker	orangegelb	gelb, einseitige Absorption in Blauviolett	gelb, ungefähr **490,0** **472,0** (verwaschen)	chromierbarer Azofarbstoff für Wolle
unverändert	orangegelb	—	einseitige Absorption in Blauviolett	—	—	gelb, einseitige Absorption in Blauviolett	dunkelblau **623,0** 580,0	Azofarbstoff
unverändert	orangegelb	einseitige Absorption in Blauviolett	orangegelb	gelb	gelb	gelb, einseitige Absorption in Blauviolett	blaurot 609,0 568,5 526,0 **490,0** 463,0	direkter Azofarbstoff für Baumwolle

Grup-

Handelsname	Eigenschaften	Wasser				Äthyl-	
		Absorption	Salzsäure	Ammoniak	Kalilauge	Absorption	Salzsäure
Chromechtorange R [J]	in Wasser und Äthylalkohol mit gelber Farbe löslich, in Amylalkohol erst nach Zusatz von Salzsäure mit gelber Farbe löslich	einseitige Absorption in Blauviolett	entfärbt sich allmählich, Trübung	orangegelb	rot, verwaschene Streifen in Grün	einseitige Absorption in Blauviolett	entfärbt sich teilweise
Citronin A [L] **Citronin G** [L]	in Wasser, Äthylalkohol und Amylalkohol mit gelber Farbe löslich; in Äthylalkohol und Amylalkohol schwer löslich, leichter in der Wärme	einseitige Absorption in Blauviolett	entfärbt sich	unverändert	unverändert	einseitige Absorption in Blauviolett	entfärbt sich
Eriochromgelb 2G [G]	in Wasser und Äthylalkohol mit gelber Farbe löslich, in Amylalkohol erst nach Zusatz von Salzsäure mit gelber Farbe löslich	einseitige Absorption in Blauviolett	entfärbt sich, gelber Niederschlag	Farbe verstärkt	orangegelb	einseitige Absorption in Blauviolett	entfärbt sich teilweise
Goldgelb C [C] **Martiusgelb** [A] **Naphtalingelb** [C], [D], [L], [t. M] **Naphtylamingelb** [By], [K]	In Wasser schwerer, in Äthylalkohol und Amylalkohol leichter mit gelber Farbe löslich	einseitige Absorption in Blauviolett	entfärbt sich, weiße Trübung	unverändert	unverändert	einseitige Absorption in Blauviolett	entfärbt sich
Naphtolgelb [A], [D], [t. M] **Naphtolgelb S** [A], [B], [By], [C], [M], [S]	in Wasser, Äthylalkohol und in Amylalkohol mit gelber Farbe löslich; in Äthylalkohol und Amylalkohol schwer löslich, leichter in der Wärme	einseitige Absorption in Blauviolett	entfärbt sich	unverändert	unverändert	einseitige Absorption in Blauviolett	entfärbt sich

Amylalkohol			Essigsäure 90 °/₀	Schwefelsäure	Anmerkung
Salzsäure	Ammoniak	Kalilauge			
gelb	—	—	gelb, einseitige Absorption in Blauviolett	violett ungefähr 587,0 549,0	chromierbarer Azofarbstoff für Wolle
ntfärbt sich	unverändert	unverändert	gelb, einseitige Absorption in Blauviolett	gelbgrün	Nitrofarbstoff für Halbwolle, Wolle und Seide
einseitige Absorption in Blauviolett	—	—	orangegelb, einseitige Absorption in Blauviolett	gelb 456,0	chromierbarer Azofarbstoff für Wolle, mit einem violetten und einem grünen Farbstoffe nuanciert
ntfärbt sich	unverändert	unverändert	gelb, einseitige Absorption in Blauviolett	gelb, einseitige Absorption in Blauviolett	Nitrofarbstoff für Wolle, Seide und Halbwolle

Handelsname	Eigenschaften	Wasser: Absorption	Wasser: Salzsäure	Wasser: Ammoniak	Wasser: Kalilauge	Äth: Absorption	Äth: Salzsäure
Oxychrombraun GROO [O]	in Wasser, Äthylalkohol und Amylalkohol mit gelber Farbe löslich	einseitige Absorption in Blauviolett	entfärbt sich, Trübung	orangegelb, verwaschener Streifen in Grünblau	rotgelb, Spektrum wie bei Ammoniak	einseitige Absorption in Blauviolett	entfärbt si
Oxychromgelb GR [O]	in Wasser, Äthylalkohol und in Amylalkohol mit gelber Farbe löslich	einseitige Absorption in Blauviolett	entfärbt sich	orangegelb	rotgelb, verwaschener Streifen in Grün	einseitige Absorption in Blauviolett	Farbe geschwächt
Oxychromorange RW [O]	in Wasser, Äthylalkohol und in Amylalkohol mit orangegelber Farbe löslich	einseitige Absorption in Blauviolett	entfärbt sich, Trübung	rot, verwaschene Streifen in Grün	wie bei Ammoniak	einseitige Absorption in Blauviolett	entfärbt sich
Salicingelb A [K]	in Wasser, Äthylalkohol und in Amylalkohol mit gelber Farbe löslich	einseitige Absorption in Blauviolett	entfärbt sich, Trübung	orangegelb	orangegelb	einseitige Absorption in Blauviolett	Farbe heller
Säuregelb FY [H]	in Wasser und Äthylalkohol mit gelber Farbe löslich, in Amylalkohol und Essigsäure unlöslich	einseitige Absorption in Blauviolett	entfärbt sich	unverändert	unverändert	einseitige Absorption in Blauviolett	entfärbt sich

Amylalkohol				Essigsäure 90 %	Schwefelsäure	Anmerkung
- n- n	Salzsäure	Ammoniak	Kalilauge			
- ge - n- in u- ett	entfärbt sich	wie bei Äthylalkohol	wie bei Äthylalkohol	gelb, einseitige Absorption in Blauviolett	gelb **494,0** 465,0	chromierbarer Azofarbstoff für Wolle
i- ige i- p- in u- ett	wie bei Äthylalkohol	wie bei Äthylalkohol	wie bei Äthylalkohol	gelb, einseitige Absorption in Blauviolett	orangerot, verwaschener Streifen ungefähr **496,0**	chromierbarer Azofarbstoff für Wolle
i- ige i- p- in u- ett	entfärbt sich	mehr rötlich	bläulichrot, undeutliche Streifen ungefähr 535,0 498,0	gelb, einseitige Absorption in Blauviolett	gelb, verwaschener Streifen ungefähr **479,0**	chromierbarer Azofarbstoff für Wolle
n- ige i- p- in u- ett	wie bei Äthylalkohol	wie bei Äthylalkohol	wie bei Äthylalkohol	gelb, einseitige Absorption in Blauviolett	gelb, einseitige Absorption in Blauviolett	chromierbarer Azofarbstoff für Wolle
-	—	—	—	—	hellgelb, einseitige Absorption in Blauviolett	—

Handelsname	Eigenschaften	Wasser				Äth	
		Absorption	Salzsäure	Ammoniak	Kalilauge	Absorption	Salzsäur
Auramin I [By] **Auramin II** [B], [By] **Auramin konz.** [M] **Auramin G** [B], [G], [J] **Auramin N konz.** [S] **Auramin O** [A], [B], [By], [H], [t. M], [J] **Canariengelb O** [O]	in Wasser, Äthylalkohol und Amylalkohol mit grünlich-gelber Farbe löslich	einseitige Absorption in Blauviolett	unverändert	unverändert	entfärbt sich	einseitige Absorption in Blauviolett	unveränd
Fettgelb A [J]	in Wasser, Äthylalkohol und in Amylalkohol zitronengelb	einseitige Absorption in Blauviolett	unverändert	entfärbt sich	entfärbt sich	einseitige Absorption in Blauviolett	unverände
Flavindulin O [B]	in Wasser, Äthylalkohol, in Amylalkohol und Essigsäure mit gelber Farbe löslich	einseitige Absorption in Blauviolett	unverändert	entfärbt sich, Trübung	wie bei Ammoniak	einseitige Absorption in Blauviolett	unverände
Hydrazingelb SO [O]	in Wasser und Äthylalkohol mit gelber Farbe löslich, in Amylalkohol unlöslich; in Essigsäure gelbe Lösung	einseitige Absorption in Blauviolett	unverändert	Farbe geschwächt	entfärbt sich größtenteils	einseitige Absorption in Blauviolett	unverände
Kitongelb S [J]	in Wasser, Äthylalkohol und in Amylalkohol mit gelber Farbe löslich; in Amylalkohol ziemlich schwer löslich, leichter in der Wärme; in Essigsäure mit gelber Farbe löslich	einseitige Absorption in Blauviolett	unverändert	unverändert	entfärbt sich teilweise	einseitige Absorption in Blauviolett	unverände

Amylalkohol				Essigsäure 90%	Schwefelsäure	Anmerkung
Absorption	Salzsäure	Ammoniak	Kalilauge			
einseitige Absorption in Blauviolett	unverändert	unverändert	entfärbt sich	gelb, einseitige Absorption in Blauviolett	farblos	basischer Diphenylmethanfarbstoff für Baumwolle, Wolle, Seide, Papier, Leder und Lacke
einseitige Absorption in Blauviolett	unverändert	unverändert	entfärbt sich	gelb, einseitige Absorption in Blauviolett	farblos	—
einseitige Absorption in Blauviolett	unverändert	entfärbt sich	entfärbt sich	gelb, einseitige Absorption in Blauviolett	rot **529,0** **494,0**	basischer Azinfarbstoff für Baumwolle
—	—	—	—	gelb, einseitige Absorption in Blauviolett	gelb 474,0 ? 445,0 ?	Pyrazolonfarbstoff für Wolle
einseitige Absorption in Blauviolett	unverändert	unverändert	entfärbt sich teilweise	gelb, einseitige Absorption in Blauviolett	gelb, einseitige Absorption in Blauviolett	saurer Azofarbstoff für Wolle

Handelsname	Eigenschaften	Wasser				Ab-sor-tio
		Absorption	Salzsäure	Ammoniak	Kalilauge	
Methylengelb H [M] **Rhodulingelb T** [By] **Thioflavin T** [C]	in Wasser, Äthylalkohol und in Amylalkohol mit grünlich-gelber, in Essigsäure mit gelber Farbe löslich	einseitige Absorption in Blauviolett	unverändert	unverändert	entfärbt sich allmählich	ein seiti Ab sor tion Bla viol
Primulin [A], [By], [C], [K], [M], [O] **Primulin A** [B] **Primulin O** [L], [M]	in Wasser, Äthylalkohol und in Amylalkohol mit gelber Farbe löslich; in Essigsäure gelb	einseitige Absorption in Blauviolett	Farbe unverändert, schwache Trübung	unverändert	entfärbt sich nach längerem Stehen	grü lich Flu res zer ein seit Ab sor tion Bla viol
Rhodulingelb 6G [By]	in Wasser, Äthylalkohol, Amylalkohol und Essigsäure mit gelber Farbe und schwacher grüner Fluorescenz löslich	einseitige Absorption in Blauviolett	Farbe geschwächt	unverändert	entfärbt sich	ein seiti Ab sor tion Bla viol
Akridingelb G [L] **Akridingelb** T [L]	in Wasser, Äthylalkohol, Amylalkohol und Essigsäure mit gelber Farbe löslich	einseitige Absorption in Blauviolett	unverändert	entfärbt sich teilweise	entfärbt sich	ein seiti Ab sor tion Bla viol
Jutegelb II [K]	in Wasser, Äthylalkohol, Amylalkohol und in Essigsäure mit grünlichgelber Farbe löslich	einseitige Absorption in Blauviolett	ändert sich nicht	ändert sich nicht	entfärbt sich	ein seiti Ab sor tion Bla viol

IX.

…kohol		Amylalkohol				Essigsäure 90 %	Schwefelsäure	Anmerkung
…moniak	Kalilauge	Absorption	Salzsäure	Ammoniak	Kalilauge			
…verändert	entfärbt sich	einseitige Absorption in Blauviolett	unverändert	unverändert	entfärbt sich	einseitige Absorption in Blauviolett	gelb, grün fluoreszierend, einseitige Absorption in Blauviolett	basischer Thiobenzenylfarbstoff für Baumwolle und Seide. Rhodulingelb T (By) in Schwefelsäure farblose Lösung
…verändert	…färbt sich	grünliche Fluoreszenz, einseitige Absorption in Blauviolett	wie bei Äthylalkohol	wie bei Äthylalkohol	wie bei Äthylalkohol	einseitige Absorption in Blauviolett	schwach grünlichgelb mit blauer Fluoreszenz, einseitige Absorption in Blauviolett	basischer Thiobenzenylfarbstoff für Baumwolle
…verändert	entfärbt sich	einseitige Absorption in Blauviolett	unverändert	unverändert	entfärbt sich	einseitige Absorption in Blauviolett	farblos	basischer Thiobenzenylfarbstoff für Baumwolle
…färbt sich teilweise	entfärbt sich	einseitige Absorption in Blauviolett	unverändert	entfärbt sich teilweise	entfärbt sich	einseitige Absorption in Blauviolett	farblos	basischer Akridinfarbstoff für Baumwolle und Jute. Akridingelb G ist mit einem orangegelben Farbstoff nuanciert
…ändert sich nicht	entfärbt sich	einseitige Absorption in Blauviolett	ändert sich nicht	ändert sich nicht	entfärbt sich	einseitige Absorption in Blauviolett	farblos	Farbstoff für Jute

Nachtrag zu den Tabellen

Grupp

Handelsname	Eigenschaften	Wasser: Absorption	Wasser: Salzsäure	Wasser: Ammoniak	Wasser: Kalilauge	Äthyl: Absorption	Äthyl: Salzsäure
Aurophosphin GK [A]	konzentriertere Lösungen orangegelb, verdünnt gelb, wässerige Lösung ohne Fluoreszenz, verdünnt fluoresziert schwach grün, äthylalkoholische, amylalkoholische und essigsaure Lösung fluoresziert stark grün	ungefähr **462,0**	Absorption geschwächt	entfärbt sich teilweise, Absorption geschwächt	wie bei Ammoniak	**472,5**	unverändert
Flavophosphin 4 GO [M]	wässerige konzentriertere Lösung orangegelb ohne Fluoreszenz, verdünnt gelb mit grüner Fluoreszenz, äthylalkoholische, amylalkoholische und essigsaure Lösung gelb mit starker grüner Fluoreszenz	ungefähr **460,0**	Farbe, Fluoreszenz und Absorption geschwächt	wie bei Salzsäure	Farbe und Fluoreszenz geschwächt, Streifen verschwinden	**471,5**	unverändert
Chinagelb R [C]	[illegible] alkoholische und essigsaure Lösung gelb; in Äthylalkohol schwer löslich, in Amylalkohol unlöslich, nach Zusatz von Salzsäure mit gelber Farbe löslich	[illegible] eher Streifen **448,0**	[illegible]	[illegible] schwächt, Absorption unverändert	[illegible]	**450,5**	[illegible]
Brillantfettgelb N [J]	in kaltem Wasser unlöslich, in heißem Wasser mit gelber Farbe löslich, beim Abkühlen scheidet sich aber wieder ab; äthyl- und amylalkoholische sowie essigsaure Lösung gelb	—	—	—	—	**440,5**	unverändert

der gelben Farbstoffe.

pe I.

alkohol		Amylalkohol						
Ammoniak	Kalilauge	Absorption	Salzsäure	Ammoniak	Kalilauge	Essigsäure 90 %	Schwefelsäure	Anmerkung
Farbe und Absorption geschwächt 473,0	Farbe und Absorption geschwächt 475,0	**474,0**	unverändert	entfärbt sich teilweise, Absorption geschwächt 475,0	entfärbt sich teilweise, Absorption geschwächt 476,5	**470,0**	hellgelb, stark grün fluorescierend, einseitige Absorption in Blauviolett	basischer Akridinfarbstoff für Leder
ntfärbt sich teilweise, Absorption geschwächt 473,0	entfärbt sich teilweise, Absorption geschwächt 474,0	**473,5**	unverändert	entfärbt sich teilweise, Absorption geschwächt 474,5	entfärbt sich teilweise, Absorption geschwächt 476,0	**468,0**	gelb, grüne Fluorescenz, einseitige Absorption in Blaugrün	basischer Akridinfarbstoff für Baumwolle und Leder
unverändert	entfärbt sich	–	**452,0**	–	–	447,0	einseitige Absorption in Blauviolett	saurer Azofarbstoff für Wolle
unverändert	orangegelb, der Streifen verschwindet	**442,0**	unverändert	unverändert	entfärbt sich, der Streifen verschwindet	**437,0**	orangerot, verdünnt orangegelb, einseitige Absorption in Blauviolett	für Wolle und Fette

Grup

Handelsname	Eigenschaften	Wasser				Äthyl	
		Absorption	Salzsäure	Ammoniak	Kalilauge	Absorption	Salzsäure
Grelaorange R. I. Teig [O]	in Wasser auch nach Zusatz von Salzsäure unlöslich, in Äthyl- und in Amylalkohol mit orangegelber Farbe schwer löslich; essigsaure Lösung orangegelb	—	—	—		527,0 **492,0**	unverändert
Diazobrillantorange GR extra [By] **Parabrillantorange G** [By]	wässerige, äthylalkoholische und amylalkoholische Lösung orangegelb, essigsaure Lösung orangerot; in Amylalkohol schwer löslich	526,0 **489,5**	mehr rötlich 536,5 **494,0**	unverändert	mehr gelb, Streifen verschwinden	ungefähr 514,0 **485,0**	unverändert
Diaminazoorange RR [C]	wässerige, äthylalkoholische, amylalkoholische und essigsaure Lösung gelb; in Amylalkohol schwer löslich	525,0 **488,0**	rötlich, Absorption geschwächt 536,5 **494,0** der Farbstoff schlägt sich allmählich nieder	unverändert	mehr gelb, Streifen verschwinden	ungefähr 513,5 **484,5**	unverändert
Ceresorange III [By]	in Wasser unlöslich, in Äthylalkohol und Amylalkohol mit orangegelber Farbe, in Essigsäure mit rosaroter Farbe löslich	—	—	—		522,5 487,5	unverändert
Juteorange II [K]	wässerige, äthylalkoholische, amylalkoholische und essigsaure Lösung orangegelb	unscharfe Streifen 514,0 **486,5**	unverändert	unverändert	rosarot, Streifen verschwinden	515,0 **486,5**	unverändert

alkohol		Amylalkohol				Essigsäure 96%	Schwefelsäure	Anmerkung
Ammoniak	Kalilauge	Absorption	Salzsäure	Ammoniak	Kalilauge			
Absorption geschwächt	Streifen verschwinden, einseitige Absorption in Blauviolett	528,0 **493,0**	unverändert	unverändert	Streifen verschwinden, einseitige Absorption in Blauviolett	528,0 493,0	violettrot **565,0** 526,5 492,5 zuletzt **568,5** 529,5 495,5	Azofarbstoff für Lacke
unverändert	Farbe unverändert, Streifen verschwinden	ungefähr 514,5 **485,5**	unverändert	Absorption verstärkt, Streifen unverändert	Farbe unverändert	ungefähr 518,0 **488,5**	violettrot **546,0** 508,0	Diazotierfarbstoff für Baumwolle
unverändert	Farbe unverändert, Streifen verschwinden	ungefähr 515,5 **486,0**	unverändert	unverändert	Farbe unverändert, Streifen verschwinden	519,0 **489,5**	violettrot **546,0** 508,0 477,0	Diazotierfarbstoff für Baumwolle
unverändert	Streifen verschwinden	524,5 486,5	unverändert	unverändert	Streifen verschwinden	528,0 493,0	violettrot **565,0** 528,0 497,0 zuletzt 578,0 **538,5** 502,0	Azofarbstoff für Lacke
unverändert	rötlich, die Streifen verschwinden	516,5 **488,0**	unverändert	unverändert	rötlich, Streifen verschwinden	518,0 **489,0** Streifen wenig scharf	violettrot 567,0 532,0 nach längerem Stehen rot, Absorption verstärkt 563,5 532,0 499,5	saurer Azofarbstoff für Jute

Handelsname	Eigenschaften	Wasser				Äthy	
		Absorption	Salzsäure	Ammoniak	Kalilauge	Absorption	Salzsäure
Ceresorange II [By]	in kaltem Wasser unlöslich, in heißem Wasser etwas mit orangegelber Farbe löslich, in Äthylalkohol und in Amylalkohol mit orangegelber Farbe, in Essigsäure mit rosaroter Farbe löslich	527,5 **485,0**	unverändert	unverändert	unverändert	verwaschene Streifen 524,0 488,5	unveränder
Orange A extra [C] **Säureorange II** [B]	Lösungen orangegelb; Orange A in Amylalkohol schwer löslich, Säureorange II in Amylalkohol löslich	513,0 **484,0**	Farbe heller, Absorption geschwächt	unverändert	rötlich, Streifen verschwinden	513,0 **484,0**	unveränder
Säurephosphin JO [C]	wässerige, äthylalkoholische und amylalkoholische Lösung gelb, essigsaure Lösung orangegelb	verwaschene Streifen ungefähr 514,0 482,0 einseitige Absorption in Blauviolett	unverändert	unverändert	rötlich, Streifen verschwinden	verwaschene Streifen 516,0 **484,0** einseitige Absorption in Blauviolett	unveränder
Sitaraorange I [t. M]	in Wasser auch nach Zusatz von Salzsäure unlöslich, in Äthylalkohol und in Amylalkohol mit rötlichorangegelber, in Essigsäure mit orangegelber Farbe löslich	—	—	—		verwaschene Streifen ungefähr 507,0 481,0	unveränder
Autolechtorange [B]	in Wasser auch nach Zusatz von Salzsäure unlöslich; in Äthylalkohol, Amylalkohol und in Essigsäure mit orangegelber Farbe löslich	—	—	—	—	verwaschene Streifen ungefähr 500,0 477,0	unveränd

alkohol		Amylalkohol				Essigsäure 90 %	Schwefelsäure	Anmerkung
Ammoniak	Kalilauge	Absorption	Salzsäure	Ammoniak	Kalilauge			
unverändert	Streifen verschwinden	verwaschene Streifen 525,0 **487,0**	unverändert	unverändert	Streifen verschwinden	529,5 **494,0**	violettrot **564,5** **527,0** 496,0 zuletzt **538,5** **505,0**	Azofarbstoff für Lacke
unverändert	rötlich, Streifen verschwinden	514,5 **485,5**	unverändert	unverändert	rötlich, Streifen verschwinden	516,0 **487,0**	rot **567,0** 533,5	Azofarbstoff für Wolle und Seide
unverändert	rot, breiter Streifen ungefähr **573,0**	517,5 **486,0** einseitige Absorption in Blauviolett	unverändert	unverändert	rot, breiter Streifen ungefähr **580,0**	verwaschene Streifen 519,5 **489,0**	violettrot ungefähr **534,5**	—
unverändert	mehr rötlich, verwaschene Streifen in Grün	507,0 481,0	unverändert	unverändert	rot, verwaschene Streifen in Grün	ungefähr 512,5 **484,0**	rotviolett **571,0** 535,0	Azofarbstoff für Lacke
unverändert	rötlich, Streifen verschwinden	verwaschene Streifen ungefähr 500,0 **477,0**	unverändert	unverändert	rot, Streifen verschwinden	ungefähr 504,0 **481,0**	violettrot **569,5** 527,0	Azofarbstoff für Lacke

Grup-

Handelsname	Eigenschaften	Wasser: Absorption	Wasser: Salzsäure	Wasser: Ammoniak	Wasser: Kalilauge	Äthyl-: Absorption	Äthyl-: Salzsäure
Cerasinrot III [C]	in Wasser auch nach Zusatz von Salzsäure unlöslich, in Äthylalkohol und Amylalkohol mit rötlichorangegelber, in Essigsäure mit roter Farbe löslich	—	—	—		verwaschene Streifen ungefähr 535,0 496,5	Farbe unverändert 535,5 497,0
Cerasinrot I [C]	in Wasser auch nach Zusatz von Salzsäure unlöslich, in Äthylalkohol, Amylalkohol und in Essigsäure mit rötlichorangegelber Farbe löslich	—	—	—		verwaschene Streifen 531,0 495,0	unverändert.

Grup-

Rapidechtorange RG i. Teig [O]	wässerige und essigsaure Lösung orangegelb, äthyl- und amylalkoholische Lösung gelb; in Amylalkohol schwer löslich	einseitige Absorption in Blauviolett	rötlich, der Farbstoff schlägt sich nieder	unverändert	unverändert	einseitige Absorption in Blauviolett	allmählich rot 529,0 494,0 die Absorptio nimmt stark zu, der Farbstoff schlägt sich allmählich nieder
Ceresgelb III [By]	in Wasser erst nach Zusatz von Salzsäure mit roter Farbe löslich; in Äthylalkohol und in Amylalkohol mit gelber, in Essigsäure mit roter Farbe löslich	—	rot, verwaschene Streifen ungefähr 518,0 490,0	—		einseitige Absorption in Blauviolett	rot, verwaschene Streifen ungefähr 524,0 494,0

pe III a.

alkohol		Amylalkohol				Essigsäure 90 %	Schwefelsäure	Anmerkung
Ammoniak	Kalilauge	Absorption	Salzsäure	Ammoniak	Kalilauge			
unverändert	orangegelb, Streifen verschwinden	536,0 497,0	Farbe unverändert 537,0 498,0	unverändert	orangegelb, Streifen verschwinden	540,0 500,0	rotviolett 580,0 541,0	Azofarbstoff für Fette und Öle
unverändert	orangegelb, Streifen verschwinden	verwaschene Streifen ungefähr 532,5 495,5	unverändert	unverändert	orangegelb, Streifen verschwinden	verwaschene Streifen ungefähr 534,0 496,0	rotviolett 569,0 534,0	Azofarbstoff für Fette und Öle

pe VI a.

unverändert	unverändert	einseitige Absorption in Blauviolett	allmählich gelbrot 528,5 493,5 die Absorption nimmt zu, der Farbstoff schlägt sich allmählich nieder	unverändert	unverändert	529,0 493,5	violettrot, verwaschene Streifen ungefähr 587,5 552,5	wässerige Lösung zeigt auch schwache verwaschene Streifen ungefähr 552,0 und 503,0, der Farbstoff ist wahrscheinlich nicht einheitlich (für Baumwolle)
unverändert	unverändert	einseitige Absorption in Blauviolett	rot, verwaschene Streifen 527,0 496,0	unverändert	unverändert	524,0 494,0	gelb, einseitige Absorption in Blauviolett	Azofarbstoff für Lacke

(Grup

Handelsname	Eigenschaften	Wasser: Absorption	Wasser: Salzsäure	Wasser: Ammoniak	Wasser: Kalilauge	Äthyl: Absorption	Äthyl: Salzsäure
Oxydiamingelb NY 200 [C]	Lösungen gelb, in Amylalkohol schwer löslich	einseitige Absorption in Blauviolett	unverändert	orangegelb	rot, verwaschener Streifen ungefähr **500,0**	einseitige Absorption in Blauviolett	Farbe verstärkt
Brillantgelb 10* [J]	wässerige, äthyl- und amylalkoholische Lösung orangegelb, verdünnt gelb, essigsaure Lösung braungelb, verdünnt grüngelb; in Äthyl- und Amylalkohol schwer löslich	einseitige Absorption in Blauviolett	unverändert	orangerot, verwaschener Streifen ungefähr **495,0**	rot, verwaschener Streifen ungefähr **495,0**	einseitige Absorption in Blauviolett	unverändert
Chromongelb GC [O] **Oxychromgelb C** [O]	wässerige, äthyl- und amylalkoholische Lösung gelb, essigsaure Lösung orangegelb; in Amylalkohol schwer löslich	einseitige Absorption in Blauviolett	gelbrot	unverändert	rötlich-orangegelb, verwaschener Streifen ungefähr **482,0**	einseitige Absorption in Blauviolett	unverändert

Grup-

Safrangelb [t. M]	Lösungen gelb, in Äthylalkohol schwer löslich, in Amylalkohol erst nach Zusatz von Salzsäure löslich; in Essigsäure fast farblos	einseitige Absorption in Blauviolett	entfärbt sich	unverändert	unverändert	einseitige Absorption in Blauviolett	entfärbt sich

Kalilauge	Amylalkohol: Absorption	Amylalkohol: Salzsäure	Amylalkohol: Ammoniak	Amylalkohol: Kalilauge	Essigsäure 90 %	Schwefelsäure	Anmerkung
rot, verwaschener Streifen ungefähr **525,5**	einseitige Absorption in Blauviolett	unverändert	unverändert	violettrot **526,5**	einseitige Absorption in Blauviolett	gelb, einseitige Absorption in Blauviolett	
orangerot, verwaschener Streifen ungefähr **497,0**	einseitige Absorption in Blauviolett	unverändert	unverändert	orangerot, verwaschener Streifen ungefähr **500,0**	einseitige Absorption in Blauviolett	violettrot, ungefähr **542,0**	saurer Azofarbstoff für Wolle
rötlich orangegelb, verwaschener Streifen ungefähr **495,0**	einseitige Absorption in Blauviolett	unverändert	unverändert	rötlich orangegelb, verwaschener Streifen ungefähr **494,0**	einseitige Absorption in Blauviolett	gelb, einseitige Absorption in Blauviolett	chromierbarer Azofarbstoff
unverändert		einseitige Absorption in Blauviolett				konzentrierte Lösung: gelbrot **566,0** 532,5 einseitige Absorption in Blauviolett; verdünnt: hellorangegelb, einseitige Absorption in Blauviolett	kein einheitliches Produkt

Tabellen der gelben Farbstoffe.

II. Abteilung.

Gruppe I.

Handelsname	Schwefelsäure		Anmerkung
	Farbe	Absorptionsstreifen λ	
[illegible] [L]	blau	627	direkter Azofarbstoff für Baumwolle
[illegible] G [By]	blau	595	direkter Azofarbstoff für Baumwolle
Direktgelbbraun GGGO [L]	violett	590	direkter Azofarbstoff für Baumwolle
Typophorbraun FR [B]	blau	590	
[illegible] RR [O]	blau	590	direkter Azofarbstoff für Baumwolle
[illegible] 4 R [A]	violettblau	586	direkter Azofarbstoff für Baumwolle
Diaminbraun R [C]	violettblau	585	direkter Azofarbstoff für Baumwolle
Baumwollbraun A, N [C]	blau	585	direkter Azofarbstoff für Baumwolle
Direktechtbraun B [By]	blau	578	direkter Azofarbstoff für Baumwolle
Diamincatechin G [C]	violett	577	direkter Azofarbstoff für Baumwolle
Salicingelb I [K]	violettrot	575	chromierbarer Azofarbstoff für Wolle
[illegible] tra [By]	violettrot	575	chromierbarer Azofarbstoff für Wolle
[illegible] 3 GN [C]	violett	570	direkter Azofarbstoff für Baumwolle und Halbwolle
Salicingelb R [K]	braunviolett	570	chromierbarer Azofarbstoff für Wolle
Metachromgelb D, RD [A]	violett	569	chromierbarer Azofarbstoff für Wolle
[illegible] [A]	rotviolett	560	direkter Azofarbstoff für Baumwolle
[illegible] [A]	violett	558	direkter Azofarbstoff für Baumwolle
[illegible] G [B]	violettrot	558	Disazofarbstoff für Lacke
[illegible] 9S [M]	rot	554	Thiobenzenylfarbstoff für Baumwolle, Halbwolle und Halbseide
Aurophenin O [M] Chrysobarin G konz. [t. M] Direktgelb CRG [L] Chrysophenin G [A], [By], [K], [L], [S] Pyramingelb G [B]	violettrot	554	direkte Azofarbstoffe für Baumwolle
Alkaligelb 114 [D]	rotviolett	553	direkter Azofarbstoff für Baumwolle
Diphenylorange GGN [G]	violettrot	552	—
Chromin G [K]	rot, blauviolette Fluoreszenz	552	Thiobenzenylfarbstoff für Baumwolle, Halbseide und Seide
Aurophenin I [M]	rotviolett	551	direkter Azofarbstoff für Baumwolle und Kunstseide
Chrysophenin GOO [L]	rotviolett	550	direkter Azofarbstoff für Baumwolle
Diamincatechin B [C]	blauviolett	550	direkter Azofarbstoff für Baumwolle, Wolle und Seide
Diamingelb CP [C]	rotviolett	550	direkter Azofarbstoff für Baumwolle, Wolle und Seide
Baumwollgelb CH [J]	rotviolett	549	direkter Azofarbstoff für Baumwolle, Wolle und Halbseide
Chloramingelb M, M ex. [By]	violettrot	547	Thiobenzenylfarbstoff für Baumwolle, Wolle und Seide
Papiergelb A konz. [B]	rotviolett	546	
Neuazoflavin R [B]	rotviolett	545	saurer Azofarbstoff für Chappeseide

Handelsname	Schwefelsäure Farbe	Schwefelsäure Absorptionsstreifen λ	Anmerkung
ianilorange N [M]	karminrot	544,5	direkte Azofarbstoffe für Baumwo. Halbwolle, Halbseide, Wolle und S
xydiaminorange G [C] . . .			
lutoorange G [By]			
enolorange G ex. konz. [t. M]			
iphenylphosphin G [G] . . .	violettrot	544	direkter Azofarbstoff für Baumwol
lkaliorange GT [D]	karminrot	543,5	direkte Azofarbstoffe für Baumwo
irektorange G [J]			
oluylenorange G [B], N [O] .			
euazoflavin G [B]	rotviolett	542	saurer Azofarbstoff für Chappeseid
asmin [G]	rotviolett	541	—
zoflavin RS [B], 3 R konz. [t. M]	violettrot	540	saure Azofarbstoffe für Wolle und S
urkumein extra [A]			
ndischgelb R [By], [C] . . .			
asmin ST konz. [G]			
upranilbraun R [J]	violett	540	direkter Azofarbstoff für Baumwol
rillantgelb BG [O], S [S] . .	violettrot	539	saure Azofarbstoffe für Wolle
zogelb R [K]	violettrot	539	saurer Azofarbstoff für Wolle und S
itronin OOO [L], RROOO [L]	violett	537	—
eugelb H [M]	rotviolett	535	Nitroderivat von Orange IV
chtseidengelb G [L]	rotviolett	531	für Seide; nuanciert mit Blauviole
itronin GOO [L]	violettrot	530	saurer Azofarbstoff für Wolle; en einen roten Farbstoff
rioanthrazenbraun R [G] . .	rot	511	—
esuvin 4 BG [M]	braungelb	510	basischer Azofarbstoff für Wolle, S und Leder
ismarckbraun GOOO [O], O [M]	braungelb	509	basischer Azofarbstoff für Wolle, S und Leder
ismarckbraun 2 R extra konz. [t. M]	braun	508	basischer Azofarbstoff für Wolle, S und Leder
esuvin OOO extra [B] . . .	braungelb	508	basischer Azofarbstoff für Wolle, S und Leder
ismarckbraun R [J]	braun	508	basischer Azofarbstoff für Wolle, S und Leder
relaorange G i. Teig [O] . .	rot	507	Azofarbstoff für Lacke
henylenbraun G extra konz. [t. M]	braun	505	saurer Azofarbstoff für Wolle; en einen roten Farbstoff
tilbengelb GPX [B]	violettrot	505	Stilbenfarbstoff für Baumwolle
ismarckbraun ROOO [O] . .	braun	504	basischer Azofarbstoff für Wolle, S und Leder
ismarckbraun G [J]	braun	503	basischer Azofarbstoff für Wolle, S und Leder
raun AT [G]	braun	502	—
riochromalbraun EB [G] . .	rot	501	chromierbarer Azofarbstoff für W
xyphenin R [J]	bordeauxrot	500	
iaminechtgelb B [C]	rotgelb	500	Thiobenzenylfarbstoff für Baumw. Wolle und Seide
zidinechtgelb M [CJ], G [CJ]	rot	497	Azidinechtgelb M direkter Azofar [illegible]
urcumin S [A], [By], [L] . .			Stilbenfarbstoffe für Baumwolle, und Seide
iaminechtgelb A [C]			
irektgelb R [By]			
aphtamingelb G, GX [K] . .			

Handelsname	Schwefelsäure Farbe	Schwefelsäure Absorptionsstreifen λ	Anmerkung
Sonnengelb G, GG [S] Stilbengelb GX [B]	rot	497	Stilbenfarbstoffe für Baumwolle. W und Seide
Diphenylgelb G (G)	rot	497	direkter Azofarbstoff für Baumwoll
Baumwollbraun R [C]	gelb	496	direkter Azofarbstoff für Baumwoll Wolle und Seide
Chloramingelb C, FF, GG, RC, HW [By], G [S] Columbiagelb [A] Oxydianilgelb G [M], O [M] Vigoureuxgelb I [M]	rot	495,5	Thiobenzenylfarbstoffe für Baumw Wolle und Seide
Chromechtbraun G [J]	braun	495	chromierbarer Azofarbstoff für Wol
Mikadogoldgelb 2 G, 4 G, 6 G [L]	rot	495	Stilbenfarbstoffe für Baumwolle
Direktorange RF [G]	rotgelb	495	direkter Azofarbstoff für Baumwoll Halbwolle und Halbseide
Papiergelb O [M], R [By]	rot	495	—
Papiergelb 03995 [D]	bläulichrot	495	—
Polargelb G [G]	orange	495	saurer Azofarbstoff für Wolle
Wollgelb Teig [B]	orangegelb	494,5	nicht mehr im Handel
Dianildirektgelb S [M]	rot	494	Stilbenfarbstoff für Baumwolle
Direktgelb T [J]	rot	494	Thiobenzenylfarbstoff für Baumwoll Wolle und Seide
Direktgelb TG [L]	rotgelb	494	direkter Baumwollfarbstoff
Direktechtgelb BN [L]	rot	494	Thiobenzenylfarbstoff für Baumwoll
Mikadogoldgelb 3 G [L]	gelbrot	494	—
Persischgelb [G]	gelbrot	494	nicht mehr im Handel
Chromdruckgelb R [J]	gelbrot	493,5	chromierbarer Azofarbstoff für Baun wolldruck
Chromocitronin R [DH]	gelb	493	chromierbarer Azofarbstoff für Baun wolldruck
Oriolgelb [G]	gelbrot	493	direkter Azofarbstoff für Baumwolle
Mikadogoldgelb 8 G [L]	gelbrot	493	Stilbenfarbstoff für Baumwolle
Polyphenylgelb 3 G [G]	rot	493	direkter Azofarbstoff für Baumwolle Wolle und Seide
Papiergelb GG extra [By]	orange	492	—
Direktgelb G [K]	rot	492	nicht mehr im Handel
Eriochromgelb S [G]	rotorange	492	chromierbarer Azofarbstoff für Wolle und Baumwolldruck
Paraphorbraun MK [M]	gelbbraun	491	direkter Azofarbstoff für Baumwolle
Tuchgelb R [O]	orange	491	chromierbarer Azofarbstoff für Wolle
Chromechtgelb 2 G [A]	gelb	490	chromierbarer Azofarbstoff für Wolle
Eriochromphosphin R [G]	gelb	490	chromierbarer Azofarbstoff für Wolle
Lanasolgelb G [J]	orange	490	—
Baumwollgelb R [B]	gelb	489	direkter Azofarbstoff für Baumwolle
Alizarinechtgelb GG [M]	gelb	489,0	chromierbarer Azofarbstoff für Baum wolldruck
Ergangelb GS [B]	rotorange	487,0	für Baumwolldruck
Azorosa BB [M]	gelb	483	Entwicklungsfarbstoff für Baumwolle
Chromechtgelb 5 G [J]	braungelb	479,5	chromierbarer Azofarbstoff für Wolle
Autochromgelb R [M]	gelb	479,0	chromierbarer Azofarbstoff für Wolle
Sulfongelb 5 G [By]	gelb	465	saurer Azofarbstoff für Wolle
Ultraflavin SD [S]	gelb	463	—

Gruppe II.

Handelsname	Schwefelsäure: Farbe	Schwefelsäure: Absorptionsstreifen λ	Anmerkung
Benzolichtorange 2 RL [By]	blau	647,5 596,0	direkter Azofarbstoff für Baumw Halbwolle, Seide und Halbs
Carbazolgelb pat. [B] . . .	blau	623,5 579	nicht mehr im Handel
Triazolbraun HRO [O] . . .	violett	610 564	direkter Azofarbstoff für Baum
Benzaminbraun M 768 [D] .	violett	610 575	direkter Azofarbstoff für Baum
Direktdunkelbraun MC [L] .	violettblau	609 575	direkter Azofarbstoff für Baum
Benzobraun CB [By] . . .	violett	609 570	direkter Azofarbstoff für Baum
Benzobraun MC [By] . . .	violett	608 570 481	direkter Azofarbstoff für Baum
Paragelb R [By]	violett	607 565	direkter Azofarbstoff für Baum
Walkorange 2 R [L]	blauviolett	606,0 568,0	saurer Farbstoff für Wolle
Benzolichtgelb RL [By] . .	rotviolett	591 553	direkter Azofarbstoff für Baum
Paragelb 2 G [By]	violett	590 555	direkter Azofarbstoff für Baum
Solamingelb RL [A] . . .	violettrot	590,0 553,0	
Diaminechtgelb R [C] . . .	rotviolett	590,0 552,5	direkter Azofarbstoff für Baum
Echtbraun D [C]	violett	588 553	saurer Azofarbstoff für Wolle
Solamingelb 4 GL extra [A] .	violettrot	583,5 546,0	
Benzolichtgelb 4GL extra [By]	violett	583 545	direkter Azofarbstoff für Baum
Diaminbroncebraun PE [C] .	rotviolett	582 541	direkter Azofarbstoff für Baum
Direktgelb CR [J]	violett	580 550	direkter Azofarbstoff für Baum
Azoflavin FF [B]	violett	579 545	saurer Azofarbstoff für Wolle
Anthranolorange [D]	violett	577,0 543,0	saurer Azofarbstoff für Wolle
Trisulfonbraun MB [S] . . .	violett	575 494	direkter Azofarbstoff für Baum
Metachromgelb 2 R extra [A]	braunviolett	573 472	chromierbarer Azofarbstoff für V
Solidgelb BO [L]	violettrot	569 537	saurer Azofarbstoff für Wolle Seide
Diaminnitrazolbraun RD [C]	violett	567 492	direkter Azofarbstoff für Baum
Anthracensäurebraun B [C] .	graublau	562 476	chromierbarer Azofarbstoff für V
Sonnengelb [G]	rotviolett	561,5 493,5	Stilbenfarbstoff für Baumwolle Wolle und Seide
Chloraminbraun G [By] . .	graugrünblau	552 456	direkter Azofarbstoff für Baumw Halbwolle und Halbseide
Chromechtbraun V [A] . . .	—	551 515	chromierbarer Azofarbstoff für V
Sonnengelb RR [S]	rotviolett	550 496	—
Fettgelb K [K]	kirschrot	548 512	—
Säurealizarinorange GR [M].	fuchsinrot	546 530	chromierbarer Azofarbstoff für V
Walkgelb O [M]	rotviolett	541 482	chromierbarer Azofarbstoff für V
Direktgelb G [A]	bläulichrot	540 492	direkter Azofarbstoff für Baum und Halbwolle
Walkgelb GA [A]	rot	535,5 483	saurer Azofarbstoff für Wolle
Walkgelb RG [By]	bläulichrot	535 498	saurer Azofarbstoff für Wolle
Thiazinbraun R [B]	rot	534 498	direkter Azofarbstoff für Baum und Wolle

Handelsname	Schwefelsäure Farbe	Absorptionsstreifen λ		Anmerkung
Benzodunkelbraun extra [By]	blau	532	464	direkter Azofarbstoff für Baumwol
Echtgelb XX [B]	rot	531	500	—
Typophorgelb FR [B] . . .	rotorange	531	494	—
Stilbengelb 3 G, 3 GX [B] .	orangegelb	530	490	Stilbenfarbstoff für Baumwolle
Ölgelb R [B]	rotorange	528	499	—
Chromechtgelb GG [J] . . .	orangegelb	525	496	chromierbarer Azofarbstoff für Wol
Trisulfonbronze B [S] . . .	violett	525	491	direkter Azofarbstoff für Baumwol
Acidolchromatbraun B [t. M]	braun	495	462	chromierbarer Azofarbstoff für Wol
Baumwollgelb GA [A] . . .	orange	495	457	direkter Azofarbstoff für Baumwol
Chromechtgelb RD [By] . .	orangegelb	495	470	chromierbarer Azofarbstoff für Baum wolldruck
Fettgelb W [K]	gelb	495	468	—
Triazogenorange RO [O] . .	gelb	493	465	direkter Azofarbstoff für Baumwol
Chromgelb D [By]	rotorange	493	454	chromierbarer Azofarbstoff für Wol
Cerasinorange G [C] . . . . Cerotingelb R [CJ] . . . . . Pyronalgelb [D] . . . . . . Sudan G [A]	gelb	491	464	saure Azofarbstoffe für Lacke u Fette
Ceresgelb IV [By)	orangegelb	491,0	462,0	Azofarbstoff für Lacke
Benzoformorange G [By] . .	gelb	491,0	462,0	direkter Azofarbstoff für Baumwoll enthält einen roten Farbstoff
Renolorange RG [t. M] . .	orangegelb	491,0	456,0	direkter Azofarbstoff für Baumwoll Seide, Halbwolle und Halbseide
Fettorange 3 A [J]	orangegelb	490	463	—
Walkgelb 5 G [C]	gelb	490	458	chromierbarer Azofarbstoff für Woll und Seide
Siriusgelb G [B]	gelbgrün	489	463	—
Tuchgelb GN [O]	gelb	489	459	chromierbarer Azofarbstoff für Wol
Walkgelb HG [M]	gelb	488	460	saurer Azofarbstoff für Wolle
Primazingelb G extra [B] .	gelb	488	460	Monoazofarbstoff für Lacke
Akmegelb G rein [CJ] . . .	gelb	487	459	—
Saturngelb 3 G [B]	gelb	487	461	—
Chromgelb S [K]	braunrot	486	451	chromierbarer Azofarbstoff für Wol
Walkgelb H 3 G [M]	gelb	486	459	saurer Azofarbstoff für Wolle
Akmegelb G, GO [L] . . . Chrysoin [B], [G], [J] . . . Chrysoin G [M] . . . . . . Goldgelb [By] . . . . Resorzingelb [A], [K], [t. M] Säuregelb RS [D] . . . . . Tropaeolin O [C]	gelb	485	460	saure Azofarbstoffe für Wolle u Seide
Neuphosphin G [C]	gelb	484	461	basischer Azofarbstoff für Baumwol und Leder
Benzoformgelb R [By] . . .	gelb	484	461	direkter Azofarbstoff für Baumwol

Gruppe III.

Handelsname	Schwefelsäure		Anmerkung
	Farbe	Absorptionsstreifen λ	
Benzobronce GC [By] . . .	blauviolett	661 593 547 498	direkter Azofarbstoff für Baumwolle
Diaminbronce G [C]	blau	657 593 554 496,5 459	direkter Azofarbstoff für Baumwolle
Kitonbraun R [J]	rotviolett	590 542 499	—
Anthracenbraun SW Plv. [B]	rot	576,5 527,0 490 457,5	Anthrachinonfarbstoff (Beizenfarbstoff) für Baumwolle und Wolle
Oxydiaminbraun G [C] . . .	braunviolett	575 546 487	direkter Azofarbstoff für Baumwolle, Halbwolle und Halbseide
Tuchechtbraun 5 R [J] . . .	bläulichrot	571 536 491,5	—
Chromechtgelb G [J] . . .	braunviolett	568 488 460	chromierbarer Azofarbstoff für Wolle
Anthracensäurebraun G [C] .	kirschrot	554 491 462	chromierbarer Azofarbstoff für Wolle
Metachromolivebraun G [A] .	rotorange	543 502 450	chromierbarer Azofarbstoff für Wolle

Tabellen der gelben Farbstoffe im Ultraviolett.

III. Abteilung.

Gruppe I.

Handelsname	Wässerige Lösung [1])	Anmerkung
Sudan G [A]	435	Tafel XX
Chrysoidin A [B]	434	„ XX
Mikadogelb [By]	428	„ XXII
*Polargelb R konc. [G]	428	„ XXIII
*Xylengelb 3 G konc. [S] . . .	425	„ XXIII
*Kitonechtgelb R [J]	424	„ XXIII
Oxyphenin A [J]	423	—
*Kurkumin S [A].	420	„ XXIV
*Polargelb G konc. [G]	418	—
Papiergelb O [M]	418	„ XXIII
Primazingelb G extra [B] . . .	417	—
*Akridingelb T [L]	417	„ XXII
*Chicagoorange 3 GX [G] . . .	415?	„ XXIV
Halbwollgelb R [A].	413	—

1) Siehe S. 371.

Handelsname	Wässerige Lösung[1])	Anmerkung
*Vegangelb GA [A]	412	Tafel XXIII
*Methylengelb H [M]	412	„ XXIV
*Brillantgelb S [B]	411,5	„ XXIV
Chrysophenin R [By]	410	—
*Rhodulingelb 6 G [By]	410	XXI
Aurophenin O [M]	408	—
*Pyramingelb G [B]	408	„ XXIV
*Thioflavin T [C]	408	„ XXI
Renolreingelb G [t. M]	407	—
Azoflavin FF konz. [B]	405	„ XXI
*Brillantgelb 10 [J]	404	„ XXIII
Alkaligelb 114 [D]	399	—
Säurechromgelb RL extra [By]	398	—
*Chloramingelb konc. [By]	398	„ XXIII
*Baumwollgelb G [B]	394	„ XXIV
Renolgelb G [t. M]	392	—
*Echtgelb G [B]	390	„ XXI
Triazolreingelb M [O]	390 [324?]	„ XXIII
Chlorantingelb JJ [J]	385	„ XXIII
Sonnengelb [G]	382 [412, 351]	„ XXIV
Radiogelb R [C]	380	—
*Baumwollgelb GX [B]	378	„ XXI
Walkgelb O [M]	373	—
*Thioflavin S [C]	372	„ XXI
Thiazolgelb 3 G [By]	371	—
*Alkaliechtgelb B [D]	371	„ XXIV
*Beizengelb GT [B]	370	„ XXI
Diamantflavin G Pulver [By]	370	„ XXIV
Ergangelb GS [B]	366	—
Anthranolgelb [D]	360	—
Chromgelb DF extra [By]	360	—
*Salicingelb A [K]	355	„ XXII
Pikrinsäure [DH], [D]	353	—
*Primulin [A]	343	„ XXI

Gruppe II.

*Flavinduiin O [B]	440	326	Tafel XX
*Naphtolgelb [A]	435	390	„ XXII
Naphtolgelb S [C]			
Martiusgelb krist. [A]			
Citronin A [L]			
*Tartrazin O [M]	432	256	„ XXII

[1]) Siehe S. 371.

Handelsname	Wässerige Lösung[1])		Anmerkung
*Hydrazingelb SO [O]	430	255	Tafel XXII
*Kitongelb S [J]	430	255	,, XXI
*Chinolingelb wasserl. [B] . . .	425	289	,, XXI
Metanilgelb extra [A]	410	[450 ?]	
*Dianilgelb C [M]	408	341	,, XXIV
Flavazin LL [M]	385	250	
Phosphin E [B]	369	276,0	

Gruppe III.

*Auramin O [A]	433	366	250	Tafel XXII
*Azoorange NA [M]	363	312,5	255	,, XXIII

Benzoflavin Nr. 0 [O] und Pyraminorange 2 R [B] (Tafel XX) geben [illegible] auch im Ultraviolett kein charakteristisches Absorptionsspektrum.

Anmerkung.

Das auf Seite 522 in der Gruppe IX [illegible] Flavindulin O [B] zeigt bei genauer Beobachtung im dunklen [illegible] sichtbare Streifen in Wasser bei 454,0, in Äthyl- und Amylalkohol bei 454,5, in Essigsäure bei 454,5 und in Benzylalkohol einen deutlichen Streifen bei 463,5. Somit gehört dieser Farbstoff in die Gruppe I. Aus praktischen Gründen haben wir diesen Farbstoff doch in die Gruppe IX [illegible] ein weniger geübter Beobachter diesen Streifen leicht übersieht.

[1]) Siehe S. 371.

Übersicht der gelben Farbstoffe[1]).

[1]) Farbstoffe ohne Angabe der Seitenzahl oder ohne eine anderweitige Angabe haben im sichtbaren Teile des Spektrums kein charakteristisches Absorptionsspektrum.

Druck der Universitätsdruckerei H. Stürtz A. G., Würzburg.

Einteilung der gelben Farbstoffe in Gruppen.

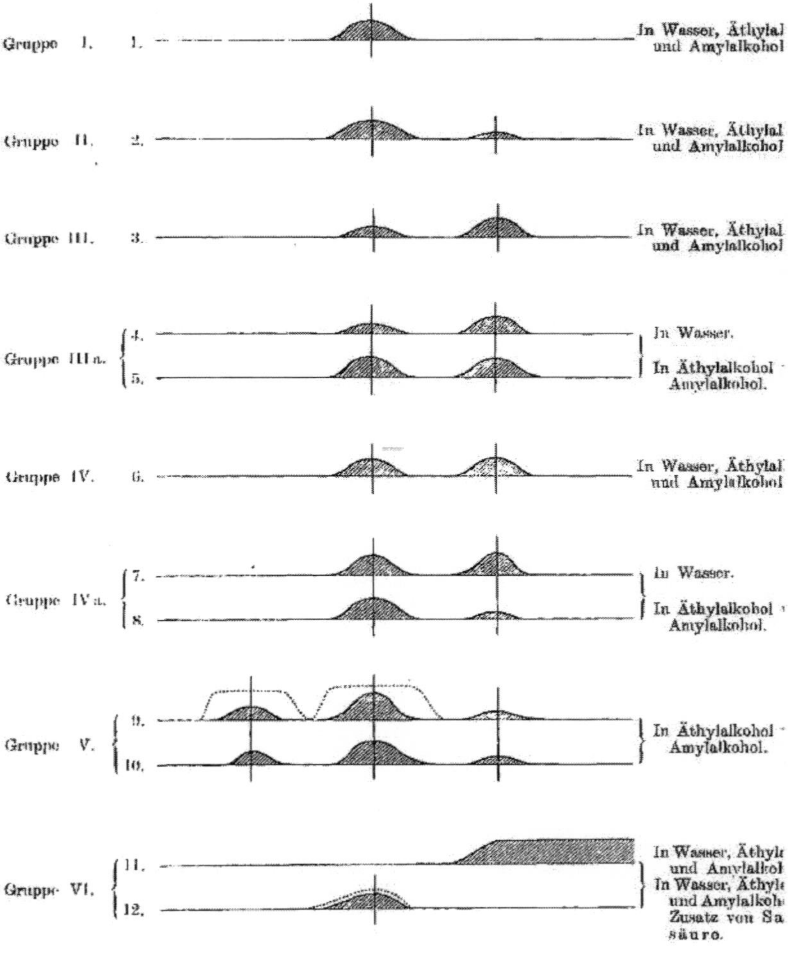
Gruppe I. 1.
In Wasser, Äthylal
und Amylalkohol
Gruppe II. 2.
In Wasser, Äthylal
und Amylalkohol
Gruppe III. 3.
In Wasser, Äthylal
und Amylalkohol
Gruppe IIIa. 4. 5.
In Wasser.
In Äthylalkohol
Amylalkohol.
Gruppe IV. 6.
In Wasser, Äthylal
und Amylalkohol
Gruppe IVa. 7. 8.
In Wasser.
In Äthylalkohol
Amylalkohol.
Gruppe V. 9. 10.
In Äthylalkohol
Amylalkohol.
Gruppe VI. 11. 12.
In Wasser, Äthyl
und Amylalkol
In Wasser, Äthyl
und Amylalkoh
Zusatz von Sa
säure.

Einteilung der gelben Farbstoffe in Gruppen.

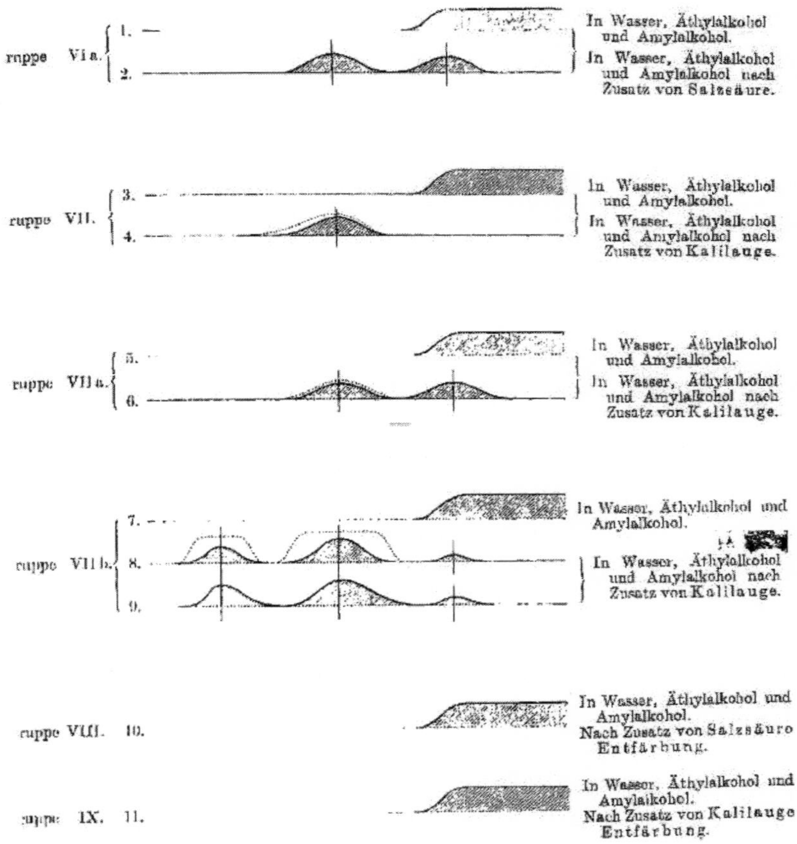
ruppe VIa.
1.
2.
In Wasser, Äthylalkohol und Amylalkohol.
In Wasser, Äthylalkohol und Amylalkohol nach Zusatz von Salzsäure.
ruppe VII.
3.
4.
In Wasser, Äthylalkohol und Amylalkohol.
In Wasser, Äthylalkohol und Amylalkohol nach Zusatz von Kalilauge.
ruppe VIIa.
5.
6.
In Wasser, Äthylalkohol und Amylalkohol.
In Wasser, Äthylalkohol und Amylalkohol nach Zusatz von Kalilauge.
ruppe VIIb.
7.
8.
9.
In Wasser, Äthylalkohol und Amylalkohol.
In Wasser, Äthylalkohol und Amylalkohol nach Zusatz von Kalilauge.
ruppe VIII.
10.
In Wasser, Äthylalkohol und Amylalkohol.
Nach Zusatz von Salzsäure Entfärbung.
ruppe IX.
11.
In Wasser, Äthylalkohol und Amylalkohol.
Nach Zusatz von Kalilauge Entfärbung.

Verlag von Julius Springer in Berlin.

Absorptionsspektren gelber Farbstoffe.

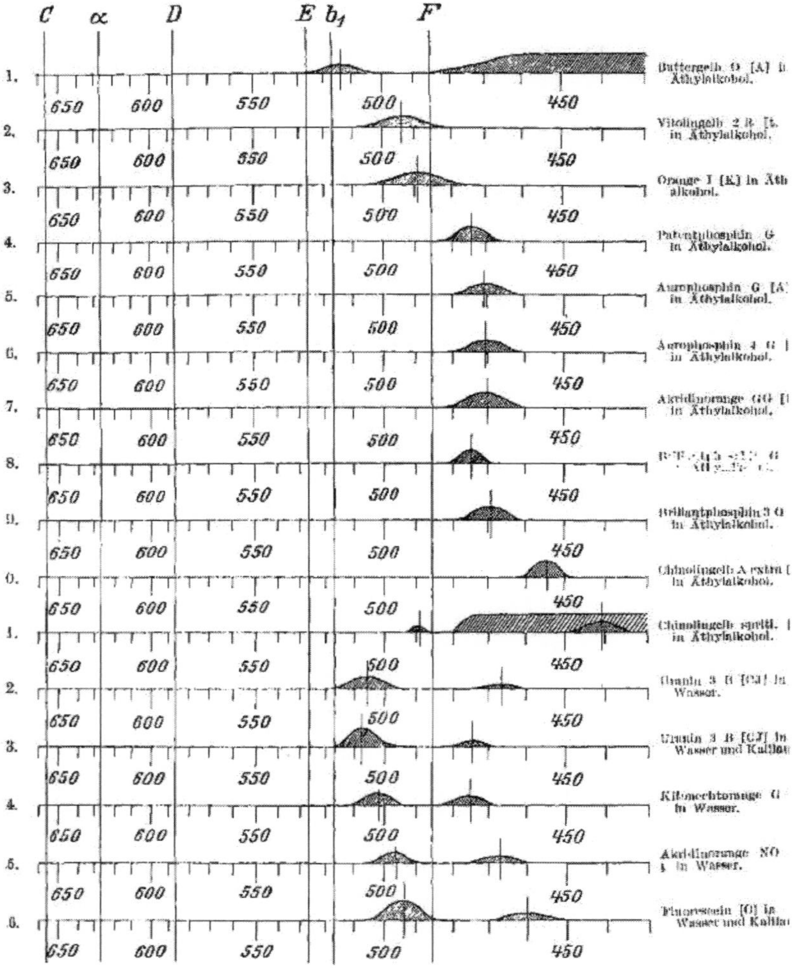
C α D E b_1 F
650 600 550 500 450
Buttergelb O [A] in Äthylalkohol.
Vitolingelb 2 R [t. in Äthylalkohol.
Orange I [K] in Äth alkohol.
Patentphosphin G in Äthylalkohol.
Aurophosphin G [A in Äthylalkohol.
Aurophosphin 4 G in Äthylalkohol.
Akridinorange GG in Äthylalkohol.
Brillantphosphin 3 G in Äthylalkohol.
Chinolingelb A extra in Äthylalkohol.
Chinolingelb spritl. in Äthylalkohol.
Uranin 3 B [CJ] in Wasser.
Uranin 3 B [CJ] in Wasser und Kalilau
Kilmechtorange G in Wasser.
Akridinorange NO in Wasser.
Fluorescein [O] in Wasser und Kalilau

Absorptionsspektren gelber Farbstoffe.

C α D E b_1 F

650 600 550 500 450

Chrysoïdin [S] in Wasser.

Scharlach für Seide O [M] in Äthylalkohol.

Orange R [B] in Wasser.

Orange X [B] in Wasser.

Brillantorange O [M] in Wasser.

Orange II [B] in Wasser.

Kitongelb SR [J] in Wasser.

Sudan II [A] in Äthylalkohol.

Sudan II [A] in Schwefelsäure.

Sudan I [A] in Äthylalkohol.

Sudan I [A] in Schwefelsäure.

Orange RN [O] in Wasser.

Orange RN [O] in Äthylalkohol.

Rosanthren O [J] in Wasser.

Rosanthren O [J] in Äthylalkohol.

Rosanthren O [J] in Schwefelsäure.

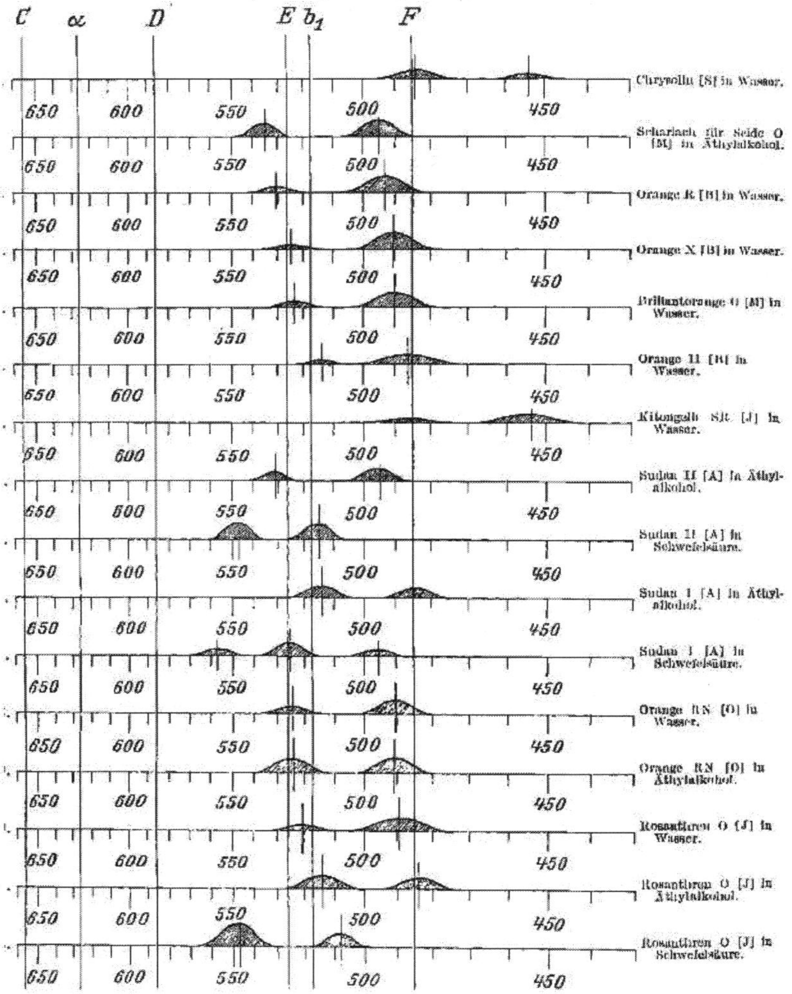

Absorptionsspektren gelber Farbstoffe.

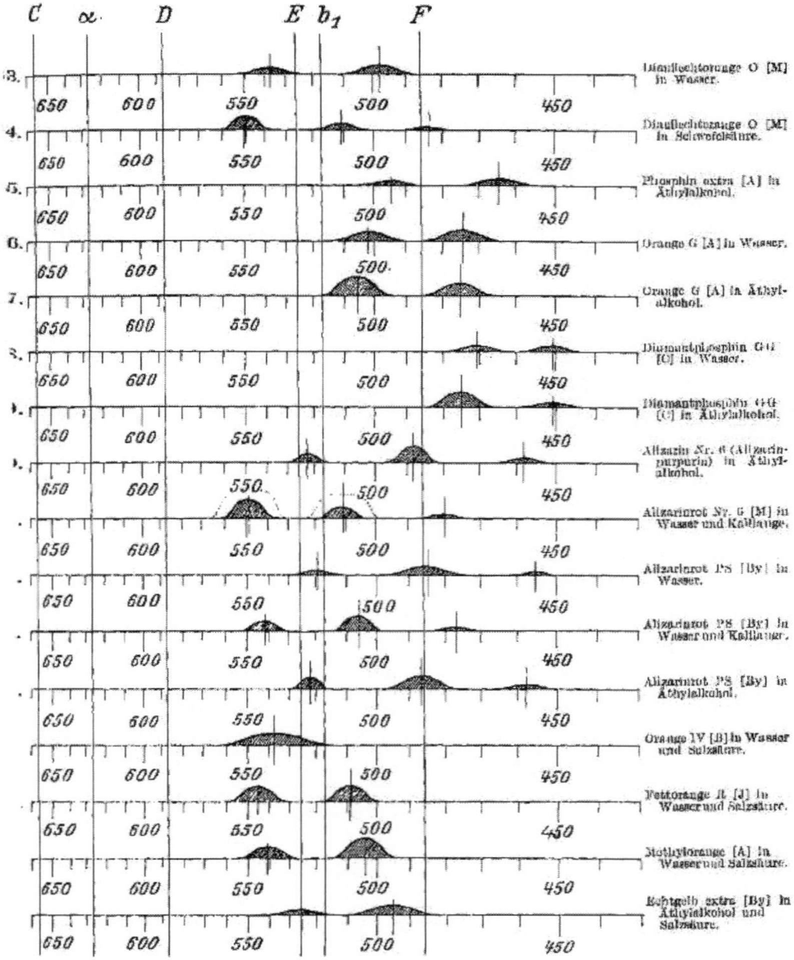
C
α
D
E
b_1
F
650
600
550
500
450
Dianilechtorange O [M] in Wasser.
Dianilechtorange O [M] in Schwefelsäure.
Phosphin extra [A] in Äthylalkohol.
Orange G [A] in Wasser.
Orange G [A] in Äthylalkohol.
Diamantphosphin GG [C] in Wasser.
Diamantphosphin GG [C] in Äthylalkohol.
Alizarin Nr. 6 (Alizarinpurpurin) in Äthylalkohol.
Alizarinrot Nr. 6 [M] in Wasser und Kalilauge.
Alizarinrot PS [By] in Wasser.
Alizarinrot PS [By] in Wasser und Kalilauge.
Alizarinrot PS [By] in Äthylalkohol.
Orange IV [B] in Wasser und Salzsäure.
Fettorange R [J] in Wasser und Salzsäure.
Methylorange [A] in Wasser und Salzsäure.
Echtgelb extra [By] in Äthylalkohol und Salzsäure.

Absorptionsspektren gelber Farbstoffe.

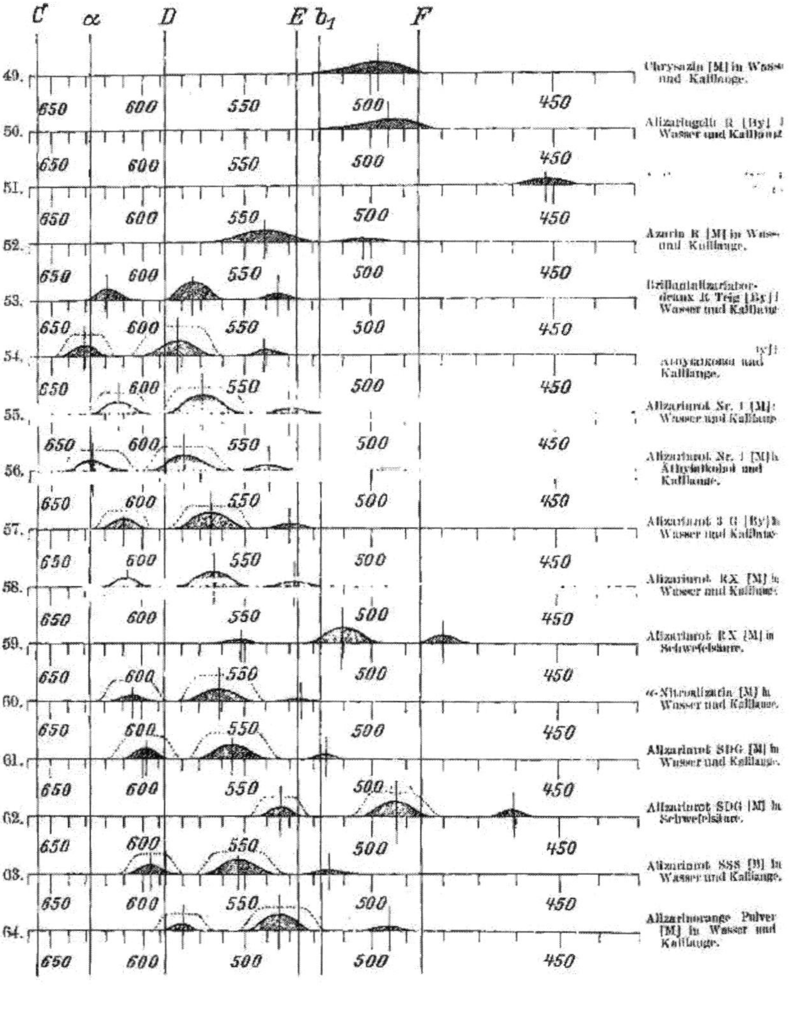
C α D E b1 F
49.
650 600 550 500 450
50.
650 600 550 500 450
51.
650 600 550 500 450
52.
650 600 550 500 450
53.
650 600 550 500 450
54.
650 600 550 500 450
55.
650 600 550 500 450
56.
650 600 550 500 450
57.
650 600 550 500 450
58.
650 600 550 500 450
59.
650 600 550 500 450
60.
650 600 550 500 450
61.
650 600 550 500 450
62.
650 600 550 500 450
63.
650 600 550 500 450
64.
650 600 500 500 450
Chrysazin [M] in Wass
und Kalilauge.
Alizaringelb R [By] i
Wasser und Kalilaug
Azarin R [M] in Wass
und Kalilauge.
Brillantalizarinbor-
deaux R Teig [By] i
Wasser und Kalilaug
Kalilauge.
Alizarinrot Nr. 1 [M] i
Wasser und Kalilaug
Alizarinrot Nr. 1 [M] in
Äthylalkohol und
Kalilauge.
Alizarinrot 3 G [By] in
Wasser und Kalilaug
Alizarinrot RX [M] in
Wasser und Kalilauge.
Alizarinrot RX [M] in
Schwefelsäure.
α-Nitroalizarin [M] in
Wasser und Kalilauge.
Alizarinrot SDG [M] in
Wasser und Kalilauge.
Alizarinrot SDG [M] in
Schwefelsäure.
Alizarinrot SSS [M] in
Wasser und Kalilauge.
Alizarinorange Pulver
[M] in Wasser und
Kalilauge.

Absorptionsspektren gelber Farbstoffe im Ultraviolett.

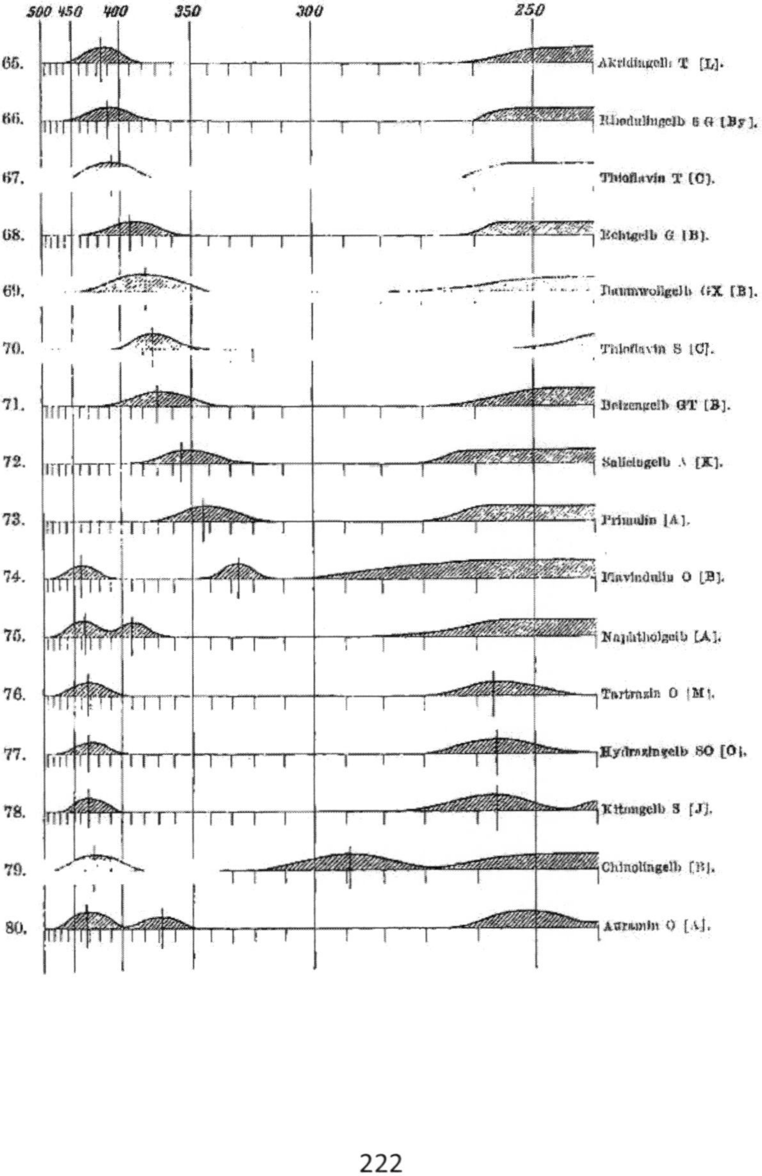

Emissionsspektra verschiedener Lichtquellen für das Ultraviolett.

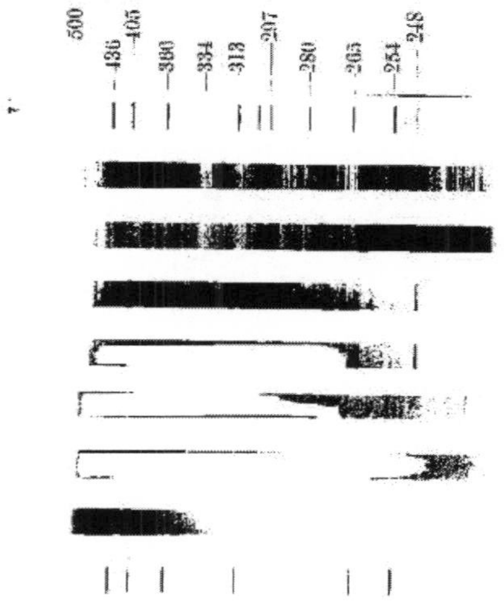

Quarzquecksilberlampe

Eisenbogen.

Kondensierter Eisenfu ohne Selbstinduktio

Kondensierter Uran-Molybdänfunke ohne Selbstinduktion.

Kondensierter Uran-Molybdänfunke mit Selbstinduktion.

Kondensierter Kupferfunke unter Wasser Selbstinduktion.

Kondensierter Alumini funke unter Wasser Selbstinduktion.

Nernstlampe.

Quarzquecksilberlampe

Absorptionsspektra gelber Farbstoffe im Ultraviolett.

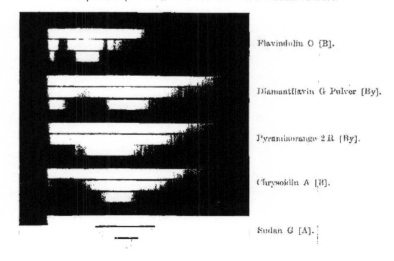

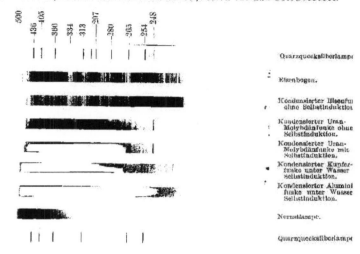

Flavindulin O [B].

Diamantflavin G Pulver [By].

Pyraminorange 2 R [By].

Chrysoidin A [B].

Sudan G [A].

Absorptionsspektra gelber Farbstoffe im Ultraviolett.

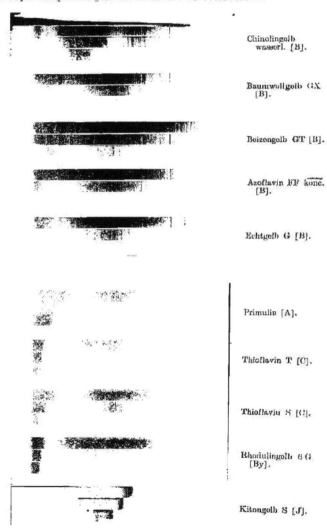

Chinolingelb wasserl. [B].

Baumwollgelb GX [B].

Beizengelb GT [B].

Azoflavin FF konc. [B].

Echtgelb G [B].

Primulin [A].

Thioflavin T [C].

Thioflavin S [C].

Rhodulingelb 6 G [By].

Kitongelb S [J].

Absorptionsspektra gelber Farbstoffe im Ultraviolett.

Naphtolgelb

Naphtolgelb

Martiusgelb [

Citronin A [

Akridingelb

Hydrazingelb [O].

Tartrazin O

Mikadogelb [

Salicingelb A

Auramin O [

Absorptionsspektra gelber Farbstoffe im Ultraviolett.

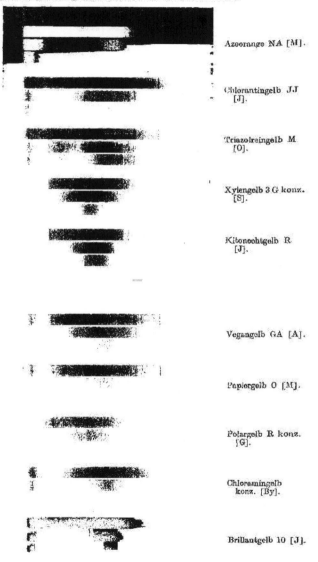

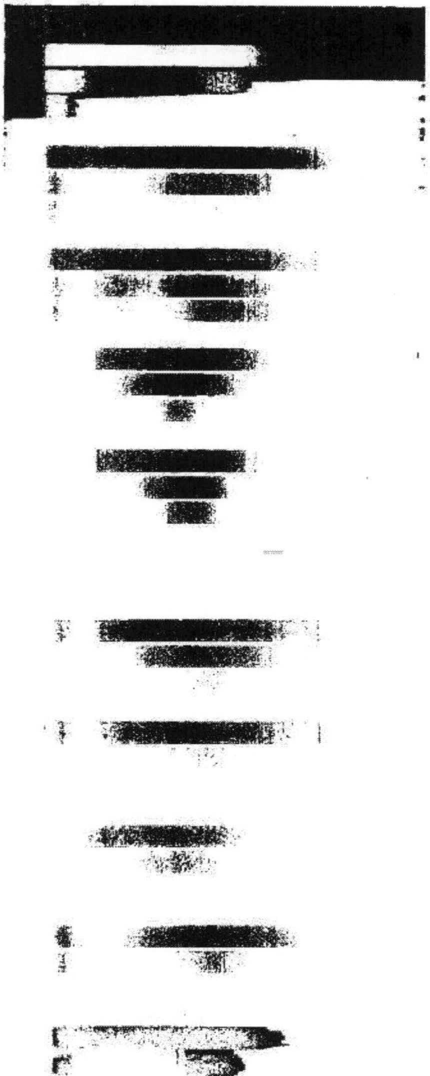

Azoorange NA [M].

Chlorantingelb JJ [J].

Triazolreingelb M [O].

Xylengelb 3 G konz. [S].

Kitonechtgelb R [J].

Vegangelb GA [A].

Papiergelb O [M].

Polargelb R konz. [G].

Chloraminngelb konz. [By].

Brillantgelb 10 [J].

Absorptionsspektra gelber Farbstoffe im Ultraviolett.

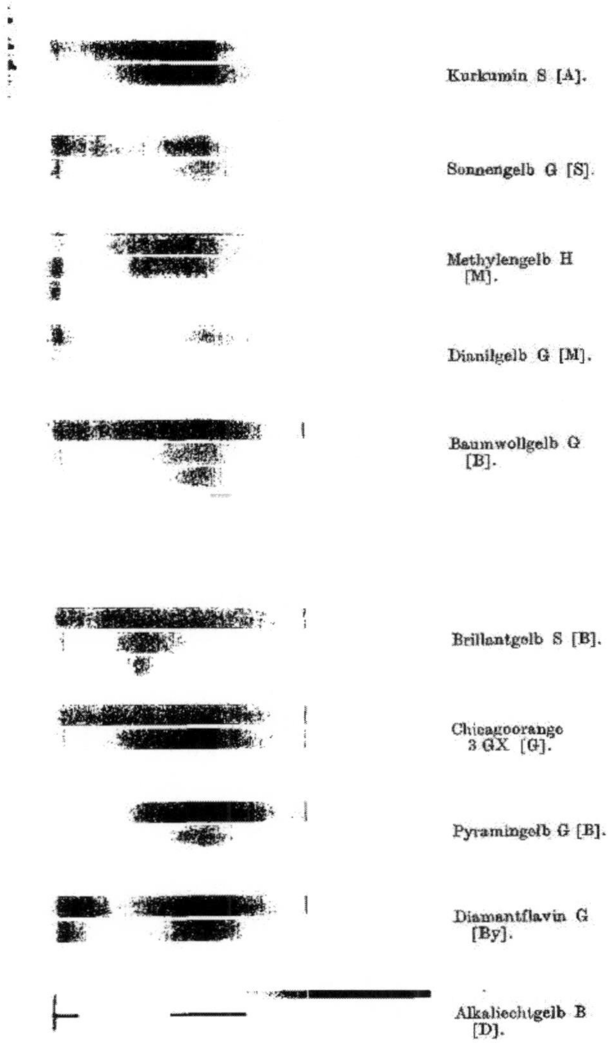
Kurkumin S [A].
Sonnengelb G [S].
Methylengelb H [M].
Dianilgelb G [M].
Baumwollgelb G [B].
Brillantgelb S [B].
Chicagoorange 3 GX [G].
Pyramingelb G [B].
Diamantflavin G [By].
Alkaliechtgelb B [D].

Untersuchung und Nachweis organischer Farbstoffe auf spektroskopischem Wege

Von

Professor Dr. **J. Formánek** und Professor Dr. **J. Knop**
in Prag in Brünn

Zweite, vollständig umgearbeitete und vermehrte Auflage

Zweiter Teil

4. Lieferung

Mit 2 Textfiguren und 5 Tafeln

Berlin
Verlag von Julius Springer
1927

Vorwort.

Das ursprünglich geplante Abschließen des Werkes mit Küpen-, Lack-, Beizen- und auf der Faser entwickelten Farbstoffen in einer Lieferung zusammen ließ sich nicht so durchführen, wie ich es mir vorstellte.

Um der Vollständigkeit des Werkes gerecht zu werden, mußten die Farbstoffe von sämtlichen Fabriken der Welt in das Werk aufgenommen werden.

Dadurch ist aber das zu bearbeitende Material in einem so hohen Maße gewachsen, daß es nicht möglich war, in kurzer Zeit sämtliche eben genannte Farbstoffe zu bearbeiten und daher habe ich mich entschlossen, die Küpenfarbstoffe in einer selbständigen Lieferung herauszugeben. Auf diese Weise gelangen die so wichtigen Küpenfarbstoffe früher in die Hände der Interessenten.

Der Vorteil dieser selbständigen Lieferung liegt auch darin, daß in derselben sämtliche bis Juni 1927 in den Handel gebrachte Küpenfarbstoffe enthalten sind, von welchen eine ziemlich beträchtliche Anzahl in Schultzschen Farbstofftabellen und im Colour Index noch fehlt.

Diesmals gestattete der Seitenraum dieser Lieferung den Küpenfarbstoffen die Angaben über ihre chemische Konstitution, soweit sie bekannt ist, beizufügen, wodurch ein Vergleich der Absorptionsspektren dieser Farbstoffe mit ihrer chemischen Zusammensetzung erleichtert wird.

Manche Konstitutionsangaben in den Schultzschen Tabellen und im Colour Index sind unvollkommen und mitunter unrichtig; zur Klärung dieser Unsicherheit trägt das spektroskopische Verhalten der Farbstoffe in einem bedeutenden Maße bei und es bietet keine Schwierigkeit, auf Grund der Ergebnisse der spektroskopischen Untersuchungen in meisten Fällen zu entscheiden, in welche chemische Gruppe der jeweilige Farbstoff gehört, ein weiterer Beleg, daß die spektroskopische Analyse der Farbstoffe bei der Ermittelung ihrer chemischen Konstitution einen unentbehrlichen Hilfsbehelf bildet.

Den Schluß der Tabellen bilden die Spektren der Ausfärbungen von solchen Farbstoffen, welche sich durch Ausfärbung in ihrer Zusammensetzung geändert haben und demnach andere Spektren geben. Die Indigo- und Thioindigoderivate sowie die anderen in den Tabellen „Absorptionsspektren der Ausfärbungen" nicht angeführten Farbstoffe geben nach Ausfärbung dieselben Spektren wie die Farbstoffe derselben Provenienz in Substanz.

Prag im Juli 1927.

Formánek.

Inhaltsverzeichnis.

Küpenfarbstoffe.

Einleitung.

Wie bekannt, werden die Küpenfarbstoffe (colorants à la cuve, vat colors) als in Wasser unlösliche Pigmente bezeichnet, welche durch Reduktion mit Natriumhydrosulfit und Alkali in wasserlösliche Hydroverbindungen übergehen und als solche von den pflanzlichen und tierischen Fasern aufgenommen werden. Durch nachherige Oxydation, schon auch unter der Einwirkung des Luftsauerstoffes, werden die aus ihren Lösungen entzogenen Hydroverbindungen auf der Faser in ursprüngliche festhaftende Farbstoffe umgewandelt.

Zufolge ihrer Eigenart und hervorragender Eigenschaften, außerordentlicher Echtheit und zugleich Schönheit ihrer Farbtöne, nehmen die Küpenfarbstoffe in der Farbenchemie eine besondere Stellung ein, und haben daher auf sich die Aufmerksamkeit sowohl des wissenschaftlichen Chemikers als auch des praktisch tätigen Farbenchemikers in hohem Maße gelenkt; aber auch vom spektroskopischen Standpunkte bilden sie ein interessantes Kapitel.

Noch vor etwa 25 Jahren wurde nur ein einziger Vertreter dieser Klasse von Farbstoffen, der Indigo, ein schon im Altertum geschätzter König aller Farbstoffe, bekannt und in der Textilindustrie verwendet.

Durch grundlegende Arbeiten von Adolf v. Bayer und seiner Schüler wurde im Jahre 1878 die chemische Zusammensetzung dieses Pflanzenproduktes erforscht und sein synthetischer Aufbau erfunden; in den Handel wurde aber dieser künstliche Indigo wegen seines hohen Darstellungspreises noch nicht eingeführt.

Nach einer weiteren mühevollen Forschung und außergewöhnlichem Aufwand von materiellen Mitteln wurde schließlich die technische Synthese des Indigo von Heumann im Jahre 1890 in der Badischen Anilin- und Sodafabrik in Ludwigshafen und später von Brunck im Jahre 1897 zum praktisch brauchbaren Verfahren ausgebildet und der künstliche Indigo in den Handel zu einem Preise gebracht, mit welchem der Pflanzenindigo nicht mehr zu konkurrieren vermag.

Im Jahre 1901 haben auch die Farbwerke Meister, Lucius & Brüning in Höchst am Main den nach ihrem eigenen Verfahren dargestellten synthetischen Indigo auf den Weltmarkt gebracht.

Die Verwirklichung der technischen Synthese des Indigo hatte nun zur emsigen Forschung auf dem Gebiete der Indigoderivate geführt, welche bald von technischen Erfolgen gekrönt wurde. Es wurden

Derivate des Indigo dargestellt, welche nicht nur in Echtheit, sondern auch in der Schönheit der Farbe diesen Farbstoff übertrafen.

Die ersten Erzeugnisse dieser Art, die Bromderivate des Indigo, welche in die Technik besonders von C. Engi in der Gesellschaft für Chemische Industrie in Basel unter dem Namen Cibafarbstoffe eingeführt wurden, sind echter und schöner als Indigoblau und ihr Farbton ist zum Unterschiede von Indigo selbst reinblau bis grünlichblau.

Die immer mehr wachsende Gruppe von Küpenfarbstoffen wurde auch in anderer Richtung vermehrt, nachdem im Jahre 1901 von R. Bohn in der Badischen Anilin- und Sodafabrik neue eigenartige Küpenfarbstoffe Indanthren und Flavanthren entdeckt wurden, welche durch die Arbeiten von R. Scholl und seinen Mitarbeitern als Anthrachinonabkömmlinge erkannt wurden. Die außergewöhnliche Echtheit des Indanthrens, mit schönem blauen Farbtone verbunden, ließ in ihm einen der schätzbarsten Farbstoffe erkennen und gab einen Anlaß zur eifrigen Forschung auf dem neu eröffneten Farbstoffgebiete.

Auf dem Gebiete der Indigoide wurde im Jahre 1906 von P. Friedländer der Thioindigo, eine schwefelhaltige, dem Indigo analoge Verbindung entdeckt, welche den einfachsten Vertreter einer Klasse von Küpenfarbstoffen bildet, die in ihrer Farbe vom Indigo grundverschieden sind, indem sie fast alle Töne der Farbenskala aufweisen. Zu diesen Farbstoffen gehören noch solche Derivate, welche einen Übergang zwischen Indigo und Thioindigoderivaten bilden, bzw. sich von dem dem Indigo isomeren Indirubin ableiten.

Wie weiter unten in der systematischen Einteilung der Küpenfarbstoffe gezeigt wird, gibt es heute eine ganze Reihe von verschiedenartig zusammengesetzten Anthrachinonküpenfarbstoffen, welche größtenteils sich nicht nur durch außerordentliche Echtheit, sondern auch durch lebhafte Farbe in allen Nuancen auszeichnen.

Eine selbständige Gruppe bilden schwefelhaltige Anthrachinonfarbstoffe, Cibanonfarbstoffe der Gesellschaft für Chemische Industrie in Basel, welche einen gewissen Übergang zu den Schwefelfarbstoffen bilden und ferner Farbstoffe, welche als eine Kombination von Anthrachinon- und Indigofarbstoffen aufgefaßt werden können, wie z. B. Alizarinindigo.

Nachdem durch die Indigohalogenderivate und Indanthrenfarbstoffe das Indigblau selbst an seiner Bedeutung gewissermaßen verloren hatte, ist demselben in einem Karbazolabkömmling, dem Hydronblau der Firma L. Casella & Co. in Frankfurt am Main, welches von Haas und Herz im Jahre 1908 entdeckt wurde, ein weiterer mächtiger Konkurrent entstanden. Bald folgten Derivate dieser Klasse von olivegrüner, dunkelblauer, violetter, roter und gelber Farbe, welche nach ihrer Verwendungsart Küpenfarbstoffe und zugleich auch Schwefelfarbstoffe sind. Unter der Handelsbezeichnung Hydronfarbstoffe gibt es aber jetzt auch Farbstoffe anderer Klassen.

Die Entwicklung der Industrie der Küpenfarbstoffe äußert sich am besten in folgenden Zahlen: Nachdem im Jahre 1897 der erste synthetisch dargestellte Küpenfarbstoff, das Indigoblau, in den Handel gebracht wurde, betrug nach E. Grandmougin[1]) die Zahl der im Jahre 1910 im Handel befindlichen Küpenfarbstoffe schon 84 individuelle Farbstoffe unter 121 Handelsnamen, ihre Zahl nach dem Stande anfangs des Jahres 1927 jedoch auf mehr als 600 Handelsmarken gestiegen ist. Die Zahl der patentierten, sonst aber in den Handel nicht eingeführten Küpenfarbstoffe ist natürlich bedeutend höher.

Zur Zeit erzeugen die Küpenfarbstoffe folgende Farbenfabriken:

In Deutschland:

Badische Anilin- und Sodafabrik, in Ludwigshafen am Rhein (Indigo, Indigoderivate, Indanthrenfarbstoffe und Anthrafarbstoffe),

Farbwerke vorm. Meister, Lucius & Brüning in Höchst am Main (Indigo und seine Derivate, Helindonfarbstoffe, Indanthrenfarbstoffe und Anthrafarbstoffe),

Farbenfabriken vorm. Friedr. Bayer & Co. in Leverkusen bei Köln am Rhein (Indigo und seine Derivate, Alizarinindigo, Algolfarbstoffe, Indanthrenfarbstoffe und Anthrafarbstoffe),

Kalle & Co., A.G. in Biebrich am Rhein (Indigo-, Thioindon-, Thioindigofarbstoffe und Eridanfarbstoffe),

Chemische Fabrik Griesheim-Elektron in Bitterfeld (Grelanonfarbstoffe),

L. Cassella & Co. in Frankfurt am Main (Hydronfarbstoffe).

Diese Farbenfabriken sind in der neuen Gesellschaft „I. G. Farbenindustrie Aktiengesellschaft", die ihren Sitz in Höchst am Main hat, noch mit anderen größeren deutschen Farbenfabriken und Anilinfarbenfabriken Durand & Huguenin in Basel vereinigt und bringen nach dem Stande anfangs des Jahres 1927 in den Handel ungefähr 390 Küpenfarbstoffe. Die übrigen Handelsmarken kommen den Farbenfabriken in der Schweiz, in Frankreich, England, Amerika und Japan zu.

In der Schweiz erzeugen die Küpenfarbstoffe:

Gesellschaft für Chemische Industrie in Basel (Cibafarbstoffe und Cibanonfarbstoffe, 52 Handelsmarken),

Durand & Huguenin, A.G., Anilinfarbenfabriken in Basel (Indigosole, 12 Handelsmarken);

in Frankreich:

Compagnie Nationale de Matières colorantes et Manufactures de Produits Chimiques du Nord reunies, Etablissements Kuhlmann, Villers-St. Paul, Oise (Indigoblau und seine Derivate, 5 Handelsmarken, Solanthrene, 4 Handelsmarken);

in England:

British Dyestuffs Corporation, Ltd., Huddersfield and Manchester, Werke Blackley and Clayton, Manchester, Ellesmere Port,

---

[1]) E. Grandmougin: Tabellarische Übersicht der wichtigsten Küpenfarbstoffe nach dem Stande des Jahres 1910. Sonderabdruck aus dem Elsässischen Textilblatt. Verlag von J. Dreyfus, Gebweiler 1911. — Derselbe: Tabellarische Übersicht der 1910 bis 1911 erschienenen Küpenfarbstoffe. Sonderabdruck aus dem Elsässischen Textilblatt. Verlag von J. Dreyfus, Gebweiler 1912.

Nr. Birkenhead, Huddersfield (Duranthrene- und Durindonefarbstoffe, 12 Handelsmarken),

The British Alizarine Company, Ltd., Manchester (Alizanthrene- und Alizonefarbstoffe, 8 Handelsmarken),

Clayton Aniline Co., Ltd., Clayton, Manchester, Tochtergesellschaft der Gesellschaft für Chemische Industrie in Basel (Cibafarbstoffe),

L. B. Holliday & Co., Ltd., Huddersfield (Paradonefarbstoffe, früher Hydranthrenefarbstoffe, 34 Handelsmarken),

Scottish Dyes Ltd., Grangemouth, Werke Grangemouth, N. B., Carlisle (Caledonefarbstoffe, 29 Handelsmarken);

in Amerika:

National Aniline & Chemical Company, New York (Indigo),

Newport Chemical Works, Passaig, New Jersey (Anthrene- und Thianthrenefarbstoffe, 42 Handelsmarken),

E. J. du Pont de Nemours & Co., Wilmington, Delaware (Ponsolfarbstoffe, 4 Handelsmarken);

in Japan:

Nippon Senrio Seizo Kabushiki Kaisha, The Japan Dyestuff Manufacturing Co., Ltd., Osaka. Werke Kasukadecho, Nishiku (Indigoblau und seine Derivate, 3 Handelsmarken),

Mitsui & Co., Milike Dyes Works, Omuta (Bromindigo und Indanthrenblau RS).

Eine ziemlich große Anzahl von Küpenfarbstoffen kommt gegenwärtig in den Handel unter einer geänderten neuen Bezeichnung als früher, wobei ältere und neue Marken chemisch identisch sein sollen. In meisten Fällen stimmen die Absorptionsspektren der älteren und der neuen Marken überein; es kommen aber Fälle vor, wo die neue Marke ein von der älteren Marke abweichendes Absorptionsspektrum zeigt, und daher beide Marken nicht chemisch identisch sein können.

So gibt z. B. die ältere Marke von Indigo Ciba 2 R [J] ein Absorptionsspektrum in einer ganz anderen Lage als die neue Marke und somit sind auch beide Marken in ihrer chemischen Zusammensetzung verschieden; ebenfalls hat das Anthragrün B [B], welches dem Indanthrengrün B entsprechen soll, ein von diesem Farbstoff abweichendes Absorptionsspektrum.

Die ältere Marke von Indanthrenblau RC [B] ist ein Gemisch, wogegen die neue Marke von demselben Farbstoffe ein ziemlich einheitliches Produkt bildet.

Auch die Absorptionsspektren von Indanthrenrot RK [B], früher Indanthrenrot BN [B], welche beide Marken identisch sein sollen, sind verschieden.

Den Grund der Verschiedenheit von einigen Farbstoffmarken ist daher darin zu suchen, daß das Darstellungsverfahren im Laufe der Zeit abgeändert wurde.

Solche Fälle, wo die Absorptionsspektren der älteren und der neuen Marke derselben Art voneinander abweichen, werden in den später folgenden Farbstofftabellen angeführt.

Wegen des beschränkten Raumes konnten in dieses Werk, welches sämtliche bis Anfang des Jahres 1927 in den Handel gebrachte Küpenfarbstoffe enthält, eingehende Angaben über ihre Darstellungsart, Beschreibung ihrer Eigenschaften, Literatur, Erfinder usw. nicht aufgenommen werden und auch ist es nicht der Zweck dieser Schrift; in dieser Beziehung wird verwiesen auf die speziellen Werke:

Dr. G. Schultz: Farbstofftabellen. 5. Auflage 1914 und 6. Auflage, 2 Bände. Berlin: Weidmannsche Buchhandlung 1923.

Society of Dyers and Colourists. Colour Index. Edited by F. M. Rowe, Bradford 1924.

H. Truttwin: Enzyklopädie der Küpenfarbstoffe. Berlin: Julius Springer 1920.

Fortschritte der Teerfarbenfabrikation und verwandter Industriezweige von P. Friedländer, XIII Teile, 1877—1921; XIV. Teil 1921—1925 von H. E. Fierz-David und M. Dohrn.

J. F. Thorpe and C. K. Ingold: Synthetic colouring matters. Vat colours. London: Longmanns, Green & Co. 1923.

Ferner sind empfehlenswert die Lehrbücher der Farbstoffchemie:

H. E. Fierz-David: Künstliche organische Farbstoffe. Berlin: Julius Springer 1926.

G. Georgievics: Handbuch der Farbenchemie. Leipzig-Wien 1922.

H. Bucherer: Lehrbuch der Farbenchemie. Leipzig 1921.

H. Ullmann: Enzyklopädie der technischen Chemie. 12 Bände. Wien: J. Schwarzenberg 1914/23.

P. Castan: La Chimie des Matières Colorantes organiques. (Encyclopédie scientifique. Tom. 27.) 1926. Paris: Gaston Doin & Cie.

J. Martinet: Matières Colorantes. Paris 1926.

J. C. Cain: The manufacture of dyes. London 1922.

Die Angaben über die chemische Konstitution der Farbstoffe in den eben angeführten Werken stimmen jedoch nicht überall vollständig überein. Man findet mitunter, daß manche, von Schultz oder im Colour Index beisammen angeführte Farbstoffe ganz verschiedene Absorptionsspektren haben und daher ausgeschlossen ist, daß ihnen gleiche Konstitution zukommt, wie es z. B. bei Cibablau G [J] und Indigo MLB 5B [M] oder bei Helindonblau BB [M] und Indigo MLB BB [M] der Fall ist.

Es kommt auch vor, daß in den Schultzschen Farbstofftabellen und in Colour Index für zwei oder mehrere Farbstoffe verschiedene Konstitution angegeben wird, diese Farbstoffe aber in Xylol, Tetralin und in Schwefelsäure vollständig gleiche Absorptionsspektren ergeben, daher wenn nicht identische, so doch eine sehr nahe chemische Konstitution haben müssen.

Die Entscheidung, welche richtige Konstitution dem einen oder dem anderen Farbstoffe eigen ist, muß in solchen Fällen noch durch eine weitere Forschung erbracht werden.

Die in diesem Werke angeführten Farbenfabriken haben uns nicht nur sämtliche Farbstoffe mit größter Bereitwilligkeit zur Verfügung gestellt, sondern uns auch alle gewünschte Auskünfte in jeder Richtung, soweit es möglich war, in entgegenkommendster Weise gegeben. Wir machen uns daher zur angenehmen Pflicht, allen Farbenfabriken, die uns in unserer Arbeit unterstützt haben, namentlich der I. G. Farbenindustrie A.G., an dieser Stelle unseren verbindlichsten Dank auszusprechen.

Japanische Küpenfarbstoffe haben wir Dank der Liebenswürdigkeit des Herrn Ing. K. Tomiok, Lektor an der Universität und der Technischen Hochschule in Tokio, erhalten. Die dortigen Farbenfabriken haben wahrscheinlich daran kein Interesse gehabt, uns ihre Produkte zur Verfügung zu stellen.

Zum Gebrauch der Tabellen sind den Handelsnamen der Küpenfarbstoffe von verschiedenen Fabriken Abkürzungen beigefügt, und zwar bedeutet:

[B] Badische Anilin- und Sodafabrik in Ludwigshafen am Rhein,
[BAC] British Alizarine Co., Ltd., Manchester,
[BD] British Dyestuffs Corporation, Ltd., Huddersfield and Manchester,
[By] Farbenfabriken vorm. Friedrich Bayer & Co. in Leverkusen,
[C] Leopold Cassella & Co. in Frankfurt am Main,
[CN] Compagnie Nationale de Matières Colorantes et Manufactures de Produits Chimiques, Etabl. Kuhlmann, Villers - St. Paul (Oise),
[DH] Durand & Huguenin A.G., Anilinfarbenfabriken in Basel,
[DuP] E. J. du Pont de Nemours & Comp., Wilmington, Delaware,
[H] L. B. Holliday & Co., Ltd., Huddersfield,
[J] Gesellschaft für Chemische Industrie in Basel,
[JDC] Japan Dyestuff Manufacturing Co., Osaka,
[K] Kalle & Co., Aktiengesellschaft in Biebrich am Rhein,
[M] Farbwerke vorm. Meister, Lucius & Brüning in Höchst am Main,
[MDW] Mitsui & Co., Milike Dye Works, Omuta,
[Gr] Chemische Fabrik Griesheim-Elektron in Frankfurt am Main,
[NAC] National Aniline & Chemical Company, New York,
[NCW] Newport Chemical Works, Passaic, New Jersey,
[SD] Scottish Dyes Ltd., Grangemouth.

Allgemeine chemische und spektroskopische Charakteristik der Küpenfarbstoffe in bezug auf ihre Konstitution.

Die stetig wachsende Klasse der Küpenfarbstoffe enthält in bezug auf ihre chemische Konstitution im Gegenteil zu den Anilinfarbstoffen eine weit größere Mannigfaltigkeit. Aus diesem Grunde lassen sich auf diesem Gebiete schwieriger Schlüsse von allgemeiner Gültigkeit über die Beziehungen zwischen Konstitution, Farbe und Absorptionsspektrum ableiten, weil die in dieser Klasse befindlichen Verbindungen meist sehr verwickelt gebaut sind und einfachere, analog gebaute Farbstoffe, deren Farbe und Absorptionsspektrum nur durch verschiedene Substituenten wechselt, verhältnismäßig in einer kleineren Anzahl vorkommen. Dies gilt besonders von der Gruppe der Anthrachinonfarbstoffe, bei welchen die Mannigfaltigkeit der Grundstruktur der Farbstoffe besonders hervortritt.

Im nachfolgenden werden die im Handel vorkommenden Küpenfarbstoffe nach ihren einzelnen chemischen Gruppen und nach ihrem allgemeinen spektroskopischen Verhalten kurz besprochen, wobei die von R. Bohn[1]) angegebene, für die Handelsfarbstoffe praktische Zergliederung hauptsächlich beibehalten wurde.

Man unterscheidet demnach folgende Farbstoffgruppen:

I. **Indigoide Farbstoffe:**
   1. Indigo und seine Derivate, namentlich halogenierte Indigofarbstoffe,
   2. Derivate des 2'-Thionaphten-2-Indolindigo,
   3. Thioindigo und seine Derivate,
   4. Indirubin und seine Derivate,
   5. 2-Thionaphten-3-Indolindigo und seine Derivate, Thioindigoscharlach-Gruppe,
   6. Indigogelb und seine Derivate.

II. **Anthrachinonküpenfarbstoffe:**
   1. Acylaminoanthrachinone,
   2. Anthrachinonimine, Anthrimide,
   3. Benzanthrongruppe,
   4. Indanthron- und Flavanthron-Gruppe,
   5. Pyranthrongruppe.

III. **Alizarinindigo und seine Derivate**, Farbstoffe, welche gewissermaßen einen Übergang zwischen Indigoiden und Anthrachinonfarbstoffen bilden.

IV. **Karbazolküpenfarbstoffe**, Hydronfarbstoffe und Schwefelküpenfarbstoffe anderer Art.

I. Indigoide.

Der Indigo, welcher die Strukturformel

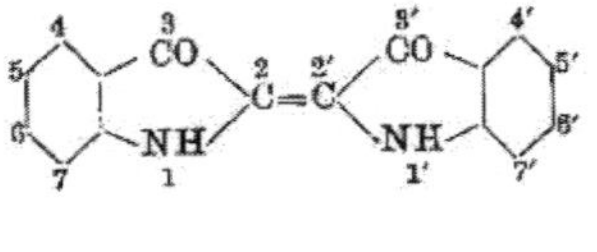

hat, sowie seine Derivate[1]), sind im allgemeinen durch ein Absorptionsspektrum charakterisiert, welches demjenigen von grünen und blauen Triphenylmethanfarbstoffen der Gruppe I entspricht. Konzentriertere Lösungen von Indigo in Xylol und Tetralin geben nämlich im Spektrum einen breiteren Absorptionsstreifen, der mit einem schwachen, sich gleichmäßig nach dem violetten Felde des Spektrums ziehenden Schatten verbunden ist und dieser Schatten an seinem Ende etwas verstärkt erscheint (siehe I. Teil, S. 23 und II. Teil, S. 54 dieses Werkes).

Der Farbton des Indigoblaus ist in verschiedenen organischen Lösungsmitteln auch verschieden, so z. B. in Xylol violettblau, in Chloroform blau mit schwacher roter Fluoreszenz, in Azetylentetrachlorid grünlichblau.

In konzentrierter Schwefelsäure löst sich der Indigo mit gelbgrüner Farbe auf, nach kurzer Zeit wird jedoch die Lösung zufolge der Bildung von Indigosulfosäuren blau. Die gelbgrüne Lösung gibt im Violett ein Absorptionsspektrum von zwei gleich starken Streifen, welche verschwinden, sobald die Lösung blau wird.

Die Halogenderivate des Indigo werden mit zunehmender Zahl der Halogenatome im Molekül des Indigo mehr blau und grünstichig und demzufolge verschieben sich die Absorptionsstreifen nach und nach zum roten Teile des Spektrums; die Bromatome verschieben das Absorptionsspektrum mehr nach links als die Chloratome.

Die Farbe der Xylollösung von 5.5'-Dibromindigo ist von der Farbe der Xylollösung des Indigo nur unwesentlich verschieden.

5.5'.7-Tribromindigo löst sich im Xylol mit blauer Farbe, konzentriertere Lösungen von 5.5'.7.7'-Tetrabromindigo, 4.5.7.5'.7'-Penta-

[1]) Theoretische Studien über die Strukturformel von Indigo und seinem Absorptionsspektrum sowie über seine Derivate siehe:

P. Friedländer: Ber. d. Dtsch. Chem. Ges. Bd. 41, S. 1035. 1908. — Schwalbe-Jochheim: Ber. d. Dtsch. Chem. Ges. Bd. 41, S. 3798. 1908. — M. Claasz: Ber. d. Dtsch. Chem. Ges. Bd. 49, S. 2079. 1916. — J. Lifschitz-H. Lourié: Über den Indigochromophor. Ber. d. Dtsch. Chem. Ges. Bd. 50, S. 897. 1917. — E. Grandmougin-E. Dessoulavy: Zur Einwirkung primärer Amine auf Indigo. Ber. d. Dtsch. Chem. Ges. Bd. 42, S. 3641. 1909. — E. Grandmougin: Nachtrag zur Einwirkung primärer Amine auf Indigo. Ber. d. Dtsch. Chem. Ges. Bd. 42, S. 4218. 1909. — Derselbe: Zur Kenntnis des 5.7.5'.7'-[illegible]. Ber. d. Dtsch. Chem. Ges. Bd. 42, S. 4408. 1909. — Derse[illegible] der bromierten Indigotine. Ber. d. Dtsch. Chem. Ges. Bd. 43, S. 937. 1910. — Derselbe und P. Seyder: Über Indigo. V. Über halogenierte Indigo und Derivate. Ber. d. Dtsch. Chem. Ges. Bd. 47, S. 2367. 1914. — Posner-Aschermann: Beiträge zur Kenntnis der [illegible]. Ber. d. Dtsch. Chem. Ges. Bd. 53, S. 1925. 1920. — Posner-Pyl: [illegible] Kenntnis der Indigogruppe. Ber. d. Dtsch. Chem. Ges. Bd. 56, S. 31. 1923. — Posner-Heumann: Beiträge zur Kenntnis der Indigogruppe. Ber. d. Dtsch. Chem. Ges. Bd. 56, S. 1621. 1923. — Posner-Kemper: Beiträge zur Kenntnis der Indigogruppe. Ber. d. Dtsch. Chem. Ges. Bd. 57, S. 1311. 1924. — Posner-Wallis: Beiträge zur Kenntnis der Indigogruppe. Ber. d. Dtsch. Chem. Ges. Bd. 57, S. 1673. 1924. — Posner: Beiträge zur Kenntnis der Indigogruppe. Ber. d. Dtsch. Chem. Ges. Bd. 59, S. 1799. 1926. — Madelung-Wilhelmi: Über Imide, Anile und Hydrazone des Indigblaus und die stereochemische Konfiguration der Indigoide. Ber. d. Dtsch. Chem. Ges. Bd. 57, S. 234. 1924. — W. Stockenschneider: Neue Untersuchungen in der Indigoreihe. Inaug.-Dissert. Greifswald 1924.

bromindigo und 4.5.7.4'.5'.7'-Hexabromindigo sind im auffallenden Lichte rötlich, verdünnt blau bis grünlichblau.

Ob zwar durch fortschreitende Einführung von Halogenen in das Molekül des Indigo eine allmähliche Verschiebung des Absorptionsspektrums nach Rot zu bewirkt wird, so läßt sich nicht gut ein genaues Verhältnis zwischen der Anzahl der Halogene und dem Grade der Verschiebung des Absorptionsspektrums feststellen, weil es sehr schwierig ist, sämtliche Halogenderivate des Indigo in vollständig reinem Zustande darzustellen.

Wenn man als Grundlage die Wellenlänge des Indigospektrums nimmt, so beträgt der Unterschied zwischen den Wellenlängen des 5.5'-Dibromindigo und des Indigo 65 Å.E. und der Unterschied bei 5.5'.7-Tribromindigo beträgt 135 Å.E., also ungefähr das Doppelte wie bei 5.5'-Dibromindigo (siehe die nachfolgende Tabelle).

Bei höher halogenierten Verbindungen ist der Unterschied in der Lage der Absorptionsstreifen ziemlich gering, so daß z. B. bei Pentabromindigo mit einer nicht zu großer Beimischung von Tetrabromindigo und bei reinem Pentabromindigo ihre Absorptionsspektren praktisch fast gleich sind.

Der Unterschied der Wellenlängen zwischen dem Indigospektrum und dem 5.7.5'.7'-Tetrabromindigospektrum beträgt 145 Å.E., bei 4.5.7.5'.7'-Pentabromindigo 160 Å.E. und bei 4.5.7.4'.5'.7'-Hexabromindigo 170 Å.E. Es ist also die durch die Bromatome bewirkte Verschiebung der Absorptionsstreifen erst von Tribromindigo ab proportional.

Chloratome in gleicher Stellung in den Benzolkernen wie Bromatome verschieben das Absorptionsspektrum weniger. So beträgt z. B. der Unterschied zwischen den Wellenlängen von 5.7.5'.7'-Tetrachlorindigo und Indigo 115 Å.E. bei 5.7.5'.7'-Tetrabromindigo 145 Å.E.

Eine abweichende Änderung des Farbtones des Indigo bewirkt die Halogensubstitution in der Para-Stellung zur Karbonylgruppe (6.6'-Stellung). So haben 6.6'-Dichlorindigo und der 6.6'-Dibromindigo, in welchem von P. Friedländer der Purpur der Alten erkannt wurde, in Xylollösung eine rote Farbe, und geben im Spektrum zwei Absorptionsstreifen, welche mehr nach dem blauen Felde des Spektrums verschoben sind, wogegen der 5.5'-Dibromindigo in Xylol gelöst grünlichblau erscheint und nur einen Absorptionsstreifen im Spektrum zeigt.

Dieser eigentümliche Einfluß der 6.6'-Stellung äußert sich auch im Oktobromindigo, dessen Absorptionsspektrum näher dem violetten Felde des Spektrums liegt als das Absorptionsspektrum des Hexabromindigo.

In konzentrierter Schwefelsäure lösen sich die Halogenindigoderivate mit gelbgrüner, grüner bzw. mit grünlichblauer Farbe auf; schwefelsaure Lösungen der nur teilweise halogenierten Derivate, wie z. B. Dibrom- und Dichlorderivate zeigen im Spektrum zwei vorübergehende Absorptionsstreifen, die höher halogenierte Derivate, wie z. B. Penta- und Hexabromderivate, zeigen in schwefelsaurer Lösung nur eine einseitige Absorption im Rot und Violett.

Durch Einführung von Alkylgruppen in den Benzolkern des Indigo wird der Farbton der Lösung nicht bedeutend geändert, das Absorptionsspektrum verschiebt sich im Vergleiche zu dem Indigospektrum mehr nach Rot. Durch Eintritt von Alkylgruppen in die Iminogruppe im Molekül des Indigo wird dagegen die Farbe der Lösung, sowie das Absorptionsspektrum erheblich beeinflußt; so löst sich der N-Monomethylindigo in Xylol mit grünlichblauer und der N-Dimethylindigo mit grüner Farbe; die Absorptionsstreifen verschieben sich dann stark nach Rot zu, und zwar verschieben die Alkylgruppen in der Iminogruppe des Absorptionsspektrum bedeutend mehr nach links als die Alkylgruppen in den Benzolkernen.

Wenn wir als Grundlage die Wellenlänge des Indigo nehmen, so beträgt der Unterschied in den Wellenlängen bei N-Dimethylindigo 425 Å.E., bei 7.7'-Dimethylindigo nur 50 Å.E. Die Äthylgruppen verschieben das Absorptionsspektrum, ähnlich wie bei den Triphenylmethanfarbstoffen, mehr nach links als Methylgruppen.

Der Dibenzoylindigo löst sich in Xylol mit violettroter Farbe und gibt das Absorptionsspektrum von zwei Streifen, welche im Vergleiche mit dem Absorptionsspektrum des Indigo stark nach dem blauen Felde des Spektrums verschoben sind.

Während durch die Einführung des Halogens in die 6.6'-Stellung des Benzolkernes im Indigo der Farbton stark beeinflußt wird, übt die Einführung der Nitrogruppe in dieselbe Lage nur einen geringeren Einfluß auf die Änderung des Farbtones aus; die Lösungen des Dinitroindigo in Xylol und Tetralin sind violettblau, der Absorptionsstreifen rückt mehr nach Rot zu.

Durch die Einführung der Sulfogruppe in den Benzolkern des Indigo wird die Löslichkeit des gebildeten Farbstoffes in Wasser bewirkt, jedoch ohne einen erheblichen Einfluß auf seinen Farbton.

Das Natriumsalz des 5.5'-Disulfoindigo, Indigokarmin D [B], löst sich in Wasser mit blauer Farbe. Die wässerige Lösung gibt ein ähnliches Absorptionsspektrum wie das Indigoblau, der Absorptionsstreifen ist jedoch breiter als bei dem Indigo selbst und symmetrisch.

Das Natriumsalz des Tetrasulfoindigo, Indigotine P [B], gibt aber eine violettblaue Lösung mit einem ähnlichen Absorptionsspektrum wie Indigokarmin D.

Während die Halogenderivate des Indigo sich durch blaue bzw. durch grünlichblaue Farbe auszeichnen, sind die Halogenderivate des Naphtalinindigo, welcher selbst keine Anwendung als Küpenfarbstoff findet, ausgesprochen grün, wie z. B. der Dibrom-bis-naphtindigo, Cibagrün G [J] des Handels, welches in Xylol gelöst, grün und im auffallenden Lichte rötlich erscheint.

Zu den bromierten Naphtalinindigofarbstoffen sind noch Thioindongrün G [K] und Helindongrün G [M] zu zählen.

In der nachfolgenden Tabelle sind Indigo und einige seiner Derivate nebst ihren Absorptionsspektren in Xylol und Tetralin übersichtlich zusammengestellt. Die Zahlen in der Tabelle bedeuten die Wellenlängen in Ångströmschen Einheiten ausgedrückt.

Wissenschaftliche Bezeichnung	Chemische Konstitution	Farbe der Lösung in Xylol und Tetralin	Absorption in Xylol	Absorption in Tetralin
Indigo [Indigo rein BASF]	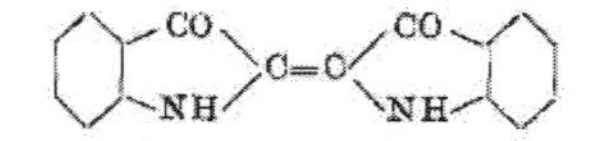	violettblau	5990	6015
6.6'-Dibromindigo	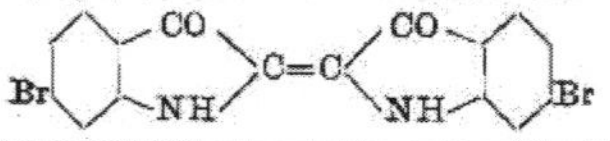	rot	5905 5490	5920 5500
5.5'-Dibromindigo	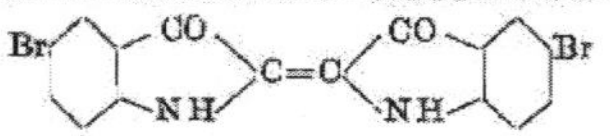	violettblau	6055	6090
5.5'.7-Tribromindigo	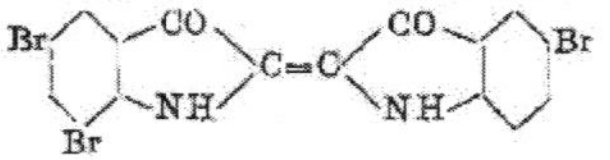	blau	6125	6155
5.7.5'.7'-Tetrabromindigo [Indigo MLB/4B]	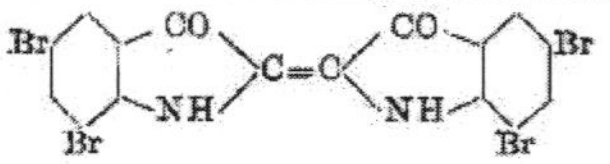	blau	6135	6165
4.5.7.5'.7'-Pentabromindigo	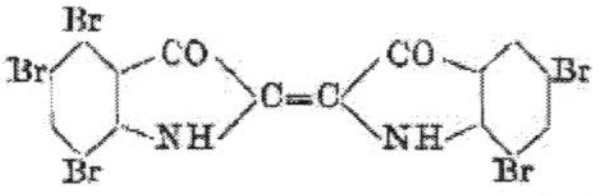	grünlichblau	6150	6180
4.5.7.4'.5'.7'-Hexabromindigo [Indigo MLB/6B]	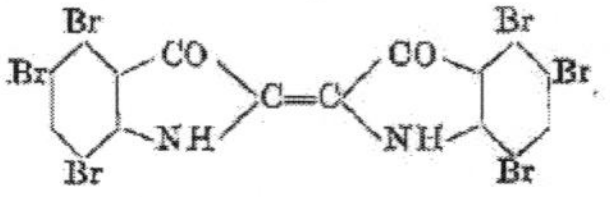	grünlichblau	6160	6190
Oktobromindigo	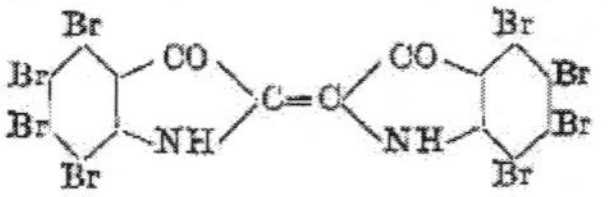	grünlichblau	6115	6135
6.6'-Dichlorindigo	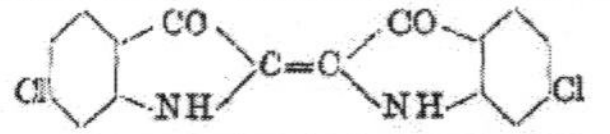	rot	5585 5185	5610 5210
5.7.5'.7'-Tetrachlorindigo [Brillantindigo BASF/B]	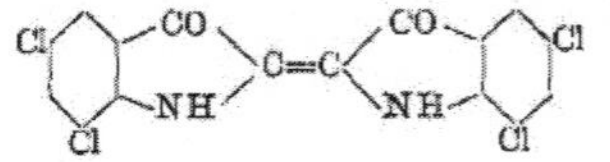	violettblau	6105	6135

Wissenschaftliche Bezeichnung	Chemische Konstitution	Farbe der Lösung in Xylol und Tetralin	Absorption	
			in Xylol	in Tetralin
5.5′-Dichlor-7.7′-dibromindigo [Brillantindigo BASF/2B]	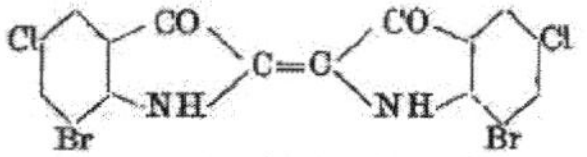	blau	6115	6145
4.4′-Dichlor-5.5′-dibromindigo [Brillantindigo BASF/4G]	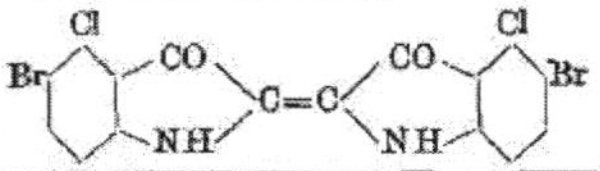	blau	6125	6155
N-Monomethylindigo	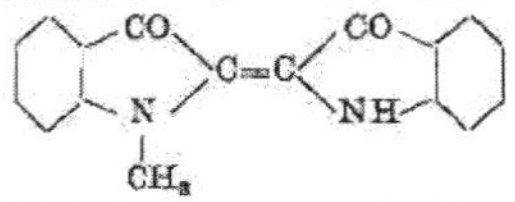	grünlich-blau	6355	6385
N-Dimethylindigo	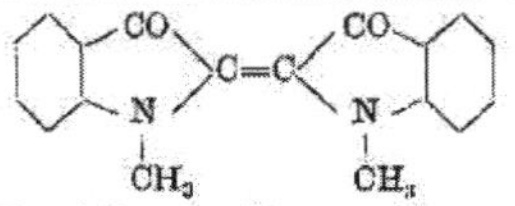	grün	6420	6450
N-Diäthylindigo	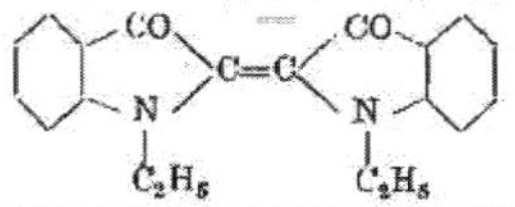	grün	6500	6530
7.7′-Dimethylindigo [Indigo MLB/T]	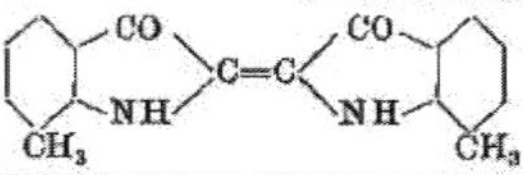	violett-blau	6040	6065
6.6′-Dibrom-1.1′-dimethylindigo	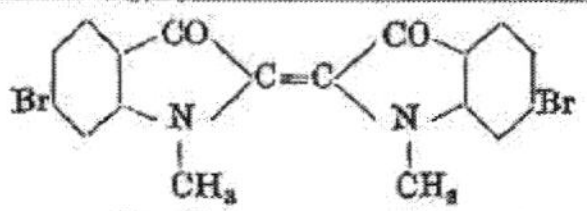	grün	6350	6380
Dibenzoylindigo	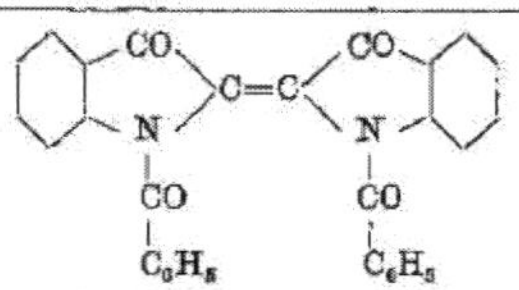	violett-rot	5780 5340	5800 5360
6.6′-Dinitroindigo	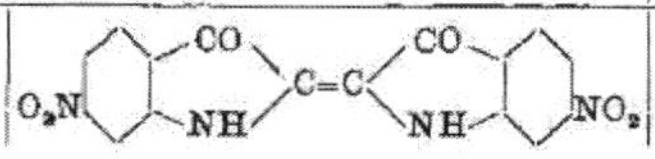	blau	6355	6380

Der 2'-Thionaphten-2-indolindigo

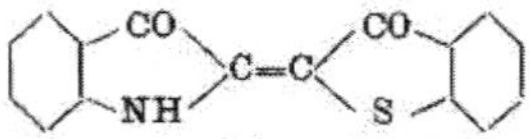

kurz der Monothioindigo, welcher durch Ersatz der einen Iminogruppe im Indigo mit einem Schwefelatom entsteht, bildet einen Übergang zu den Farbstoffen der eigentlichen Thioindigogruppe; derselbe hat in Lösung rotviolette Farbe, die Lösung fluoresziert nicht und gibt ein wesentlich anderes Absorptionsspektrum als Indigo, nämlich zwei Absorptionsstreifen, von denen der erste der stärkste ist und welche stark nach den kürzeren Wellen verschoben erscheinen.

Die Absorptionsspektren der höher bromierten Derivate, wie z. B. der 2-(5-Bromindol)-5-brom-2'-thionaphtenindigo, Cibaviolett 3 B des Handels, zeigen dieselbe Form des Absorptionsspektrums wie das Monothioindigo, und zwar einen stärkeren Streifen (Hauptstreifen) und einen schwächeren Streifen (Nebenstreifen) rechts.

In konzentrierter Schwefelsäure lösen sich die Farbstoffe dieser Gruppe mit blauer und grünblauer Farbe auf; die Lösung zeigt keine Absorptionsstreifen, sondern nur eine einseitige Absorption im Rot und Violett.

Durch den Eintritt eines zweiten Schwefelatomes in das Monothioindigo entsteht der 2.2'-Bis-thionaphtenindigo oder Thioindigo, Thioindigorot B [K] des Handels

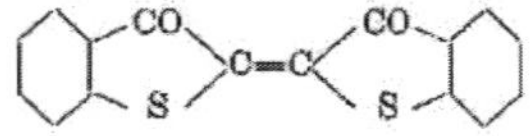

welcher sich in Xylol mit bläulichroter Farbe löst und die Lösung zeigt orangegelbe Fluoreszenz; Schwefelsäure löst es mit grüner Farbe, die Lösung zeigt aber nur eine einseitige Absorption im Rot und Violett.

Die Gruppe des Thioindigo (2.2'-Bis-thionaphtenindigo) ist durch ein Absorptionsspektrum, welches aus einem starken Streifen (Hauptstreifen) und einem schwächeren Streifen (Nebenstreifen) rechts besteht, charakterisiert. Die Farbstoffe dieser Gruppe lösen sich in Xylol und Tetralin meistens leicht, ihre Lösungen fluoreszieren regelmäßig rot oder gelbrot und ihre Absorptionsspektren sind mehr ausgeprägt als bei den Indigoderivaten.

Während bei dem Indigo durch die Substitution von Halogenen und Alkylgruppen in den Benzolresten eine verhältnismäßig geringere Veränderung in der Farbe, ausgenommen die 6.6'-Stellung, bewirkt wird, entstehen aus dem Thioindigo durch die Einführung von verschiedenen Substituenten in verschiedenen Stellungen der beiden Benzolkerne Farbstoffe, welche fast alle Farbtöne von Orangegelb über Rot bis zu Violett aufweisen.

Die nachstehende Tabelle, in welcher verschiedene Farbstoffverbindungen in übersichtlicher Weise zusammengestellt sind, zeigt, welchen Einfluß die Substitution von verschiedenen Atomen und Gruppen im Thioindigo auf die Farbe und die Lage des Absorptionsspektrums ausübt.

Die in der Tabelle angeführten Zahlen bedeuten die Ångströmschen Einheiten.

Wissenschaftliche Bezeichnung	Chemische Konstitution	In Xylol	
		Farbe	Absorption
2'-Thionaphten-2-indol-indigo	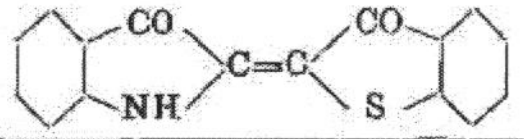	violettrot	5750 5320
2-(5-Bromindol)-5'-brom-2'-thionaphten-indigo [Cibaviolett 3 B]	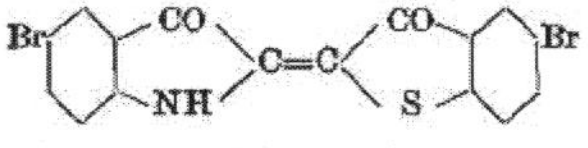	violett	5895 5465
2-(5.7-Dibromindol)-5'-brom-2'-thionaphten-indigo [Cibaviolett B]	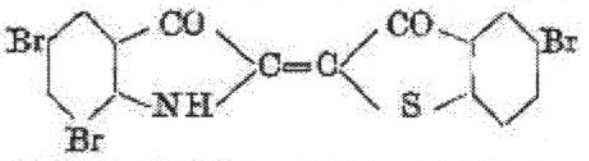	rotviolett	5910 5475
2-(5.7-Dibromindol)-2'-thionaphten-indigo [asym. Dibromküpenblau]	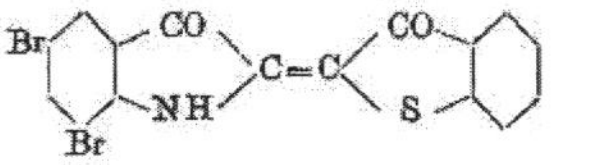	violett	5845 5385
2-(4.5.7-Tribromindol)-2'-thionaphten-indigo [asym. Tribromküpenblau]	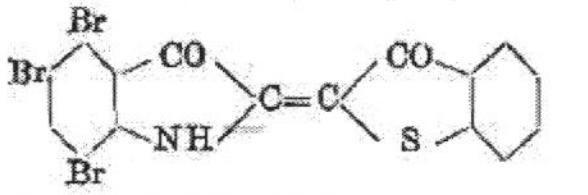	violett	5860 5395
2-Thionaphten-2'-acenaphten-indigo [Cibascharlach G]	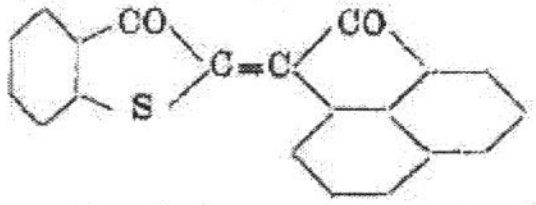	gelbrot, fluoresziert orangegelb	5165 4790
2.2'-Bis-thionaphten-indigo [Thioindigorot B]	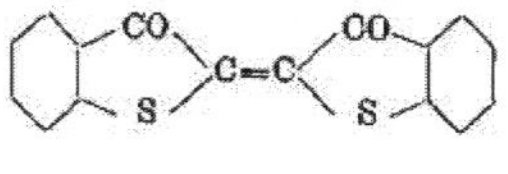	rosarot, fluoresziert orangegelb	5435 5025
5.5'-Dichlor-2.2'-bis-thionaphten-indigo [Helindonrot B]	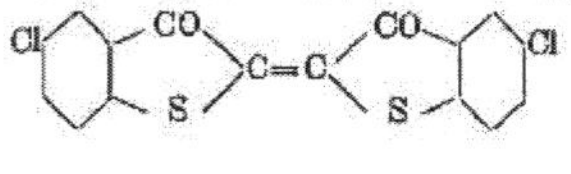	rot, fluoresziert gelbrot	5475 5045
6.6'-Dichlor-2.2'-bis-thionaphten-indigo [Cibarot B]	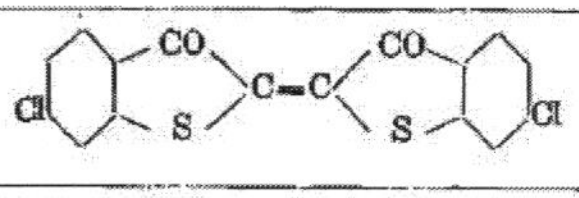	gelbrot, fluoresziert gelbrot	5380 4970
5.5'-Dibrom-2.2'-bis-thionaphten-indigo [Cibabordeaux B]	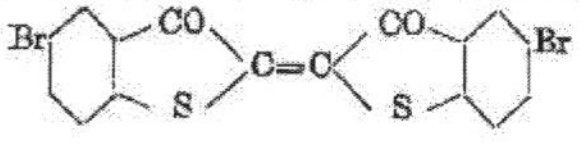	violettrot, fluoresziert rot	5535 5105

Wissenschaftliche Bezeichnung	Chemische Konstitution	In Xylol	
		Farbe	Absorption
5.5'-Dichlor-6.6'-dimethyl-2.2'-bis-thionaphten-indigo [Indanthrenrotviolett RH]	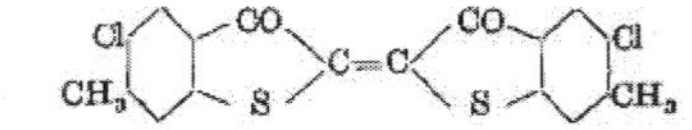	rot	**5640** 5285
6.6'-Dibrom-4.4'-dimethyl-2.2'-bis-thionaphten-indigo [Helindonrosa BN]	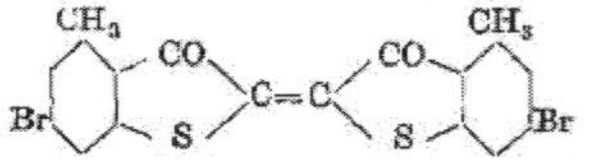	violettrot, fluoresziert orangegelb	**5430** 5005
4.4'-Dimethyl-5.5'-dichlor-7.7'-dimethoxy-2.2'-bis-thionaphten-indigo [Helindonviolett BB]	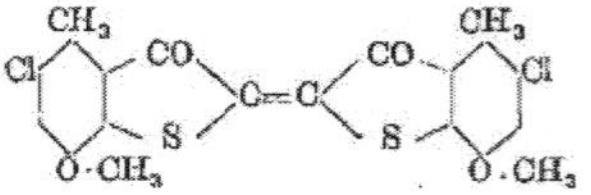	violett, fluoresziert rot	5900 **5535**
5.5'-Dibrom-6.6'-diamino-2.2'-bis-thionaphten-indigo [Helindonorange D]	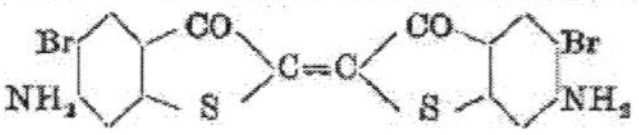	orangegelb	**5190** 4840
6.6'-Diäthoxy-2.2'-bis-thionaphten-indigo [Helindonorange R]	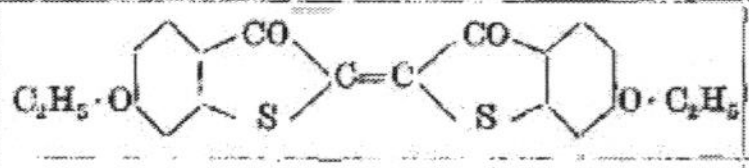	orangegelb	**5185** 4855
6.6'-Diäthylthio-2.2'-bis-thionaphten-indigo [Helindonscharlach S]	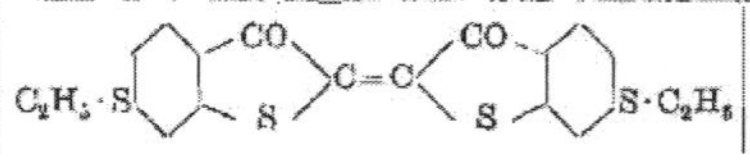	orangegelb	**5345** 4945

Vergleicht man in der Tabelle die Absorptionsspektren des Monothioindigo und des Thioindigo (Thioindigorot B), so sieht man, daß durch den Eintritt des zweiten Schwefelatomes an Stelle der Iminogruppe nicht nur eine stärkere Verschiebung des Absorptionsspektrums nach den kürzeren Wellen stattfindet, sondern durch das zweite Schwefelatom eine orangegelbe bis gelbrote Fluoreszenz der Lösung des Thioindigo hervorgerufen wird.

Die Halogene bewirken je nach ihrer Stellung in den Benzolkernen verschiedene Verschiebung der Absorptionsstreifen, wobei Bromatome in gleicher Stellung wie Chloratome eine stärkere Verschiebung des Absorptionsspektrums nach Rot bewirken als Chloratome.

Das dem Indigo isomere Indirubin

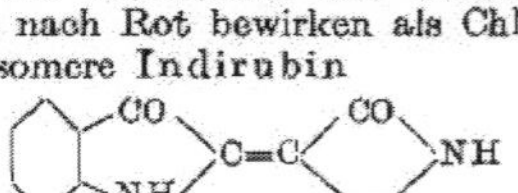

findet wegen seiner geringen Echtheit als Küpenfarbstoff keine Anwendung; im Handel befindet sich aber sein Tetrabromderivat Cibaheliotrop B [J]. Dieser Farbstoff löst sich in Xylol mit rotvioletter Farbe und sein Absorptionsspektrum besteht aus zwei fast gleich starken Absorptionsstreifen.

Die vom 2-Thionaphten-3-indolindigo

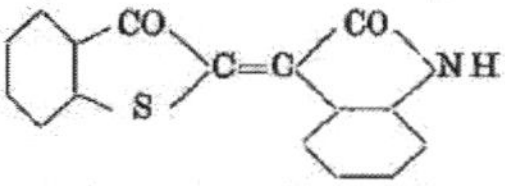

abgeleiteten Farbstoffe haben ein Absorptionsspektrum, welches auch aus einem stärkeren Streifen (Hauptstreifen) und einem schwächeren Streifen (Nebenstreifen) rechts besteht.

Der 2-Thionaphten-3-indolindigo, Thioindigoscharlach R [K] [1]) des Handels, gibt in Xylol eine rote Lösung auch mit zwei Absorptionsstreifen.

Das Dibromderivat dieses Farbstoffes ist Cibarot G [J], welches sich in Xylol mit orangeroter Farbe löst und gibt ein ähnliches Absorptionsspektrum wie Thioindigoscharlach R, jedoch in einer anderen Lage.

Zu den Indigoiden gehören noch gelbe und rote Farbstoffe, welche durch Einwirkung von Benzoylchlorid oder Phenylessigsäurechlorid auf Indigo erhalten werden. In diese Gruppe gehört das Indigogelb 3G Ciba [J], welches sich in Xylol mit gelber Farbe und grüner Fluoreszenz löst und einen schmalen Absorptionsstreifen im violetten Felde des Spektrums gibt [2]).

Das Dibromderivat dieses Farbstoffes ist Cibagelb G [J]; seine Xylollösung ist gelb und zeigt nur eine einseitige Absorption in Blauviolett. Das Absorptionsspektrum dieses Farbstoffes im Ultraviolett ist in der Tafel XXIX abgebildet.

Ein roter Farbstoff dieser Gruppe ist Lackrot Ciba B [J], welches aber nur als Lackfarbstoff verwendet wird.

II. Anthrachinonküpenfarbstoffe.

Die Muttersubstanz der Anthrachinonfarbstoffe, der Kohlenwasserstoff Anthrazen, ist auch in Lösung farblos; seine Lösungen in Äthylalkohol, Amylalkohol, Chloroform und Xylol fluoreszieren blauviolett, namentlich stark unter der Einwirkung der ultravioletten Strahlen.

Die Lösungen von Anthrazen zeigen im sichtbaren Gebiete des Spektrums keine Absorptionsstreifen, dagegen geben sie ein charakteristisches Absorptionsspektrum im Ultraviolett; so gibt die Lösung

[1]) Die chemische Konstitution dieses und der nachfolgenden Farbstoffe findet man in den Farbstofftabellen.

[2]) Dieser Farbstoff soll nach den neuesten Untersuchungen ein Anthrachinonderivat sein (T. Posner - R. Hofmeister: Beiträge zur Kenntnis der Indigogruppe, VII: Vorläufige Mitteilungen über die Konstitution des Farbstoffes Indigogelb 3 G Ciba. Ber. d. Dtsch. Chem. Ges. Bd. 59, S. 1827. 1926). Die ältere Konstitution des Indigogelb 3 G Ciba siehe die Farbstofftabellen.

von Anthrazen in Chloroform im ultravioletten Teile des Spektrums sechs scharfe Absorptionsstreifen bei

3780, 3597, 3416, 3260, 3110 und 2540 (Ångströmsche Einheiten).

Der Diketon des Anthrazens, Anthrachinon, zeichnet sich durch gelbe Farbe aus; sein Absorptionsspektrum liegt noch im Ultraviolett, und zwar zeigt die Chloroformlösung einen Absorptionsstreifen bei 3260.

Die einfachsten Vertreter der Anthrachinonküpenfarbstoffe sind die Acylaminoanthrachinone, welche durch Azylierung von Amino- bzw. Aminooxyanthrachinonen entstehen. Das spektroskopische Verhalten der Amino- und Aminooxyderivaten des Anthrachinons wurde im I. Teile dieses Werkes, S. 202 usw., besprochen.

Diese Verbindungen, obzwar sie stark gefärbt sind, werden als Küpenfarbstoffe nicht verwendet; durch Azylieren entstehen jedoch wertvolle Farbstoffe, deren Verschiedenheit des Farbtones durch verschiedene Lage der Substituenten im Anthrachinonmolekül hervorgerufen wird. Mit dem Farbtone dieser Farbstoffe hängt auch natürlich die Lage des Absorptionsspektrums eng zusammen.

Die Farbstoffe dieser Klasse geben Absorptionsspektren, welche entweder aus zwei oder aus drei Absorptionsstreifen von ungleicher Intensität bestehen, von denen entweder der erste oder der mittlere der stärkste ist.

Charakteristisch für diese Farbstoffe sind die Absorptionsspektren ihrer Lösungen in Schwefelsäure-Borsäure. Die anfangs erschienene Farbe der Lösung des Farbstoffes in konzentrierter Schwefelsäure wird. aber nicht selten gleich verändert, weil eine Verseifung des Farbstoffes stattfindet; das Absorptionsspektrum des Farbstoffes entspricht dann der Muttersubstanz des Farbstoffes, dem ursprünglichen Amino- bzw. dem Aminooxyanthrachinon, aus dem derselbe durch Azylieren hergestellt wurde.

Die Absorptionsspektren der Schwefelsäure- und der Schwefelsäure-Borsäurelösungen zeigen meistens ausgeprägte Streifen (siehe auch I. Teil, S. 203), so daß sie zu den höchst charakteristischen Absorptionsspektren in der ganzen Klasse der Küpenfarbstoffe gehören.

Die nächstfolgende Gruppe der Anthrachinonküpenfarbstoffe ist die Gruppe der Anthrachinonimine, Anthrimide, in welche solche Anthrachinonderivate gehören, die mindestens zwei durch eine Iminogruppe verbundene Anthrachinonkerne enthalten. Je nach der Zahl dieser Anthrachinonkerne unterscheidet man Di-, Tri- und Tetraanthrimide.

Die einfachste Verbindung dieser Klasse, α,α'-Dianthrimid

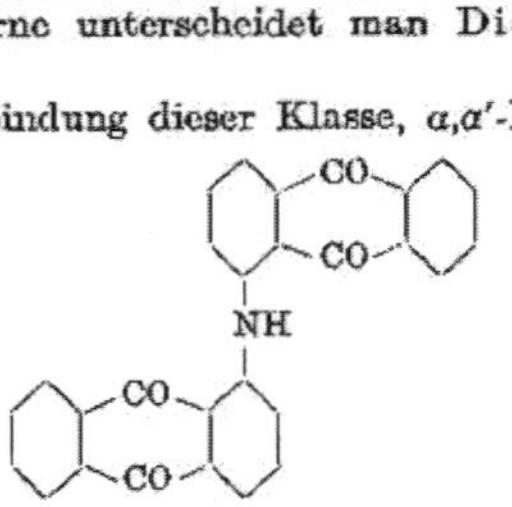

löst sich in Chloroform mit bläulich roter Farbe und die Lösung gibt im sichtbaren Teile des Spektrums drei schwache, verwaschene Absorptionsstreifen. Im Ultraviolett gibt das α,α'-Dianthrimid in Chloroform gelöst einen verwaschenen Absorptionsstreifen ungefähr bei 3500.

α,β-Dianthrimid, welches in den Handel als Indanthrenorange 6 RTK [B] kommt, ist in Xylollösung orangegelb und zeigt nur eine einseitige Absorption in Blauviolett. In konzentrierter Schwefelsäure löst sich dieser Farbstoff mit grüner Farbe auf; die Lösung zeigt auch nur eine einseitige Absorption im Blauviolett. Die blaue Schwefelsäure-Borsäurelösung zeigt jedoch ein Absorptionsspektrum von vier ausgeprägten Streifen.

Zu den Trianthrimiden gehört Anthrarot RT [B], welches in Xylol mit orangegelber Farbe löslich ist. Ein Dimethoxyderivat von Anthrarot RT ist Algolbordeaux 3 B [By]. Seine Lösung in Xylol ist rot.

Ein isomeres Trianthrimid ist Anthrabordeaux B [B]. Dieser Farbstoff löst sich in Xylol mit gelbroter Farbe.

Alle drei Farbstoffe geben in Xylollösung einen verwaschenen Absorptionsstreifen im blauen Felde des Spektrums, in Schwefelsäure-Borsäure bzw. auch in Schwefelsäure jedoch ein Absorptionsspektrum, welches aus mehreren charakteristischen Streifen besteht.

Das Indanthrenkorinth RK [By], ein Nitroderivat von Trianthrimid, löst sich in Xylol mit violettblauer Farbe und die Lösung gibt drei Absorptionsstreifen, von denen der mittlere der stärkste ist. Die Schwefelsäurelösung und die Schwefelsäure-Borsäurelösung sind olivegrün und zeigen im Spektrum mehrere Absorptionsstreifen.

In der Gruppe der Anthrimide ist noch der rote Küpenfarbstoff Algolrot B [By] zu nennen, der in die Untergruppe der Anthrapyridonylimiden gehört. Seine Lösung in Xylol ist rot, das Absorptionsspektrum zeigt zwei fast gleich starke Streifen.

Die Schwefelsäurelösung ist violett, die Schwefelsäure-Borsäurelösung ist rot und gibt im Spektrum drei scharfe Absorptionsstreifen.

Karbazolderivate der Anthrimide sind die Farbstoffe Indanthrengelb RK [B] und Hydrongelb NF [C]. Der erste Farbstoff ist in Xylol unlöslich, in Schwefelsäure löst er sich mit braunroter Farbe und die Lösung zeigt zwei ungleiche Absorptionsstreifen.

Hydrongelb NF löst sich nur in Schwefelsäure mit orangegelber Farbe und zeigt nur eine einseitige Absorption im Blauviolett.

Die weitere Klasse von Anthrachinonküpenfarbstoffen, die Benzanthrongruppe, welche als kondensierte Anthrachinone aufzufassen sind, enthält meistens blaue und violette Farbstoffe. Diese Farbstoffe sind, soweit sie ein charakteristisches Absorptionsspektrum geben, durch drei Absorptionsstreifen, von denen entweder der erste oder der mittlere am stärksten ist, ausgezeichnet; ihre Schwefelsäure- oder Schwefelsäure-Borsäurelösungen geben regelmäßig auch Absorptionsspektren, welche aus mehreren Streifen bestehen.

Das Violanthron (Dibenzanthron)

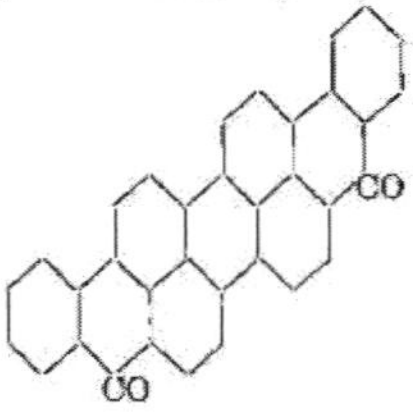

als Handelsfarbstoff Indanthrendunkelblau BO [B], ist kein einheitliches Erzeugnis; auch seine grüne Derivate Caledon Jade Green [SD] sind außer Caledon Jade Green Supra nicht einheitlich.

Indanthrenviolett RT [B], ein Halogenderivat des Violanthrons, ist nicht mehr im Handel.

Ein Nitroderivat des Violanthrons, Anthragrün B [B], gibt in Xylol violettrote Lösung mit orangegelber Fluoreszenz und einen Absorptionsstreifen im Blau.

Bei Verküpung dieses Farbstoffes entsteht wahrscheinlich das Aminoviolanthron, welches grün ist; durch Oxydation der Ausfärbung entsteht ein schwarzer Farbstoff.

Dem Violanthron isomer ist das Isoviolanthron, der in den Handel als Indanthrenviolett R extra [B] kommt, aber kein einheitliches Erzeugnis ist. Seine Lösung in Xylol ist rotviolett und fluoresziert rot.

Zu den Halogenderivaten dieser Gruppe gehören noch Indanthrenviolett B extra [B], welches auch nicht einheitlich ist und Indanthrenviolett 2 R extra [B].

Zu den Farbstoffen der Indanthrongruppe gehört das Indanthrenblau RS [B], früher Indanthrenblau S. Es löst sich nur in Schwefelsäure mit braungelber Farbe und die Lösung zeigt vier Absorptionsstreifen.

Das Dichlorindanthren, Indanthrenblau GCD [B], ist nur in Schwefelsäure mit braungelber Farbe löslich. Das Dibromindanthren, Indanthrenblau GC [B], ist in Xylol nur schwer löslich; in Schwefelsäure löst es mit gelbbrauner Farbe. Beide Farbstoffe geben in schwefelsaurer Lösung drei Absorptionsstreifen.

Das Monobromindanthren Indanthrenblau RC [B], ist in Xylol mit violetter Farbe und roter Fluoreszenz löslich; die Schwefelsäurelösung ist gelbbraun, und gibt ein ähnliches Absorptionsspektrum wie das Indanthrenblau GC.

Ersetzt man im Indanthren beide Wasserstoffatome der Iminogruppen durch Methylgruppen, so gelangt man zu dem N-Dimethylindanthren, Indanthrenblau RK [By], früher Algolblau K des Handels.

Auch dieser Farbstoff ist nur in konzentrierter Schwefelsäure mit braungelber Farbe löslich und gibt im Spektrum drei Absorptionsstreifen.

Ein Dioxyindanthren ist Indanthrenblau 5 G [By], früher Algolblau 3 G, welches sich in Xylol mit rotvioletter Farbe, in Schwefelsäure mit olivegrüner Farbe löst.

Ein grüner Farbstoff dieser Klasse ist Diaminomonobromindanthren, welches im Handel als Indanthrengrün BB [By], früher Algolgrün B vorkommt; dieser Farbstoff löst sich in Xylol schwer, in Tetralin leicht mit violetter Farbe; in konzentrierter Schwefelsäure löst es sich mit blaugrüner, in Schwefelsäure-Borsäure mit gelbgrüner Farbe und roter Fluoreszenz. Beide Lösungen geben im Spektrum vier Absorptionsstreifen.

Der einfachste Vertreter der Farbstoffe der Flavanthrongruppe ist Flavanthron, als Handelsfarbstoff Indanthrengelb G [B]. Es löst sich in Xylol mit gelber Farbe und schwacher grüner Fluoreszenz; die Lösung zeigt nur einen Absorptionsstreifen. Die Schwefelsäurelösung ist orangegelb und gibt das Absorptionsspektrum von drei Streifen.

Ein stickstofffreies Analogon des Flavanthrons ist das Pyranthron, im Handel als Indanthrengoldorange G [B]. Die Lösung dieses Farbstoffes in Xylol ist gelb und zeigt ein Absorptionsspektrum, welches aus zwei Streifen besteht, von denen der erste stärker ist; Schwefelsäure löst es mit violettblauer Farbe.

Die Halogenderivate des Pyranthrons sind verschieden, Indanthrengoldorange R [B], welche durch Chlorieren des Pyranthrons erhalten wird und bromiertes Pyranthren Indanthrenorange 4 R [B], früher Indanthrenscharlach G. Seine Lösung in Xylol ist gelb und fluoresziert grün; das Absorptionsspektrum dieses Farbstoffes besteht aus zwei schmalen Absorptionsstreifen, von denen der erste stärker ist. In Schwefelsäure löst sich der Farbstoff mit grünlichblauer Farbe.

Die Kombination der Anthrachinon- und der Akridonfarbstoffe sind die Anthrachinonakridone. Die einfachste Verbindung dieser Gruppe ist Anthrachinonakridon

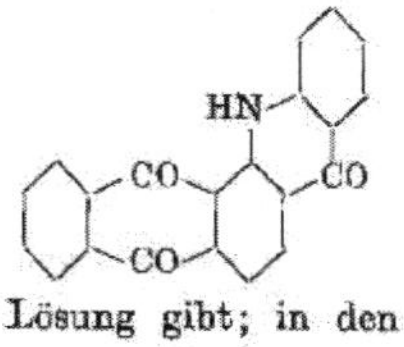

welches eine rotviolette Lösung gibt; in den Handel wurde es nicht eingeführt.

Ein Handelsfarbstoff dieser Gruppe ist ein Naphtakridon, Indanthrenrot RK [B]. Seine gelbrote Lösung in Xylol zeigt im Spektrum zwei Absorptionsstreifen.

Die weitere Gruppe von Küpenfarbstoffen zeichnet sich durch besondere Mannigfaltigkeit aus, indem sie solche Farbstoffe umfaßt, welche aus einem Thionaphten- oder einem Indolrest und einer beliebigen Komponente, einem Naphtol, Oxyanthranol, Azenaphtenchinon usw. zusammengesetzt sind. So bildet z. B. der Alizarinindigo G [By] gewissermaßen ein Zwischenglied unter den Indigoiden und den

Anthrazenfarbstoffen, Alizarinindigo 3 R [By] zwischen den Indigoiden und den Naphtalinfarbstoffen.

Alizarinindigo G [By] löst sich in Xylol mit blauer Farbe, Alizarinindigo 3 R mit grünlichblauer Farbe und beide Farbstoffe geben ein Absorptionsspektrum, welches aus drei Absorptionsstreifen besteht, von denen der erste am stärksten ist.

Das Kondensationsprodukt des 3-Oxythionaphtens mit Azenaphtenchinon, der 2-Thionaphtenazenaphtenindigo, Cibascharlach G[J] des Handels, löst sich in Xylol mit rosaroter Farbe und fluoresziert orangegelb; sein Absorptionsspektrum besteht aus zwei ungleich starken Streifen, die Schwefelsäurelösung ist bläulichgrün und gibt im Spektrum keine Absorptionsstreifen.

Mit dem Cibascharlach G [J] sind Thioindigoscharlach 2G [K] und Helindonechtscharlach C [M] identisch.

Ein Monobromderivat des Thioindigoscharlachs 2 G ist Cibarot R [J], welches sich in Xylol mit gelbroter Farbe löst und das Absorptionsspektrum von ähnlicher Form gibt wie die vorigen Farbstoffe.

Zu dieser Gruppe gehört ferner das Tribromaminoderivat Ciba-orange G [J], dessen gelbe Lösung im sichtbaren Teile des Spektrums nur eine einseitige Absorption im Blauviolett zeigt. Das Absorptionsspektrum dieses Farbstoffes im Ultraviolett ist in der Tafel XXIX dargestellt.

Die letzte Gruppe von Küpenfarbstoffen bilden verschiedene schwefelhaltige Verbindungen von unbekannter Konstitution, unter denen das Karbazolderivat Hydronblau [C] und verwandte Farbstoffe die wichtigste Rolle spielen.

Von den schwefelhaltigen Anthrachinonküpenfarbstoffen sind besonders die Cibanonfarbstoffe der Gesellschaft für Chemische Industrie in Basel zu nennen. Diese Gruppe von Küpenfarbstoffen, welche meistens einen doppelten Färbecharakter hat, zumal sie als Küpenfarbstoffe und zugleich Schwefelfarbstoffe verwendet werden, bietet in spektroskopischer Beziehung nur weniger Interesse (siehe II. Teil, S. 9).

Diese Farbstoffe sind nämlich in den üblichen organischen Lösungsmitteln meistens unlöslich, und sofern sie überhaupt in Lösung gebracht werden können, zeigen sie kein charakteristisches Absorptionsspektrum. Dabei sind sie als Gemische von zusammengesetzten Verbindungen spektroskopisch nicht einheitlich.

Einteilung der Küpenfarbstoffe in spektroskopische Gruppen.

Zum Unterschiede von den anderen Farbstoffen werden die Küpenfarbstoffe in einzelne Gruppen nur nach der Beschaffenheit ihrer Absorptionsspektren in Xylol und Tetralin eingeteilt, da sonst bei der verhältnismäßig geringeren Anzahl der Küpenfarbstoffe im Vergleiche zu der sehr großen Anzahl der übrigen Farbstoffe die gleichzeitige Berücksichtigung ihres Farbentones diese Einteilung unnötig komplizieren würde.

Die Küpenfarbstoffe werden daher nach der Form ihrer Absorptionsspektren, welche den Formen der Absorptionsspektren der in vorigen Lieferungen behandelten Farbstoffe vollkommen entsprechen, in zehn Gruppen eingeteilt.

Gruppe I. Diese Gruppe bilden jene Farbstoffe, welche in Xylol und Tetralin gelöst, nur einen breiteren Absorptionsstreifen mit einem gleichmäßig nach rechts verlängerten Schatten geben; bei starker Verdünnung verschwindet dieser Schatten, der Absorptionsstreifen wird bedeutend schmäler, und mit Ausnahme von Indigoblau und weniger halogenierten Indigoderivaten symmetrisch.

Die Beschaffenheit des Absorptionsspektrums entspricht der Form des Absorptionsspektrums der grünen und blauen Triphenylmethanfarbstoffe der Gruppe I (siehe II. Teil, S. 53).

Am Ende des erwähnten Schattens bleibt bei stärkerer Verdünnung der Lösung ein sehr schwacher, kaum wahrnehmbarer Absorptionsstreifen zurück; derselbe erscheint zwar auch bei den grünen und blauen Triphenylmethanfarbstoffen der Gruppe I, aber bedeutend schwächer als bei den Küpenfarbstoffen; er wird aber auch bei der Feststellung der Küpenfarbstoffe nicht berücksichtigt (siehe Tafel XXV, Zeile 1).

Diese Gruppe bilden die Farbstoffe der Indigogruppe; manche Farbstoffe dieser Gruppe zeichnen sich durch Dichroismus ihrer Lösungen aus.

Gruppe II. In diese Gruppe gehören jene Farbstoffe, deren Lösungen in Xylol und Tetralin nur einen breiteren, symmetrischen oder bei einigen Farbstoffen einen nach rechts, bei anderen nach links unsymmetrischen Absorptionsstreifen geben. Gelbe und einige orangegelbe Farbstoffe dieser Gruppe zeigen in Lösung einen ganz schmalen, symmetrischen Absorptionsstreifen (siehe Tafel XXV, Zeile 2).

In diese Gruppe gehören hauptsächlich substituierte Aminoanthrachinone, Anthrachinonimine, Anthrachinonakridone und Farbstoffe der Flavanthron- und Indigogelbgruppe.

Gruppe III. Diese Gruppe bilden jene Farbstoffe, welche in Xylol und Tetralin gelöst ein Absorptionsspektrum geben, welches aus einem stärkeren, symmetrischen, seltener unsymmetrischen Streifen (Hauptstreifen) und einem schwächeren Streifen (Nebenstreifen) rechts besteht. Gelbe und orangegelbe Farbstoffe dieser Gruppe geben ganz schmale Absorptionsstreifen.

Der Nebenstreifen ist bei manchen Farbstoffen mitunter sehr schwach und nur bei konzentrierteren Lösungen wahrnehmbar, man muß daher bei der Feststellung der Gruppe auch eine konzentriertere Lösung der Farbstoffe sorgfältig untersuchen. Bei starker Verdünnung erscheint der Hauptstreifen bedeutend schmäler und der Nebenstreifen verschwindet teilweise oder vollständig aus dem Spektrum (siehe Tafel XXV, Zeile 3).

Viele Farbstoffe dieser Gruppe zeichnen sich meistens durch verschieden starke gelbrote oder orangegelbe Fluoreszenz ihrer Lösungen aus.

In diese Gruppe gehören hauptsächlich die Farbstoffe der Thioindigogruppe.

Gruppe IV. In diese Gruppe gehören jene Farbstoffe, welche in Xylol und Tetralin gelöst im Spektrum einen Doppelstreifen, d. i. zwei, mitunter verschwommene, nahe aneinander liegende, verhältnismäßig breitere, meist symmetrische Absorptionsstreifen von gleicher oder fast gleicher Intensität geben. Der zweite Absorptionsstreifen kann nur gering schwächer als der erste sein, er hat aber nicht den Charakter eines Nebenstreifens; die Intensität der beiden Streifen darf daher untereinander nur wenig variieren (siehe Tafel XXV, Zeile 4).

Gruppe V. Diese Gruppe bilden jene Farbstoffe, welche im Spektrum einen Doppelstreifen, d. i. zwei nahe aneinander liegende, meistens symmetrische Absorptionsstreifen geben, von denen der erste Absorptionsstreifen (Nebenstreifen) schwächer und mitunter schmäler ist, der zweite Absorptionsstreifen (Hauptstreifen) stärker und breiter erscheint (siehe Tafel XXV, Zeile 5).

Die Streifen sind manchmal verwaschen und in einigen Fällen nähert sich die Intensität des ersten Streifens (Nebenstreifens) teilweise der Intensität des Hauptstreifens.

In diese Gruppe gehören hauptsächlich die Farbstoffe der Thioindigo- und Indanthrongruppe.

Gruppe VI. Diese Gruppe besteht aus den Farbstoffen, welche in Xylol und Tetralin gelöst im Spektrum drei Absorptionsstreifen zeigen, von denen der erste links (der Hauptstreifen), der stärkste, der zweite Streifen schwächer und der dritte Streifen der schwächste ist (siehe Tafel XXV, Zeile 6).

Der dritte Streifen (Nebenstreifen) rechts erscheint manchmal selbst bei konzentrierteren Lösungen so schwach, daß er nur wenig wahrnehmbar ist.

Bei starker Verdünnung der Lösung ist der dritte Absorptionsstreifen gewöhnlich nicht sichtbar. Die Absorptionsstreifen sind symmetrisch als auch unsymmetrisch, regelmäßig nach der rechten Seite allmählich abfallend. Die Lösungen dieser Farbstoffgruppe fluoreszieren nicht selten rot, orangerot oder orangegelb.

Hierher gehören Anthrachinonküpenfarbstoffe, und zwar hauptsächlich Violanthronderivate und Alizarinindigofarbstoffe.

Gruppe VII. In diese Gruppe gehören jene Farbstoffe, deren Lösungen in Xylol und Tetralin ein Absorptionsspektrum geben, welches aus drei Absorptionsstreifen besteht, von denen der mittlere Absorptionsstreifen (Hauptstreifen) der stärkste ist (s. Tafel XXV, Zeile 7). Der erste Absorptionsstreifen links (Nebenstreifen) ist stets schwächer als der mittlere Streifen, mitunter so schwach wie der dritte Absorptionsstreifen rechts, welcher letztere der schwächste ist und bei starker Verdünnung gewöhnlich aus dem Spektrum verschwindet.

Die Absorptionsstreifen sind regelmäßig symmetrisch, der mittlere Streifen (Hauptstreifen) mitunter unsymmetrisch, in seiner Intensität regelmäßig nach rechts, seltener nach links abfallend.

Die Farbstofflösungen dieser Gruppe fluoreszieren regelmäßig rot, orangerot oder orangegelb.

Die Gruppe faßt meistens Anthrachinonküpenfarbstoffe (Benzanthron-Derivate und substituierte Aminoanthrachinone) um.

Gruppe VIII. Diese Gruppe bilden jene Farbstoffe, welche in Xylol oder Tetralin gelöst, keine Absorptionsstreifen zeigen, sondern nur einseitig im blauvioletten oder im roten Felde des Spektrums oder aber beiderseits des Spektrums absorbieren Ihre Lösungen in Schwefelsäure und Schwefelsäure-Borsäure zeigen jedoch im Spektrum regelmäßig einen oder mehrere Absorptionsstreifen (siehe Tafel XXV, Zeile 8).

Diese Gruppe enthält eine geringere Anzahl von gelben, gelbgrünen und olivegelben Farbstoffen, meistens Anthrachinon- und Karbazolderivaten.

Gruppe IX. In diese Gruppe gehören jene Farbstoffe, welche in Xylol und Tetralin unlöslich, in Schwefelsäure oder Schwefelsäure-Borsäure jedoch löslich sind und ihre Lösungen im Spektrum Absorptionsstreifen von verschiedener Intensität und Schärfe geben.

Nach der Zahl der Absorptionsstreifen der Schwefelsäurelösung wird diese Gruppe in drei Untergruppen geteilt, und zwar:

a) Gruppe mit einem Absorptionsstreifen,
b) Gruppe mit zwei Absorptionsstreifen,
c) Gruppe mit drei bzw. mehreren Absorptionsstreifen.

Die Gruppe IX umfaßt braune, gelbe, orangegelbe, blaue, olivegrüne und schwarze Farbstoffe, meistens Anthrachinonabkömmlinge, auch schwefelhaltige Farbstoffe, und ferner blaue Indanthronderivate.

Gruppe X. In diese Gruppe wurden Farbstoffgemische aufgenommen, und zwar solche, deren Lösungen ein Absorptionsspektrum geben, welches wenigstens aus drei Streifen besteht. Sie sind nicht selten durch die Beschaffenheit ihres Absorptionsspektrums und gegenseitige Stellung der Absorptionsstreifen so charakterisiert, daß man sie auf den ersten Blick fast ohne Messung der Lage der Absorptionsstreifen leicht erkennen kann, wie z. B. Indanthrendunkelblau BO [B], Caledon Jade Green [SD], Anthrene Green GG [NCW], Hydronreinblau FK [C] in Schwefelsäure usw.

Viele von diesen Farbstoffen sind nicht absichtlich dargestellte Gemische, sondern sie enthalten in wechselnden Mengen Nebenprodukte, welche im Verlaufe der Erzeugung sich durch die Nebenreaktion gebildet haben.

Farbstoffgemische, welche nur geringe Mengen von farbigen Nebenprodukten als auch Farbstoffgemische, welche den Anschein eines einheitlichen Farbstoffes haben, sind auch in den Tabellen der einheitlichen Farbstoffe mit entsprechenden Anmerkungen angeführt.

Auf die Absorptionsspektren der Küpen, welche man sich durch Reduktion des Farbstoffes mit Natriumhydrosulfit und Kali- oder Natronlauge vorbereiten kann, wurde Rücksicht nur bei solchen Küpenfarbstoffen genommen, welche in Xylol und Tetralin überhaupt nicht löslich sind, weil die sonst in Xylol, Tetralin und Schwefelsäure löslichen Farbstoffe durch die Absorptionsspektren in diesen Lösungsmitteln genügend charakterisiert sind.

Die Absorptionsspektren der Küpen sind sonst wenig beständig, ihre Beschaffenheit und Lage ist mitunter von der Stufe der Reduktion abhängig.

Untersuchung der Küpenfarbstoffe.

Wahl des Lösungsmittels.

Die Küpenfarbstoffe lösen sich in den zur Untersuchung von anderen Farbstoffen angewandten Lösungsmitteln Wasser, Äthylalkohol und Amylalkohol meistens nicht. Auch höhere Alkohole lösen die Küpenfarbstoffe fast gar nicht. Es wurde daher nach einem Lösungsmittel gesucht, welches die Küpenfarbstoffe am besten löst, wobei die Farbstofflösung zur Messung geeignete Absorptionsstreifen gibt und das Lösungsmittel selbst möglichst billig ist.

Aus den überhaupt zu diesem Zwecke ausprobierten Lösungsmitteln Essigsäure, Ameisensäure, Benzol, Toluol, Mesitylen, Kumol und den noch höheren Homologen des Benzols, ferner Anilin, Dimethyl- und Diethylanilin, Nitrobenzol, Chloroform, Azeton, Azetylentetrachlorid, Dioxan, Tetralin (Tetrahydronaphtalin), Dekalin (Dekahydronaphtalin), Cyclohexan, Cyclohexanol (Hexalin), Methylcyclohexanol (Heptalin), Pyridin und Schwefelsäure eignen sich am besten Xylol, Tetralin und Schwefelsäure; die in denselben gelösten Farbstoffe geben die besten Absorptionsspektren.

Höhere Homologe des Benzols, namentlich Kumol, lösen zwar die Küpenfarbstoffe besser als Xylol, aber in reinem Zustande sind sie bedeutend teuerer als Xylol.

Benzol und Toluol sind zwar billiger als Xylol, aber sie lösen die Küpenfarbstoffe nicht so glatt wie Xylol und außerdem sind die Absorptionsspektren der Küpenfarbstoffe in diesen Lösungsmitteln nicht so ausgeprägt wie in Xylol. Im allgemeinen sind die Küpenfarbstoffe in den Homologen des Benzols um so leichter löslich, je höher diese Homologe sieden.

Pyridin löst zwar die Küpenfarbstoffe gut, es ist aber wegen seines widerlichen Geruches zu laufenden Untersuchungen nicht verwendbar.

Chloroform löst die Küpenfarbstoffe auch gut, aber die in demselben gelösten Farbstoffe geben unscharfe Absorptionsspektren; außerdem ist das Chloroform zu teuer und seine Verwendung empfiehlt sich zu laufenden Untersuchungen wegen seiner betäubenden Dämpfe nicht.

Die übrigen Lösungsmitteln lösen die Küpenfarbstoffe schlechter und die mit denselben vorbereiteten Farbstofflösungen geben außerdem verwaschene, manchmal zur Messung ungeeignete Absorptionsstreifen.

Das Tetralin löst von allen hier angeführten Lösungsmitteln die Küpenfarbstoffe am besten, nicht selten auch in den Fällen, wo diese Farbstoffe in Xylol nur schwer löslich sind.

Das zum Auflösen der Küpenfarbstoffe verwendete Xylol und Tetralin müssen möglichst rein sein. Das technische Xylol enthält gewöhnlich Toluol und höhere Homologe des Benzols und diese haben auf die Lage der Absorptionsstreifen einen deutlichen Einfluß, wie später unten gezeigt wird.

Das käufliche Xylol enthält nicht selten über 50% Benzol und Toluol und deshalb kann man sich verschiedene Angaben der Wellenlängen über die Absorptionsspektren der Küpenfarbstoffe von verschiedenen Beobachtern erklären.

Man muß daher zu diesem Zwecke reines wasserhelles Xylol verwenden, und zwar in den Siedegrenzen von 138° bis 143°, oder sich ein solches aus technischem Xylol durch sorgfältige fraktionierte Destillation darstellen.

Wie bekannt, besteht das käufliche Xylol aus Ortho-, Meta- und Para-Xylol. Durch sorgfältige Messungen der Lage der Absorptionsspektren von vielen Farbstoffen wurde festgestellt, daß es gleichgültig ist, ob man als Lösungsmittel Ortho-, Meta- oder Para-Xylol verwendet, die Lage der Absorptionsstreifen der in diesen Benzolderivaten gelösten Küpenfarbstoffe bleibt praktisch genau dieselbe. Die Lage des Absorptionsspektrums wird daher durch den wechselnden Gehalt von den eben genannten Isomeren im käuflichen Xylol praktisch nicht beeinflußt.

Das zur Untersuchung der Küpenfarbstoffe verwendete Tetralin muß auch möglichst rein und wasserhell sein, man verwende dazu das im Handel befindliche sog. „gereinigte Tetralin" vom spezifischen Gewichte etwa 0,973° bei 15° und dem Siedepunkte zwischen 198° bis 207° C. Natürlich muß man sich selbst über den richtigen Siedepunkt des verwendeten Tetralins überzeugen, bzw. dieses fraktioniert umdestillieren. Auch das gereinigte Tetralin wird am Tageslichte bald stark gelb und absorbiert dann im violetten Felde des Spektrums, wodurch die Beobachtung der Absorptionsspektren von gelben und orangegelben Farbstoffen gestört wird; solches gelbe Tetralin ist daher zur Untersuchung der gelben Farbstoffe nicht brauchbar.

Um das Gelbwerden des Tetralins zu vermeiden, wird in einer Flasche je 1 l Tetralin mit 50 g Tierkohle gemischt, an der Schüttelmaschine vier Stunden geschüttelt und dann umdestilliert. Das so erhaltene farblose Tetralin muß dann im dunklen Raume aufbewahrt, und bei den laufenden Untersuchungen der Küpenfarbstoffe in einer kleineren Flasche, am besten aus braunem Glas, verwendet werden, sonst wird es allmählich wieder gelb.

Bei der Aufbewahrung einer größeren Menge von Tetralin pflegt man zu demselben einige Stücke von Natrium zuzusetzen, was aber nicht nötig ist, wenn das Tetralin sorgfältig nach dem eben angeführten Verfahren behandelt wurde.

Das zum Auflösen der Küpenfarbstoffe verwendete und durch diese gefärbte Xylol und Tetralin werden nach beendeter Untersuchung nicht weggeschüttet, sondern in zwei Vorratsflaschen gesammelt; wenn ihre Menge größer ist, so werden sie wieder umdestilliert und können von neuem angewandt werden. Auf diese Weise kann man mit einem kleineren Vorrat des Xylols und des Tetralins bei vielen Proben auskommen.

Einfluß des Lösungsmittels auf die Lage der Absorptionsstreifen.

Wie im I. Teile, S. 19, dieses Werkes gezeigt wurde, haben verschiedene Lösungsmittel einen bedeutenden Einfluß auf die Lage des Absorptionsspektrums. Bei Verwendung von Alkoholen als Lösungsmittel verschieben sich die Absorptionsstreifen regelmäßig um so mehr nach den längeren Wellen, je höherer Alkohol zum Auflösen der Farbstoffe angewandt wird. So z. B. liegt der Absorptionsstreifen des Malachitgrüns in Methylalkohol gelöst bei 6180 [1]), in Äthylalkohol gelöst verschiebt er sich auf 6210, in Propylalkohol auf 6220, in Butylalkohol auf 6225, in Amylalkohol auf 6235, in Hexylalkohol auf 6255 und in Benzylalkohol auf 6340.

Bei den Küpenfarbstoffen findet jedoch eine regelmäßige Verschiebung der Absorptionsstreifen nach einer und derselben Seite des Spektrums bei Anwendung von Benzol und seinen Homologen nicht statt. Wenn man als Grundlage Benzol nimmt, so rücken die Absorptionsstreifen in Toluol nach den kürzeren Wellen, in Xylol und höheren Homologen des Benzols, sowie auch in Tetralin, wieder allmählich nach den längeren Wellen.

In der nachfolgenden Tabelle sind einige Beispiele der Verschiebung von Absorptionsstreifen der Küpenfarbstoffe angegeben.

Handelsname	Absorptionsstreifen in					
	Benzol	Toluol	Xylol	Mesitylen	Kumol	Tetralin
Indigo MLB/6 B [M]	6160 [1])	6140	6155	6155	6165	6185
Indigo MLB/2 B [M]	6070	6040	6050	6050	6070	6090
Thioindigorot B [K]	**5445** 5030	**5425** 5015	**5435** 5025	**5435** 5025	**5440** 5030	**5460** 5045
Hydronrosa FF [C]	**5385** 4970	**5370** 4955	**5380** 4965	**5380** 4965	**5385** 4970	**5400** 4985
Indanthrengoldorange G [B]	**4745** 4450	**4725** 4435	**4740** 4445	**4740** 4445	**4745** 4450	**4765** 4460

Einfluß der Temperatur auf die Lage des Absorptionsspektrums.

Es wurde in diesem Werke (I. Teil, S. 27 und II. Teil, S. 10) eingehend gezeigt, daß die Lage der Absorptionsstreifen von der Temperatur der Farbstofflösung abhängig ist und daß es daher nötig ist, die

[1]) Wellenlänge in Ångströmschen Einheiten ausgedrückt.

Farbstofflösungen bei der Zimmertemperatur ungefähr zwischen 16° und 24° zu untersuchen, in welchen Temperaturgrenzen die Änderung der Lage der Absorptionsstreifen so gering ist, daß sie auf die Untersuchung von Farbstoffen keinen praktischen Einfluß hat.

Diese Erscheinung trifft auch bei den Küpenfarbstoffen zu, mitunter in etwas höherem Grade auf.

Manche Küpenfarbstoffe sind in Xylol oder auch in Tetralin ziemlich schwer löslich und so muß man sie mit diesen Lösungsmitteln ziemlich stark erwärmen, um sie in Lösung zu bringen. Die Lage der Absorptionsstreifen der heißen und der Absorptionsstreifen der auf die Zimmertemperatur abgekühlten Lösung ist aber wesentlich verschieden; die Absorptionsstreifen verschieben sich nämlich um so mehr nach den kürzeren Wellenlängen, je wärmer die Lösung ist; somit würde man zu falschen Ergebnissen kommen, wenn man die warme Lösung untersuchen würde.

Heiße Farbstofflösungen haben nicht selten auch andere Farbe als kalte Lösungen. So ist z. B. die siedend heiße Xylollösung von Indigo rötlichviolett, die kalte Lösung blauviolett.

Man muß daher die in der Wärme vorbereiteten Lösungen von Küpenfarbstoffen vorher auf die Zimmertemperatur abkühlen, sei es durch längeres Stehen der Lösung oder durch Abkühlen derselben mit kaltem Wasser und bei genauen wissenschaftlichen Messungen die Temperatur der Lösung kontrollieren.

Die nachstehende Tabelle zeigt, wie sich die Lage des Absorptionsspektrums einiger Küpenfarbstoffe mit der Temperatur der Lösung verändert.

Handelsname	Lösungsmittel	Temperatur der Lösung			
		± 0°	20°	50°	100°
		Absorptionsstreifen			
Indigo MLB/6 B [M]	Xylol	6165 [1])	6155	6120	6095
	Tetralin	6195	6185	6150	6130
Indigo BASF rein [B] [2])	Xylol	—	5990	5960	5900
	Tetralin	—	6015	5970	5920
Thioindigorot B [K]	Xylol	**5445** 5030	**5435** 5025	**5410** 5000	**5400** 4990
	Tetralin	**5475** 5060	**5460** 5045	**5435** 5020	**5415** 4945

[1]) Wellenlänge in Ångströmschen Einheiten ausgedrückt.
[2]) Beim Abkühlen auf 0° scheidet sich der Farbstoff aus der Lösung aus.

Handelsname	Lösungsmittel	Temperatur der Lösung			
		± 0°	20°	50°	100°
		Absorptionsstreifen			
Helindonrosa BN [M]	Xylol	5435 5010	**5430** 5005	**5410** 4980	**5400** 4960
	Tetralin	**5455** 5030	**5450** **5025**	**5430** 5000	**5410** 4975
Cibascharlach G [J]	Xylol	**5175** 4795	**5165** 4790	**5145** 4710	**5115** 4680
	Tetralin	**5205** 4835	**5195** 4820	**5170** **4735**	**5150** 4715
Indanthrengoldorange G [B][1])	Xylol	— —	**4740** **4445**	**4700** 4410	**4680** 4390
	Tetralin	— —	**4765** 4460	**4725** **4435**	**4710** 4415

Veränderlichkeit der Absorptionsspektren von Küpenfarbstoffen.

Durch zahlreiche Versuche wurde festgestellt, daß bei einheitlichen Farbstoffen beim Einhalten der im nachfolgenden Aufsatze angeführten Vorsichtsmaßregeln es gleichgültig ist, ob man die Küpenfarbstoffe bei Zimmertemperatur oder in der Wärme auflöst, die Absorptionsspektren ihrer auf die Zimmertemperatur abgekühlten Lösungen bleiben vollkommen gleich und auch nach mehrtägigem Stehen der Lösung unverändert, nur in seltenen Fällen ändert sich die Tetralinlösung nach längerem Stehen, wenn sie dem direkten Tageslichte ausgesetzt ist, und somit natürlich auch ihr Absorptionsspektrum.

Bei manchen indigoiden Farbstoffen, welche aus verschieden halogenierten, nahestehenden Derivaten von ungleicher Löslichkeit bestehen, also bei den Gemischen dieser Derivate, kann es vorkommen, daß sich das Absorptionsspektrum der vorher in der Wärme vorbereiteten und dann auf die Zimmertemperatur abgekühlten Lösung nach längerem Stehen solcher Lösung etwas verschiebt. Die Ursache dieser Erscheinung liegt darin, daß sich der schwieriger lösliche Bestandteil des Farbstoffes bei längerem Stehen der Lösung allmählich ausscheidet und somit nur das Absorptionsspektrum der mehr löslichen Komponente erscheint.

Dies gilt auch für einige Farbstoffgemische anderer Gruppen.

Bei manchen Farbstoffgemischen kann es auch vorkommen, daß die bei Zimmertemperatur und die in der Wärme vorbereitete Lösung die Absorptionsstreifen zwar in gleicher Lage, aber von verschiedener Intensität gibt. Diese Erscheinung beruht ebenfalls auf verschiedener Löslichkeit der einzelnen Komponenten.

---

[1]) Beim Abkühlen auf 0° scheidet sich der Farbstoff aus der Lösung aus.

So erscheint im Spektrum der bei der Zimmertemperatur vorbereiteten Lösung von Indanthrenviolett B [B] der erste Nebenstreifen nur schwach, wenn man aber beim Auflösen dieses Farbstoffes stärker erwärmt und die Lösung wieder allmählich abkühlen läßt, so erscheint dieser Streifen intensiv, seine Lage im Spektrum bleibt jedoch dieselbe wie die der bei der Zimmertemperatur vorbereiteten Lösung.

Eine ähnliche Erscheinung wurde bei Cibagrau G beobachtet. Dieser Farbstoff, bei Zimmertemperatur in Xylol und Tetralin gelöst, gibt drei Absorptionsstreifen, von denen der mittlere Streifen der stärkste ist, wogegen der erste Streifen links nur schwach erscheint. Wenn man aber das Cibagrau G in der Wärme auflöst und dann wieder auf die Zimmertemperatur allmählich abkühlt, so erscheint bei Xylollösung im Spektrum der erste Absorptionsstreifen bedeutend verstärkt, bei Tetralinlösung tritt dieser Streifen am stärksten auf. Ähnlich verhält sich das Cibagrau B; bei der in der Wärme bereiteten Xylollösung von Cibagrau B erscheint schon auch der erste Absorptionsstreifen am stärksten. Die Lage der Absorptionsstreifen bei der bei Zimmertemperatur und bei der in der Wärme vorbereiteten und wieder abgekühlten Lösungen ist jedoch verschieden.

Man kann diese Erscheinung sich dadurch erklären, daß beide Farbstoffe nicht einheitlich sind und daß deren eine Komponente sich erst in der Wärme vollständig auflöst und somit die Änderung des Absorptionsspektrums und seine Lage beeinflußt.

Bei den Küpenfarbstoffen Indanthrenrot RK [B], Helindonechtscharlach R [M], Thioindigoscharlach 2 G [K], Cibascharlach G [J], Helindonorange R [M], Thioindigoorange R [K] und noch anderen verwandten orangegelben Farbstoffen beobachtet man eine eigentümliche Erscheinung. Verdünnt man nämlich die frische konzentriertere Lösung solcher Farbstoffe in Xylol oder in Tetralin allmählich und beobachtet sie gleichzeitig mittels des Spektroskopes, so sieht man anfangs das Absorptionsspektrum der Gruppe III, nämlich neben einem stärkeren einen schwächeren Streifen rechts, aber nach kurzer Zeit, manchmal sogleich, verschiebt sich dieser schwächere Absorptionsstreifen langsam nach den kürzeren Wellen, seine Intensität verstärkt sich und erreicht die Intensität des ersten Streifens, so daß man vor sich jetzt das Absorptionsspektrum der Gruppe IV hat, nämlich zwei gleich starke Absorptionsstreifen, wobei die Lage des ersten Streifens unverändert bleibt.

Oder aber wird bei Verdünnung der Lösung der Nebenstreifen unter gleichzeitiger Verschiebung nach rechts schließlich stärker als der erste Streifen, so daß das Absorptionsspektrum der Gruppe V, nämlich neben einem schwächeren Streifen ein stärkerer Streifen rechts entsteht. Auch in diesem Falle bleibt die Lage des ersten Streifens, nun des Nebenstreifens, unverändert.

Bei manchen Farbstoffen, wie z. B. bei Cibarot B [J] bleibt das Absorptionsspektrum der Xylollösung auch nach starkem Verdünnen unverändert, das Absorptionsspektrum der Tetralinlösung wird aber durch Verdünnung der Lösung so verändert, daß der Nebenstreifen allmählich dieselbe Intensität erreicht wie der Hauptstreifen, und man hat nun vor sich das Absorptionsspektrum der Gruppe IV.

Eine seltsame Erscheinung wurde bei Paradonviolett B konz. Paste [H] beobachtet.

Die Lösung dieses Farbstoffes in Xylol gibt im Spektrum drei Absorptionsstreifen, von denen der mittlere der stärkste ist, also das Absorptionsspektrum der Gruppe VII.

Wenn man aber die Lösung etwa drei Stunden stehen läßt, so verschieben sich allmählich der zweite und der dritte Absorptionsstreifen nach rechts unter gleichzeitiger teilweiser Abschwächung der Intensität, wogegen der erste Absorptionsstreifen sich allmählich verstärkt; seine Lage bleibt jedoch unverändert, so daß dann das Absorptionsspektrum der Gruppe VI entsteht, nämlich drei Absorptionsstreifen, von denen der erste der stärkste ist.

Dieselbe Veränderung des Absorptionsspektrum findet sich auch bei der Lösung dieses Farbstoffes in Tetralin.

Das Absorptionsspektrum der Lösung von Paradonviolett B Powder ändert sich jedoch nach längerem Stehen nicht. Überhaupt wurde manchmal beobachtet, daß sich der Farbstoff in Teig anders spektroskopisch verhält als der Farbstoff in Pulver.

Worauf alle diese eben beschriebenen Erscheinungen beruhen, muß erst durch eingehende Untersuchungen festgestellt werden.

Man muß daher nach dem Auflösen der Küpenfarbstoffe, sei es in Xylol oder in Tetralin stets die frische, bzw. die auf die Zimmertemperatur abgekühlte Lösung untersuchen.

Auch müssen die Lösungen der Küpenfarbstoffe in Schwefelsäure oder in Schwefelsäure-Borsäure sogleich untersucht werden, denn es kann vorkommen, daß sich das Absorptionsspektrum nach längerem Stehen der Lösung vollständig verändern kann, oder aber die vorhandenen Absorptionsstreifen aus dem Spektrum allmählich verschwinden.

So gibt z. B. die gelbgrüne schwefelsaure Lösung des Indigoblaus im Violett zwei Absorptionsstreifen, welche aber bald aus dem Spektrum unter gleichzeitigem Blauwerden der Lösung verschwinden.

Bei Farbstoffen in Schwefelsäure und Schwefelsäure-Borsäure ändert sich mitunter manchmal schon nach kurzem Stehen die Intensität der Absorptionsstreifen und gegebenenfalls die Lage derselben; die Ursache dieser Erscheinung liegt darin, daß eine teilweise Verseifung des Farbstoffes stattfindet und damit auch die Änderung des Absorptionsspektrums. Diese Erscheinung kann man namentlich bei manchen Algolfarbstoffen, wie z. B. bei Algolrosa [R] beobachten.

In den später folgenden Tabellen werden solche Veränderungen der Absorptionsspektren angeführt.

Auflösen der Küpenfarbstoffe.

Küpenfarbstoffe lösen sich in Xylol meistens gut schon bei der Zimmertemperatur, schneller durch gelindes Anwärmen mit dem Lösungsmittel und bleiben auch nach Abkühlung der Lösung gelöst.

Eine geringere Anzahl der Küpenfarbstoffe, hauptsächlich Indigo und einige seiner weniger halogenierter Derivate, wie z. B. Indigo MLB/R [M] und Indigo rein BASF/R [B], ferner einige Farbstoffe der Indanthrengruppe, wie z. B. Indanthrenrot RK [B], Helindonorange R [M] und Indanthrengelb G [B], lösen sich zwar beim Erwärmen in Xylol gut, aber beim Abkühlen der Lösung scheiden sie sich wieder allmählich aus.

In solchen Fällen kann man so verfahren, daß man die in der Wärme vorbereitete Lösung des Farbstoffes mit kaltem Wasser auf die Zimmertemperatur abkühlt und nach dem Absetzen bzw. nach dem Abfiltrieren des ungelöst gebliebenen Farbstoffes die einigermaßen übersättigte Lösung sogleich spektroskopisch untersucht. Die kurze Zeit, bevor sich der Farbstoff aus der Lösung abzuscheiden und somit sein Absorptionsspektrum zu verblassen beginnt, genügt zur Feststellung der Lage der Absorptionsstreifen.

Die Untersuchung der noch schwach gefärbten Flüssigkeit, in welcher geringe Mengen von Farbstoff zurückbleiben, kann jedoch mit Vorzug in einer dickeren Schicht, nämlich in Reagenzgläsern von 25 bis 50 mm Durchmesser, bequem vorgenommen werden.

In Tetralin lösen sich die Küpenfarbstoffe gewöhnlich besser als in Xylol, nicht selten in den Fällen, wo sie in Xylol schwer löslich sind und bleiben meistens in der Lösung auch dann, wo sie sich sonst aus der Xylollösung ausscheiden.

Wenn der Farbstoff bei gelindem längerem Erwärmen mit Xylol oder mit Tetralin schwierig in Lösung geht, so muß man ihn mit dem betreffenden Lösungsmittel stärker erhitzen.

Obzwar Küpenfarbstoffe ziemlich temperaturbeständig sind, so ist es doch ratsam, sie beim Auflösen in Tetralin nicht zu stark zu erhitzen, namentlich nicht bis zum Siedepunkte des Tetralins (ungefähr 207°), da einige Farbstoffe dadurch vollständig verändert werden können und dann ein falsches Absorptionsspektrum geben würden. Auch kann bei Überhitzung die Lösung entfärbt werden.

Bei Verwendung von Xylol kann man die Auflösung der Küpenfarbstoffe ohne Gefahr bis zu seinem Siedepunkte (ungefähr 140°) vornehmen.

Da man voraus nicht wissen kann, ob ein einheitlicher Farbstoff oder ein Farbstoffgemisch vorliegt, so empfiehlt es sich, um stets gleiche Ergebnisse zu erzielen, so zu verfahren, daß man eine kleine Messerspitze des Farbstoffes in etwa 10 ccm Xylol bzw. Tetralin bringt, gut durchmischt, erwärmt und bei Zimmertemperatur unter zeitweiligem Durchschütteln der heißen Flüssigkeit ungefähr 30 Minuten stehen läßt, damit auch die vielleicht in dem Farbstoffe vorhandene schwieriger lösliche Komponente inzwischen in die Lösung übergehen kann. Nachher wird die klare Lösung von dem restlichen Farbstoffe abgetrennt und gleich spektroskopisch untersucht.

Oder man bringt einige Milligramme des Farbstoffes durch Erwärmen möglichst vollständig in Lösung, damit bei dem nicht einheitlichen Farbstoffe alle seine Bestandteile in Lösung gehen und somit das Absorptionsspektrum das Resultat sämtlicher Farbstoffkomponenten vorstellt.

Nach dem Abkühlen wird die Lösung gleich untersucht.

Liegt der Farbstoff in Teig (Paste) vor, so rührt man den Teig gut durch und verdampft die nötige Menge desselben auf dem Wasserbade zur Trockene; sodann löst man je einen Teil des Rückstandes in Xylol, Tetralin, in Schwefelsäure und Schwefelsäure-Borsäure. In Schwefelsäure und Schwefelsäure-Borsäure löst man den Farbstoff knapp vor der Untersuchung.

Wenn sich der Farbstoff in Xylol und Tetralin auch bei längerem und stärkerem Erwärmen nicht löst, bzw. nur in so geringen Mengen, daß die Lösung nur schwache verschwommene und zur genaueren Messung ungeeignete Absorptionsstreifen gibt, wie es bei manchen Algol- und Indanthrenfarbstoffen zutrifft, so kann man ihn in den genannten Lösungsmitteln als unlöslich annehmen; in diesem Falle löst man dann den Farbstoff in Schwefelsäure und in Schwefelsäure-Borsäure, in welchen sich sämtliche Küpenfarbstoffe lösen.

Bei Anwendung der Schwefelsäure-Borsäure zum Auflösen der Küpenfarbstoffe (siehe I. Teil, S. 206) fügt man dem Farbstoffe geringe Mengen, etwa ein Kubikzentimeter konzentrierter Schwefelsäure zu, dann etwa 3—4 ccm Schwefelsäure-Borsäure und erwärmt stärker, aber vorsichtig, damit man sicher ist, daß der Borsäureester sich gebildet hat. Eine gelinde Erwärmung auf dem Wasserbade genügt bei den Küpenfarbstoffen in manchen Fällen nicht.

Die reduzierten Küpenfarbstoffe, welche unter der Bezeichnung „Küpe fest" in den Handel gewöhnlich in kleinen Körnern kommen, lösen sich außer im Xylol, Tetralin und Schwefelsäure auch in Wasser; ihre wässerige Lösungen geben im allgemeinen gut meßbare Absorptionsspektren (s. S. 598 u. 599).

Indigosole[1]) bilden in nicht oxydiertem Zustande meistens ein gelblich, grünlich, rötlich oder grauweißes Pulver, wonach man sie erkennen kann, nur das Indigosolgrün IB ist dunkel rotbraun gefärbt; sie lösen sich in Wasser, die wässerige Lösung gibt jedoch kein Absorptionsspektrum. Wenn man sie aber oxydiert, so lösen sich die aus ihnen gebildeten Küpenfarbstoffe in Xylol und Tetralin.

Zu diesem Zwecke verrührt man den betreffenden Indigosol in einer Porzellanschale mit etwas Wasser zu einem dünnen Brei, setzt so viel verdünnte Schwefelsäure, ungefähr 1:20 tropfenweise zu, bis sich der Brei gerade zu färben beginnt, dann ein Kubikzentimeter 1%iger Kaliumbichromatlösung, zu welcher nur so viel berechnete Menge von Schwefelsäure zugesetzt wurde, daß die Chromsäure frei wird (auf 1 Mol Kaliumbichromat 1 Mol Schwefelsäure) und verdampft dann auf dem Wasserbade vollständig zur Trockene, bzw. neutralisiert man die Säure mit einigen Tropfen Sodalösung. Der durch Oxydation gebildete Farbstoff löst sich dann in Xylol und Tetralin.

Wenn man die Indigosole auf einem flachen Uhrglase in einer ganz dünnen Schicht dem direkten Tageslichte oder dem Sonnenlichte aussetzt und öfters durchmischt, so färben sie sich, manche schnell, andere

[1]) Zirkular Indigosol O (Sol K 2) J. G. G. Friedländer: Über Indigosol O in der Praxis. Melliand Textilberichte. Mannheim 1926. Nr. 8 und 9.

wieder erst nach längerer Zeit, je nach ihrer chemischen Zusammensetzung; so färbt sich z. B. Indigosol 04 B allmählich grünblau, Indigosolrosa HR und Indigosolrot HR schneller rot usw.

Die so an der Luft und Licht oxydierte Indigosole lösen sich dann in Xylol und Tetralin und geben dieselben Absorptionsspektren wie die mit Kaliumbichromat oxydierte Sole. Diese Oxydation der Indigosole durch Licht wird durch Beleuchtung mit einer Quecksilberlampe bedeutend beschleunigt.

Das Abziehen der Küpenfarbstoffe von der Faser macht im allgemeinen keine besondere Schwierigkeiten, es gelingt meistens gut mit Xylol und auch mit Tetralin in der Wärme.

Farbstoffe der Indigogruppe lassen sich von der Faser um so besser abziehen, je mehr sie halogeniert sind. Wenig halogenierte oder wenig alkylierte Indigoderivate lösen sich von dem Stoffe nur durch stärkeres Erhitzen mit dem betreffenden Lösungsmittel, sie scheiden sich jedoch nach dem Abkühlen der Lösung, wie die Farbstoffe in Substanz, wieder allmählich aus (siehe S. 606).

Farbstoffe der Thioindigogruppe lösen sich von dem Stoffe durch Behandeln mit Xylol und Tetralin in der Wärme leicht; auch Anthrachinonküpenfarbstoffe, Hydronfarbstoffe und Alizarinindigoderivate lassen sich von dem Stoffe in den meisten Fällen abziehen. Schwefelküpenfarbstoffe gehen nicht selten schwierig in Lösung.

Wenn der Farbstoff sich bei Behandeln mit Xylol bzw. mit Tetralin auch in der Wärme von dem Stoffe nicht abziehen läßt, ein Zeichen, daß er auch in Substanz in Xylol und Tetralin unlöslich ist, so übergießt man ein kleines Stück des Stoffes in einem Reagenzglas mit wenig konzentrierter Schwefelsäure, schüttelt ungefähr eine Minute und trennt die Schwefelsäurelösung von dem Stoffe ab, bevor die Säure auf den Stoff selbst einwirkt, sonst wird die Lösung schwarz und zur spektroskopischen Untersuchung unbrauchbar.

Das Pyridin, welches zum Auflösen der Küpenfarbstoffe hie und da empfohlen wird, eignet sich zum Abziehen der Farbstoffe von der Faser wegen seines stechenden Geruches nicht, um so weniger, da es Küpenfarbstoffe nicht besser löst als Tetralin.

Bestimmung der Farbstoffgruppe und der Lage des Absorptionsspektrums.

Für die Bestimmung der Küpenfarbstoffe gelten dieselben Vorsichtsmaßregeln, welche im I. Teile, S. 32, und im II. Teile, S. 1 usf., angegeben wurden.

Statt die Meßskala mittels Natriumlinie zu kontrollieren, kann man die Richtigstellung der Skala des Spektroskopes auch mittels der stark verdünnten, frischen, wässerigen Permanganatlösung vornehmen.

Man wählt zu diesem Zwecke nur die schärfsten Absorptionsstreifen bei 5705, 5465, 5248, 5047 und 4868.

Bei der Bestimmung der Gruppe des Farbstoffes, namentlich der Gruppe VI und VII, muß man vorher die konzentriertere Farbstofflösung untersuchen und dann diese vorsichtig stufenweise und allmählich bei gleichzeitiger Beobachtung mittels des Spektroskopes verdünnen, damit man den im Spektrum vielleicht vorkommenden, manchmal sehr schwachen Absorptionsstreifen nicht übersieht und somit den Farbstoff nicht falsch in die Gruppe einreiht, in welche er seinem Absorptionsspektrum nach nicht gehört.

Ein weniger geübter Beobachter kann nämlich den im Spektrum vorkommenden schwachen dritten Absorptionsstreifen, z. B. bei den Absorptionsspektren einiger Alizarinindigofarbstoffe, leicht übersehen.

Zur Untersuchung der Absorptionsspektren bei verschiedenen Schichtendicken kann man mit Vorzug die Absorptionsröhre nach Bally-Desch (siehe II. Teil, S. 401) verwenden.

Farbstoffe, welche zwei oder drei Absorptionsstreifen im Spektrum geben, müssen nicht einheitlich sein; beim Feststellen, ob ein Farbstoffgemisch vorliegt oder nicht, richte man sich nach den Regeln, welche im II. Teile dieses Werkes, S. 24 usw., angegeben worden sind.

Die Absorptionsspektren der reinen Farbstoffverbindungen müssen nicht mit den ihnen entsprechenden Handelsfarbstoffen vollständig übereinstimmen; namentlich kann man es bei den halogenierten Derivaten des Indigo beobachten. So z. B. weicht das Absorptionsspektrum von reinem Tetrabromindigo von dem entsprechenden Indigo MLB/4B etwas ab. Auch löst sich Indigo MLB/4B leichter in Xylol und bleibt in der Lösung, wogegen reines Tetrabromindigo schwieriger in Xylol löslich ist und sich beim Stehen der Lösung teilweise ausscheidet.

Demnach scheint es, im Einklang mit den Literaturangaben, daß dem Indigo MLB/4B etwas Pentabromindigo, welches sich in Xylol leichter löst, beigemischt ist. Ebenfalls weichen die Absorptionsspektren von Hexabromindigo und Indigo MLB/6B gering voneinander ab; wahrscheinlich enthält Indigo MLB/6B etwas Pentabromindigo.

Viele andere indigoide halogenierte Handelsfarbstoffe enthalten auch außer dem Hauptprodukte geringe Beimischungen von verschiedener, mehr oder weniger halogenierten Derivaten, so daß ihre Absorptionsspektren etwas von den reinen Verbindungen abweichen können. Es muß der Messung der Lage der Absorptionsstreifen von Küpenfarbstoffen, deren Absorptionsstreifen nahe einander liegen, eine große Sorgfalt gewidmet werden, um so mehr, da bei den Farbstoffen, welche breitere Absorptionsstreifen im Spektrum zeigen, man mit einem Beobachtungsfehler von ± 5 Ångströmschen Einheiten rechnen muß.

Ein weniger geübter Beobachter kann bei oberflächlicher Beobachtung einen Fehler bis zehn Ångströmeinheiten machen und somit den unrichtigen Farbstoff treffen. Bei schmalen Absorptionsstreifen kann auch der weniger geübte Beobachter bei sorgfältiger Einstellung keinen größeren Fehler als ± 5 Ångströmsche Einheiten machen.

In unsicherem Falle entscheidet bei den Absorptionsspektren mit zwei ungleich starken Streifen der Nebenstreifen oder das Absorptionsspektrum des Farbstoffes in Schwefelsäure und Schwefelsäure-Borsäure.

Wer sich mit der spektroskopischen Untersuchung der Farbstoffe oft beschäftigt, muß ein gesundes Auge haben und ist es ratsam, daß er sich sein Auge von dem Augenarzt erproben läßt, namentlich wer

39*

kurzsichtig ist, sonst kann er bei der Untersuchung der Farbstoffe zu falschen Ergebnissen kommen.

Bei der Messung der Lage der Absorptionsstreifen stellt man das Fadenkreuz auf die dunkelste Stelle des Streifens, wobei als Regel gilt, daß nur der Absorptionsstreifen als unsymmetrisch angenommen wird, welcher auch bei starker Verdünnung der Lösung unsymmetrisch bleibt, denn es kommt öfters vor, daß der Streifen bei stärkerer Konzentration der Lösung unsymmetrisch ist, bei weiterer Verdünnung der Lösung aber symmetrisch erscheint.

Wenn man glaubt, daß das Fadenkreuz auf die dunkelste Stelle des Absorptionsstreifens richtig eingestellt ist, drehe man die Skalentrommel zuerst um 5 Skalenteile nach vorwärts, beobachte das Kreuz,

Fig. 44.

ob es nicht außer der dunkelsten Stelle des Streifens steht, dann drehe man die Trommel so weit zurück, bis das Fadenkreuz wieder auf der dunkelsten Stelle des Absorptionsstreifens steht, dann weiter um 5 Trommelteile nach rückwärts und beobachte das Fadenkreuz wieder. Wenn bei den Einstellungen +5 und −5 von der dunkelsten Stelle des Streifens das Fadenkreuz in beiden Fällen außer seiner dunkelsten Stelle erscheint, dann war die Messung richtig.

Zur Feststellung der Identität der Absorptionsspektren eignet sich gut das Spektroskop mit Reagenzglaskondensor, mit welchem man Absorptionsspektren von zwei Farbstoffen gleichzeitig vergleichen kann. Diese Vorrichtung, welche in Fig. 44 abgebildet ist, liefern die optischen Werkstätten C. Zeiß in Jena; sie dient dazu, um dem Beobachter eine zweite Lichtquelle zu ersparen, eignet sich aber nur für kleine Handspektroskope.

Die optische Anordnung der ganzen Apparatur ist die folgende:

Die in Fig. 44 punktiert angedeutete Lampe L, eine kugelförmige matte Birne von 25 Kerzen, ist von dem schwarzen Schutzrohre überdeckt, um den Beobachter nicht zu blenden. Der Kondensor *K* bildet *L* durch die Reagenzgläser hindurch in der Spaltebene des Spektroskopes ab und beleuchtet gleichzeitig die Wellenlängeteilung *WL*. Die Reagenzgläser R_1 R_2 werden durch federnde Hebel *H* an das in seiner metallenen Fassung verborgene Hüfnerprisma *P* angedrückt, das mit zwei hohlzylindrischen polierten Aussparungen versehen ist. In diese passen nur Reagenzgläser von etwa 16 mm Durchmesser. Durch die vereinigte optische Wirkung des Kondensors, der gefüllten Reagenzgläser und der Hohlzylinderflächen des Prismas entstehen in der Spaltebene, an die die scharfe Kante des Prismas angeschoben ist, zwei sich verlängernde helle, sich in der Kante berührende Brennlinien. So wird die Lupe des Spektroskopes reichlich mit Licht erfüllt, und man erblickt im Okulare zwei in einer scharfen senkrechten Trennungslinie zusammenstoßende nebeneinander liegende Spektren mit wagerechten Absorptionsbanden.

Für das große Gitterspektroskop wird diese Vorrichtung nur zum Gebrauche von Küvetten verfertigt [1]).

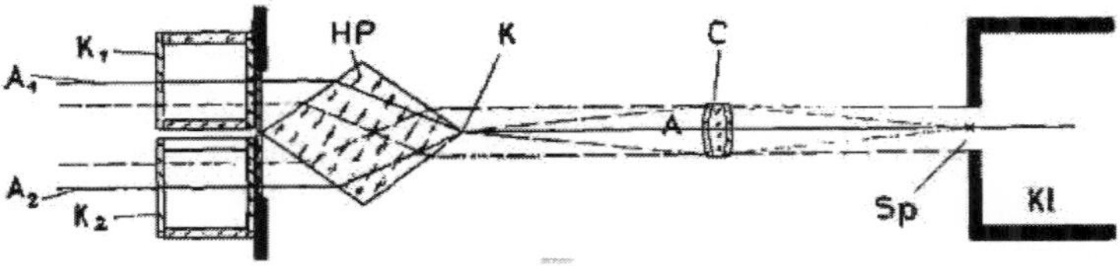

Fig. 45.

Die Wirkungsweise des Hüfnerschen rhombischen Prismas wird durch die Fig. 45 veranschaulicht; der obere gestrichelte Strahl wird durch die Wirkung der parallelen Flächen, durch die er ein- und austritt, parallel verschoben. Stellt man sich vor, daß er langsam höher rückt, so kommt er schließlich in die Lage des ausgezogenen Strahles, der gerade in Höhe der scharfen Kante austritt. In dieselbe Lage beim Austritt kommt der untere punktierte Strahl, wenn man ihn allmählich tiefer und tiefer rückt. So werden die beiden ausgezogenen, vor dem Eintritte im Abstande A_1A_2 nebeneinander herlaufenden Strahlen durch das Hüfnersche Prisma *HP* in unmittelbare Nachbarschaft gebracht.

Die scharfe Kante *K* gibt eine ideale Trennungslinie, in der das obere und das untere Büschel sich berühren. Läßt man nun das obere Strahlenbüschel durch den oberen Trog K_1 und das untere durch den unteren Trog K_2 treten, so sieht man im Spektroskop die Spektren, wenn auch mit vertauschter Höhenlage, sich in einer scharfen, fast verschwindenden Trennungskante berühren, was den Vergleich der Absorptionsstreifen ungemein erleichtert.

Die Untersuchung der gelben Küpenfarbstoffe in Ultraviolett ist schwieriger, da man die üblichen Lösungsmittel, Wasser und Äthylalkohol, bei den Küpenfarbstoffen nicht gut anwenden kann.

[1]) F. Löwe (Jena): Spektroskopische Methoden des Mediziners. Berlin und Wien: Urban u. Schwarzenberg 1926.

Xylol und Tetralin können für die Untersuchung im Ultraviolett nicht verwendet werden, weil sie dort selbst stark absorbieren. Dagegen hat sich das Chloroform als geeignet für diese Untersuchungen erwiesen, weil es bis etwa 2500 Ångströmsche Einheiten ziemlich gut durchlässig ist, keine selektive Absorption in dem in Betracht kommenden Spektralgebiete zeigt und die Küpenfarbstoffe gut löst.

In der Tafel XXIX sind die Spektren einiger gelber Küpenfarbstoffe in vier Konzentrationen: 1 : 20 000, 1 : 10 000, 1 : 15 000 und 1 : 5000 bei der Schichtendicke der Lösung von 10 mm abgebildet, und zwar

	Absorptionsstreifen	
Küpengelb 6G [Gr]	4200	—
Cibagelb G [J]	4160	3250
Helindongelb CG [M]	3900	2620
Helindongelb DAGC [M]	3050	—
Cibaorange G [J]	—	3200

Als Lichtquelle für die Aufnahmen diente kondensierter Uran-Molybdänfunke; zu denselben wurden gewöhnliche Bromsilbergelatineplatten verwendet und die Exposition dauerte 30 Sekunden.

Bei den anderen gelben, namentlich bei den Küpenschwefelfarbstoffen, welche im sichtbaren Felde des Spektrums keine charakteristische Absorption zeigen, wurden im Ultraviolett keine charakteristischen Spektrogramme erhalten, weil sich diese Farbstoffe in Chloroform nicht gut lösen und ihre Absorptionsspektren unscharf und manchmal gänzlich verwaschen erscheinen.

Erläuterungen zu den Farbstofftabellen und Tafeln.

In den nachfolgenden Farbstofftabellen sind die Küpenfarbstoffe, ihre Löslichkeit, ihre Absorptionsspektren in Xylol, Tetralin, Schwefelsäure und Schwefelsäure-Borsäure, womöglich auch ihre chemische Konstitution, soweit sie bekannt ist, angeführt, und der Zweck der Anwendung dieser Farbstoffe angegeben.

Nachdem viele Handelsnamen der Farbstoffe in der letzten Zeit, wie schon in der Einleitung angeführt, abgeändert wurden, so werden unter den neuen Handelsnamen auch die älteren Bezeichnungen angeführt.

Auch wurden in die Tabellen einige Farbstoffe aufgenommen, welche zwar nicht im Handel sich befinden, aber vom spektroskopischen Standpunkte interessant sind.

Die Lage der Absorptionsstreifen im Spektrum wird diesmal nicht in Millimikronen ($\mu\mu$), sondern aus wissenschaftlichen und praktischen Gründen in Ångströmschen Einheiten angegeben, wobei der Hauptstreifen als Grundlage beim systematischen Einreihen der Farbstoffe in einzelne Gruppen dient.

Die Farbstoffe selbst sind nach abnehmenden Wellenlängen ihrer Absorptionsstreifen reihenfolge geordnet und die relative Intensität der Absorptionsstreifen durch verschiedene Ziffertypen ausgedrückt; die

Hauptstreifen sind mit den dicksten Ziffern, die Nebenstreifen je nach ihrer Intensität mit verschieden dicken Ziffern gedruckt, so daß man sich eine Vorstellung über die Beschaffenheit des Absorptionsspektrums und der gegenseitigen Intensität der Absorptionsstreifen machen kann.

Das den Wellenlängezahlen zugefügte Wort „ungefähr" bedeutet, daß die Absorptionsstreifen verwaschen oder nicht genügend deutlich sind, so daß ihre Dunkelheitsmaxima nur annähernd bestimmt und angegeben werden konnten.

Die in den Tabellen angeführten Farbstoffe sind nicht sämtlich reine Produkte, sie enthalten manchmal die im Verlaufe der Fabrikation gebildeten Nebenprodukte, welche sich gewöhnlich erst bei der Untersuchung von konzentrierteren Farbstofflösungen durch eigene Absorptionsstreifen kennbar machen. Solche Absorptionsstreifen werden in den Tabellen eingeklammert angeführt bzw. wird in der letzten Spalte der Tabellen darüber eine entsprechende Anmerkung beigefügt.

Das Fragezeichen neben den eingeklammerten Wellenlängenangaben bedeutet, daß der Absorptionsstreifen so schwach ist, daß er kaum wahrnehmbar ist und daher sein Dunkelheitsmaximum unsicher ist, bzw. daß es fraglich ist, ob ein wirklicher Absorptionsstreifen vorhanden ist.

In den Tabellen werden auch solche Farbstoffgemische angeführt, welche spektroskopisch den Anschein eines einheitlichen Farbstoffes haben. In diesem Falle wird dieser Umstand auch in der letzten Spalte der Tabellen bemerkt.

Die Farbstoffe, welche spektralanalytisch identisch zu sein scheinen, doch aber sicher in ihrer chemischen Konstitution verschieden sind, werden getrennt angeführt (siehe I. Teil, S. 10).

Wo bei den Handelsnamen der Farbstoffe keine nähere Bezeichnung beigefügt ist, bedeutet, daß der Farbstoff nur in Pulver vorkommt.

Farbstoffe, welche mit der Bezeichnung „in Teig" oder „in Pulver" versehen sind, geben im allgemeinen identische Absorptionsspektren, nur in seltenen Fällen, wie z. B. bei Helindonrot BN [M], Indanthrenkorinth RK [B], Hydronscharlach 3B [C], findet man einen gewissen Unterschied in der Lage der Absorptionsstreifen zwischen „Teig-" und zwischen „Pulver"-Marke.

Manche ältere Farbstoffmarken, welche jetzt unter einer neuen Bezeichnung in den Handel kommen, daher mit den neuen Marken gleich sein sollen, geben mitunter abweichende Absorptionsspektren. So z. B. die neue Marke Anthragrün B [B], welche der älteren Marke Indanthrengrün B [B] entsprechen soll, gibt ein anderes Absorptionsspektrum als die Handelsmarke Anthragrün B. Ebenfalls gibt die neue Marke Indanthrenrot RK [B] ein anderes Absorptionsspektrum als die ältere Marke Indanthrenrot BN [B], welche beide gleich sein sollen.

Alle solche Widersprüche werden in den Farbstofftabellen angeführt.

Obzwar die Derivate des sulphonierten Indigoblaus keine Küpenfarbstoffe sind, so wurden sie doch in die Gruppe I der Küpenfarbstoffe aufgenommen, weil sie außer Indigokarmin in der dritten Lieferung nicht angeführt wurden.

Die Farbstoffe, deren Absorptionsspektren in den Tafeln XXVI bis XXVIII abgebildet sind, werden in den Tabellen mit einem Stern bezeichnet.

Veränderungen der Absorptionsspektren von Küpenfarbstoffen durch Ausfärben.

Manche Küpenfarbstoffe, welche in Lösung gelb, rot, violett oder blau sind und nach der Ausfärbung oder auf dem Stoffe bedruckt einen grünen, blauen, roten, grauen oder schwarzen Farbton haben, geben nicht selten, von der Faser mittelst Xylol und Tetralin abgezogen, andere Absorptionsspektren als in Substanz, da sich ihre chemische Zusammensetzung durch die Art der Ausfärbung oder bei dem Druckverfahren gegebenenfalls verändert.

Auch die Ausfärbungen von manchen braunen Küpenfarbstoffen geben andere Absorptionsspektren als die Farbstoffe selbst; das gilt namentlich von den Farbstoffgemischen.

Ebenfalls können die direkten und entwickelten (geseiften) Ausfärbungen die Absorptionsspektren bei gleicher Form in verschiedener Lage geben als dieselben Farbstoffe in Substanz, hauptsächlich die nicht einheitlichen Farbstoffe.

Die Absorptionsspektren solcher auf der Faser ausgefärbten oder gedruckten Farbstoffe sind, soweit sie von den Farbstoffen in Substanz abweichende und charakteristische Absorptionsspektren geben, am Schlusse der Tabellen besonders angeführt.

Tabellen der Küpenfarbstoffe.

Grup-

Handelsname	Löslichkeit, Farbe der Lösung	Absorption		In Schwefelsäure	
		in Xylol	in Tetralin	Farbe	Absorption
Thioindigoblau 2 G, 2 GD [K] **Helindonblau 3 G [M]**	in Xylol und Tetralin mit grünblauer Farbe löslich	ungefähr **6480**	ungefähr **6505**	orangegelb	einseitige Absorption in Violett
Cibagrün G Teig [J]	in Xylol und Tetralin mit grüner Farbe und schwacher roter Fluoreszenz löslich, im auffallenden Lichte rot	**6195**	**6235**	grün	einseitige Absorption in Rot und Violett
Helindongrün G [M] **Thioindongrün G [K]**	in Xylol und Tetralin mit bläulichgrüner Farbe löslich, im auffallenden Lichte rot	**6165**	**6200**	grün	einseitige Absorption in Rot und Violett
Indigo MLB/6 B* [B], [By], [M] **Indigo KG [K]** **Indigo N 4 B [CN]** **Durindone Blue 6 B [BDC]**	in Xylol und Tetralin mit grünlichblauer Farbe löslich, im auffallenden Lichte violett	**6155**	**6185**	grünlichblau	einseitige Absorption in Rot und Violett
Indigo MLB/5 B [B], [By], [M]	in Xylol und Tetralin mit blauer Farbe leicht löslich, im auffallenden Lichte violett	**6150**	**6180**	grünlichblau	einseitige Absorption in Rot und Violett
Bromindigo FB [By] **Indigo K 2 B [K]** **Indigo MLB/4 B [M]*** **Bromindigo 4 B [JDC]** **Durindone Blue 4 B [BD]** **Indigo N 2 B [CN]**	in Xylol und Tetralin mit blauer Farbe leicht löslich, im auffallenden Lichte violett	**6140**	**6170**	blaugrün	einseitige Absorption in Rot und Violett
Indigosol O 4 B [B], [DH]	erst nach Oxydation in Xylol und Tetralin mit grünlichblauer Farbe löslich	**6140**	**6170**	blaugrün	einseitige Absorption in Rot und Violett
Helindonblau BB [M] **Indigo KB [K]** **Bromindigo 2 B [JDC]**	in Xylol und Tetralin mit blauer Farbe löslich, im auffallenden Lichte violett	**6130**	**6165**	grün	einseitige Absorption in Rot und Violett, konzentriertere Lösung außerdem ungefähr 5235

Chemische Zusammensetzung	Verwendungsart	Anmerkung
Indigoider Küpenfarbstoff	für Baumwolle, Wolle und Baumwolldruck	
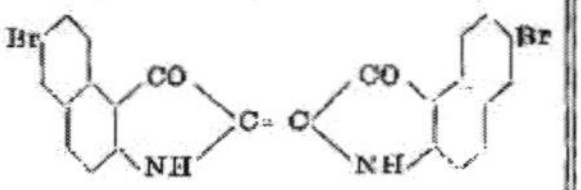	für Baumwolle und auch Baumwolldruck	
bromierter b-Naphtindigo	für Baumwolle und auch Baumwolldruck	
4.5.7.4'.5'.7'-Hexabromindigo enthaltend noch 4.5.7.5'.7'-Pentabromindigo	für Baumwolle	Indigo KG enthält noch einen gelben Farbstoff; konzentriertere Lösung gibt den Absorptionsstreifen in Xylol bei 4605, in Tetralin bei 4630
4.5.7.5'.7'-Pentabromindigo mit etwas 5.7.5'.7'-Tetrabromindigo	für Baumwolle	
5.7.5'.7'-Tetrabromindigo	für Baumwolle, Wolle und Seide	Indigo K 2 B ist nach Schultz und Colour Index ein Gemisch von 5.7.5'.7'-Tetrabromindigo und 4.5.7.5'.7'-Pentabromindigo
entspricht dem Indigo MLB/4 B [M]	für Kattunendruck	grünlichweißes Pulver, in Schwefelsäure gelöst: konzentriert und verdünnt grün einseitige Absorption in Rot, Blau und Violett
	für Baumwolle, Wolle und Druck	Helindonblau BB ist nach Schultz und Colour Index hauptsächlich 5.7.5'-Tribromindigo, welcher verschiedene Mengen von 5.5'-Dibrom- und 5.7.5'.7'-Tetrabromindigo enthält Indigo KB ist nach Schultz und Colour Index 5.7.5'.7'-Tetrabromindigo

Grup-

Handelsname	Löslichkeit, Farbe der Lösung	Absorption		In Schwefelsäure	
		in Xylol	in Tetralin	Farbe	Absorption
Indigo NR [CN]	in Xylol und Tetralin erst nach Erwärmen mit blauer Farbe löslich, beim Abkühlen der Lösung scheidet sich der Farbstoff teilweise aus	**6125**	**6160**	grün	einseitige Absorption in Rot, Blau und Violett, konzentriertere Lösung außerdem ungefähr 5245
Brillantindigo BASF/4 G [B]	in Xylol und Tetralin bei Zimmertemperatur wenig, in der Wärme leichter mit blauer Farbe löslich	**6125**	**6155**	grünlichblau	einseitige Absorption in Rot und in Violett
Ciba Indigo 2 R [J] (alte Marke) früher **Cibablau 2 R [J]**	in Xylol und Tetralin erst in der Wärme mit grünlichblauer Farbe löslich	**6120**	**6155**	blaugrün	einseitige Absorption in Rot und in Violett, zwei undeutliche Streifen in Grün und Blau
Brillantindigo BASF/4 B [B] **Cibablau 2 B [J]** früher **Dianthrenblau 2 R [J]** und **Cibablau 2 BD [J]** **Cibablau G [J]**	in Xylol und Tetralin erst in der Wärme mit blauer Farbe löslich, beim Abkühlen der Lösung scheidet sich der Farbstoff allmählich aus	**6120**	**6155**	grünlichblau	einseitige Absorption in Rot und in Violett

Chemische Zusammensetzung	Verwendungsart	Anmerkung
	für Baumwolle, Wolle und Druck	nach Angabe der Fabrik ein Gemisch von Monobrom- und Dibromindigo
4.4'-Dichlor-5.5'-Dibromindigo	für Baumwolle	
nach Colour Index ein Gemisch von 5.5'-Dibrom- und 5'-Bromindigo	für Baumwolle und Wolle	
5.7.5'.7'-Tetrabromindigo	für Baumwolle, Wolle und Seide	konzentriertere, bei Zimmertemperatur bereitete Lösung von Cibablau 2 B gibt in Xylol Streifen bei 6140 **5885** 5440 in Tetralin bei 6155 **5905** 5460 konzentriertere, bei Zimmertemperatur bereitete Lösung von Cibablau G gibt in Xylol Streifen bei 6160 **5910** 5460 in Tetralin bei 6185 **5935** 5485 Cibablau G ist nach Schultz und Colour Index ein Gemisch von 4.5.7.5'.7'-Pentabromindigo und 5.7.5'.7'-Tetrabromindigo Cibablau 2 G ist nach Angabe der Fabrik ein Gemisch

Grup-

Handelsname	Löslichkeit, Farbe der Lösung	Absorption		In Schwefelsäure	
		in Xylol	in Tetralin	Farbe	Absorption
Brillantindigo BASF/G [B]	in Xylol und Tetralin mit blauer Farbe löslich, im auffallenden Lichte violett	**6115**	**6150**	grünlichblau	einseitige Absorption in Rot und in Violett
Brillantindigo BASF/2 B [B]	in Xylol und Tetralin mit blauer Farbe löslich, im auffallenden Lichte violettrot	**6115**	**6145**	grünblau	einseitige Absorption in Rot und in Violett
Bromindigo [MDW]	in Xylol und Tetralin bei Zimmertemperatur wenig, in der Wärme leichter mit blauer Farbe löslich	**6115**	**6145**	blau	einseitige Absorption in Rot und in Violett
Indigo N 2 R [CN]	in Xylol und Tetralin mit violettblauer Farbe löslich	**6115**	**6145**	grün	schwache einseitige Absorption in Rot und in Blauviolett 5055 4705
Brillantindigo BASF/B [B]	in Xylol und Tetralin mit blauer Farbe löslich, im auffallenden Lichte violettblau	**6105**	**6135**	grünlichblau	einseitige Absorption in Rot und in Violett
Indigo MLB/R [B], [By], [M]	in Xylol und Tetralin bei Zimmertemperatur gering löslich, in der Wärme leicht mit blauer Farbe löslich	**6075**	**6115**	olivgrün, nach längerem Stehen grünlichblau	einseitige Absorption in Rot 5055 4705
Indigo rein BASF/RBN [B]	in Xylol auch in der Wärme schwer mit blauer Farbe löslich, beim Abkühlen der Lösung scheidet sich der Farbstoff allmählich aus. In Tetralin erst in der Wärme mit grünlichblauer Farbe löslich	**6070**	**6110**	grün	einseitige Absorption in Rot, Orangegelb und Blauviolett **5245**

Chemische Zusammensetzung	Verwendungsart	Anmerkung
	für Baumwolle, Baumwolldruck	nach Schultz ein Gemisch von 4.5.4'.5'-Tetrahalogenindigo mit 5.7.5'.7'-Tetrahalogenindigo, nach Colour Index 4.5.4'.5'-Tetrachlorindigo, nach Grandmougin und Seyder (Ber. d. Dtsch. Chem. Ges. Bd. 47, S. 2367, 1914) ein Gemisch von Brillantindigo BASF/B mit Brillantindigo BASF/4G
5.5'-Dichlor-7.7'-Dibromindigo	für Baumwolle	
nach Colour Index 5.7.5'.7'-Tetrabromindigo	für Baumwolle, Wolle und Seide	
	für Baumwolle, Wolle und Druck	
5.7.5'.7'-Tetrachlorindigo	für Baumwolle, Wolle und Seide	
ein Gemisch von 5-Bromindigo mit 5.5'-Dibromindigo	für Baumwolle und Wolle	
nach Schultz und Colour Index identisch mit Indigo MLB/DB	für Baumwolle und Wolle	

Grup-

Handelsname	Löslichkeit, Farbe der Lösung	Absorption		In Schwefelsäure	
		in Xylol	in Tetralin	Farbe	Absorption
Indigo rein BASF/RB [B]	in Xylol und Tetralin bei Zimmertemperatur schwer löslich, in der Wärme in Xylol mit blauer, in Tetralin mit grünlichblauer Farbe leicht löslich	**6060**	**6100**	grün	einseitige Absorption in Rot, Orange und in Blauviolett 5245
Indigo MLB/BB* [B], [By], [M]	in Xylol und Tetralin mit blauer Farbe löslich	**6050**	**6090**	bläulichgrün	einseitige Absorption in Rot und in Violett 5185 4715
Indigo MLB/T [M]	in Xylol und Tetralin mit blauer Farbe löslich, im auffallenden Lichte violett	**6040**	**6065**	gelblichgrün, nach längerem Stehen blau	einseitige Absorption in Rot und in Violett 5305 4915
Indigo rein BASF/G [B]	in Xylol und Tetralin mit blauer Farbe löslich, im auffallenden Lichte violett	**6025**	**6055**	grün	einseitige Absorption in Rot und in Blau und Violett 5045
Indigo Ciba R [J] **Indigo rein BASF/R** [B]	in Xylol und Tetralin bei Zimmertemperatur schwer, in der Wärme leicht mit violettblauer Farbe löslich	**6010**	**6035**	gelblichgrün	einseitige Absorption in Grün, Blau und Violett verdünnt: 5055 4705 die Streifen verschwinden nach kurzem Stehen
Indigosol OR [B], [DH]	erst nach Oxydation in Xylol und Tetralin in der Wärme mit blauer Farbe löslich, aus Xylollösung scheidet sich der Farbstoff nach Abkühlen wieder aus	**6010**	**6050**	gelblichgrün	einseitige Absorption in Blau und Violett

Chemische Zusammensetzung	Verwendungsart	Anmerkung
identisch mit Indigo rein BASF/RBN, nur in der Farbstärke verschieden	für Baumwolle und Wolle	
nach Schultz 5.5'-Dibromindigo mit mehr oder weniger 5.7.5'-Tribrom- und 5.7.5'.7'-Tetrabromindigo, nach Colour Index hauptsächlich 5.7.5'-Tribromindigo mit verschiedenen Mengen von 5.5'-Dibromindigo und 5.7.5'.7'-Tetrabromindigo	für Baumwolle und Wolle	
7.7'-Dimethylindigo	für Baumwolle und Wolle	
nach Schultz und Colour Index 7.7'-Dimethylindigo	für Baumwolle und Wolle	
	für Baumwolle und Wolle	Indigo Ciba R ist nach Colour Index ein Gemisch von 5-Brom- mit 5.5'-Dibromindigo Indigo rein BASF/R ist nach Schultz eine Mischung von Indigo, 5-Brom- und 5.5'-Dibromindigo, nach Colour Index ein Gemisch von 5-Brom- mit 5.5'-Dibromindigo
entspricht dem Indigo rein BASF/R [B]	für Kattundruck	grauweißes Pulver, in Schwefelsäure mit grüngelber Farbe löslich einseitige Absorption in Blau und Violett

Grup-

Handelsname	Löslichkeit, Farbe der Lösung	Absorption		In Schwefelsäure	
		in Xylol	in Tetralin	Farbe	Absorption
Indigo Ciba 2 R [J] (neue Marke)	in Xylol und Tetralin bei Zimmertemperatur schwer, in der Wärme leicht mit violettblauer Farbe löslich	**6000**	**6030**	grün	einseitige Absorption in Rot und in Violett 5155 4705
Indigo G [M] **Indigo Lösung BASF** [B] **Indigo MLB** [M] **Indigo MLB Teig 20%** [M] **Indigo MLB/OE** [M] **Indigo MLB/W** [M] **Indigo rein BASF** [B]* **Indigo rein BASF Teig 20%** [B] **Indigo rein BASF/L** [B] **Indigo rein BASF/SB** [B] **Indigo rein BASF/SL** [B] **Indigo Pure** [MDW] **Indigo Pure NSK** [JDC] **Indigo synthétique** [CN] **Indigo NAC 20% Paste** [NAC]	in Xylol und Tetralin bei Zimmertemperatur gering löslich, in der Wärme mit violettblauer Farbe löslich, beim Abkühlen der Lösung scheidet sich der Farbstoff allmählich aus	**5990**	**6015**	gelbgrün, nach kurzem Stehen wird die Lösung blau und die Streifen verschwinden	5055 4705
Indigosol O [B], [DH]	in Xylol und Tetralin erst nach Oxydation mit violettblauer Farbe löslich, beim Abkühlen der Lösung scheidet sich der Farbstoff allmählich aus	**5990**	**6015**	gelbgrün	5055 4705

Chemische Zusammensetzung	Verwendungsart	Anmerkung
	für Baumwolle und Wolle	siehe **Ciba Indigo 2 R alte Marke** (siehe Seite 618)
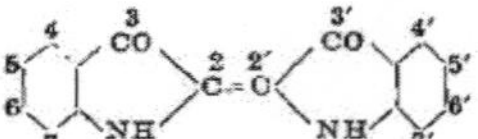	für Baumwolle, Wolle, Seide und Leinen	**Indigo MLB/OE** ist kolloidale Form von Indigo, durch Oxydation von Indigweiß gebildet **Indigo MLB Küpe I. 20 %** [M] **Indigo MLB Küpe II. 20 %** [M] **Indigoküpe BASF 60 %** [B] **Indigweiß BASF Teig 50 %** [B] sind reduzierte Indigopräparate, welche aus Indigweißnatrium 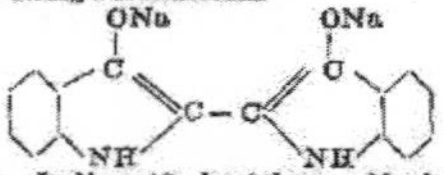 bzw. Indigweiß bestehen. Nach Oxydation geben sie das Absorptionsspektrum von Indigo **Helindonschwarz B Küpe fest** [M] **Helindonschwarz R Küpe fest** [M] **Helindonschwarz T Küpe fest** [M] **Helindonschwarz 3 B Küpe fest** [M] geben nach Oxydation das Absorptionsspektrum von Indigo; diese Farbstoffe sind Gemische von Indigo und wahrscheinlich einem braunen bzw. roten Küpenfarbstoffe **Helindonschwarz 3 B Küpe fest** in Wasser: grünlichblau **6660** **5520** 5040 einseitige Absorption in Blau und Violett **Helindonschwarz B Küpe fest** in Wasser: grünlichblau **6690** 5530 einseitige Absorption in Blau und Violett **Helindonschwarz R Küpe fest** in Wasser: grün **6690** 5530 einseitige Absorption in Blau und Violett **Helindonschwarz T Küpe fest** in Wasser: grün **6690** 5530 einseitige Absorption in Blau und Violett
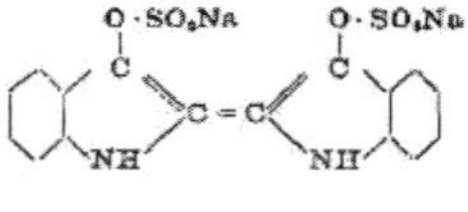	für Baumwolle und für Zeugdruck	grünlichweißes Pulver in Schwefelsäure gelöst: konzentriert grün, verdünnt blau, entspricht dem Indigo rein BASF [B]

Grup-

Handelsname	Löslichkeit, Farbe der Lösung	Absorption		In Schwefelsäure	
		in Wasser	in Äthylalkohol	Farbe	Absorption
Indigotine I [B] früher **Indigotine I a in Pulver**	in Wasser leicht mit blauer Farbe und schwachroter Fluoreszenz löslich, in Äthylalkohol schwer mit blauer Farbe löslich	**6125**	**6055**	blau	verwaschene Streifen ungefähr **6405** 5885 5455 4895
Indigokarmin D Teig [B]	in Wasser leicht mit blauer Farbe löslich, in Alkohol unlöslich	**6115**	–	blau	verwaschene Streifen ungefähr 6405 5885 5455 4885
Indigotine P [B]	in Wasser leicht mit violettblauer Farbe löslich, in Alkohol unlöslich	**5915**	–	rotviolett	**6185** **5695** 5265 4785 und einseitige Absorption in Violett

Grup-

Handelsname	Löslichkeit, Farbe der Lösung	Absorption		In Schwefelsäure		In Schwefelsäure-Borsäure	
		in Xylol	in Tetralin	Farbe	Absorption	Farbe	Absorption
Katigen-küpenblau G [By]	auch in der Wärme schwer löslich, in Xylol violettrot, in Tetralin rotviolett	ungefähr **5365**	ungefähr **5445**	blau	einseitige Absorption in Rot und in Violett	wie in Schwefelsäure	wie in Schwefelsäure
Indanthren-violett BN Teig und BN dopp. Teig [B] früher **Indanthrenviolett BN extra Teig und BN dopp. Teig** [B]	in Xylol und Tetralin mit roter Farbe löslich	ungefähr **5105**	ungefähr **5135**	orangegelb	ungefähr **4855** und einseitige Absorption in Violett	orangegelb	wie in Schwefelsäure

pe I.

Chemische Zusammensetzung	Verwendungsart	Anmerkung
Natriumsalz von 5.5'-Indigodisulfosäure	für Wolle und Seide in saurem Bade	
Natriumsalz von 5.5'-Indigodisulfosäure	für Wolle und Seide in saurem Bade	
wahrscheinlich Natriumsalz von 5.7-5'.7'-Indigotetrasulfosäure	für Wolle in saurem Bade	

pe II.

Chemische Zusammensetzung	Verwendungsart	Anmerkung
	für Baumwolle	in heißem Wasser schwer mit grünlichblauer Farbe löslich, ungefähr 6245 5745 Spektrum der Ausfärbung siehe den Schluß der Tabellen
Anthrachinondiakridon 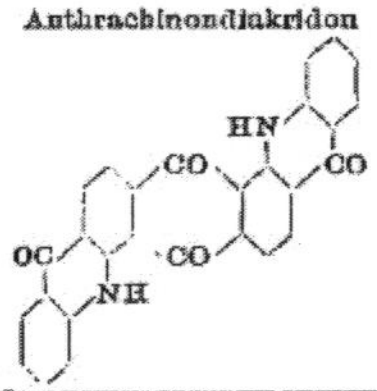	für Baumwolle auch Apparatefärberei und Druck	siehe Indanthronviolett BN S. 676

Grup-

Handelsname	Löslichkeit, Farbe der Lösung	Absorption		In Schwefelsäure		In Schwefelsäure-Borsäure	
		in Xylol	in Tetralin	Farbe	Absorption	Farbe	Absorption
Indanthrenrot BN extra [B] **Anthrene Red BN Paste [NCW]** **Caledon Red BN [SD]**	in Xylol und Tetralin erst in der Wärme mit gelbroter Farbe löslich, beim Abkühlen der Lösung scheidet sich der Farbstoff wieder allmählich aus	**5035**	**5055**	orangegelb	verwaschener Streifen ungefähr **4705**	orangegelb	wie in Schwefelsäure
Alizarinindigorosa B Teig [By]	in Xylol und Tetralin mit rosaroter Farbe löslich	**5030**	**5045**	blau	einseitige Absorption in Rot und in Violett	wie in Schwefelsäure	wie in Schwefelsäure
Cibanonbraun R [J]	in Xylol und Tetralin erst in der Wärme mit gelbroter Farbe löslich	ungefähr **4975**	ungefähr **4995**	braun	einseitige Absorption in Blau und in Violett	wie in Schwefelsäure	wie in Schwefelsäure
Indanthrenbraun 3 R Teig [B]	in Xylol und Tetralin auch in der Wärme wenig mit orangegelber Farbe löslich	ungefähr **4960**	ungefähr **4970**	gelb	einseitige Absorption in Violett	wie in Schwefelsäure	wie in Schwefelsäure
Indanthrenorange RRK [By] **Indanthrenorange RRK Teig [B]** früher **Algolbrillantorange FR Teig [By]**	in Xylol und Tetralin bei Zimmertemperatur wenig, in der Wärme besser mit orangegelber Farbe löslich	ungefähr **4905** starke einseitige Absorption in Blau und Violett	ungefähr **4915** starke einseitige Absorption in Blau und Violett	gelbrot	**5755** 5335 einseitige Absorption in Violett	gelbrot	wie in Schwefelsäure
Anthrabordeaux R [B] früher **Indanthrenbordeaux B extra [B]**	in Xylol und Tetralin mit gelbroter Farbe löslich	ungefähr **4905**	ungefähr **4915**	grün	schwache einseitige Absorption in Rot, starke einseitige Absorption in Blau und Violett	blau	einseitige Absorption in Rot 5525 einseitige Absorption in Blau und Violett

Chemische Zusammensetzung	Verwendungsart	Anmerkung
1.2-Anthrachinonnaphtakridon 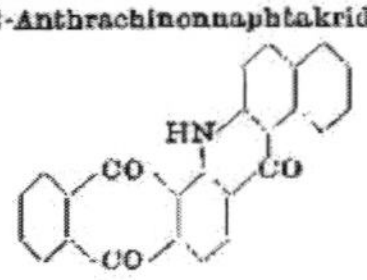	für Baumwolle auch Apparatefärberei und Druck	
Anthrachinonfarbstoff	für Druck	
	für Baumwolle	Spektrum der Ausfärbung nicht charakteristisch
Anthrachinonfarbstoff	für Baumwolle	Spektrum der Ausfärbung nicht charakteristisch
1.2.4-Tribenzoyltriaminoanthrachinon	für Baumwolle, Leinen und Seide	kein einheitliches Produkt
6.6'-Dichlor-2.7-Di-α-anthrachinonyldiamino-anthrachinon 	für Baumwolle	

Grup-

Handelsname	Löslichkeit, Farbe der Lösung	Absorption		In Schwefelsäure		In Schwefelsäure-Borsäure	
		in Xylol	in Tetralin	Farbe	Absorption	Farbe	Absorption
Anthrabordeaux B Teig, B Teig fein, dopp. Teig fein [B] früher **Küpenheliotrop R [B]**	in Xylol und Tetralin mit gelbroter Farbe löslich	ungefähr **4885** konzentriertere Lösung außerdem 5665	ungefähr **4915** konzentriertere Lösung außerdem 5685	grün fluoresziert rot	**5945** 5500 5115 einseitige Absorption in Blau und Violett	violettblau	5945 5500 5115
Anthrabordeaux RT [B] früher **Indanthrenbordeaux B Teig [B]**	in Xylol und Tetralin mit gelbroter Farbe löslich	ungefähr **4885**	ungefähr **4895**	grün	einseitige Absorption in Blau und Violett	violettblau	ungefähr 6475 5955 5470 5035
Indanthrengoldorange 3 G [By], [M] Indanthrengoldorange 3 G Teig [B]	in Xylol und Tetralin auch nach längerem Erwärmen wenig mit gelber Farbe löslich	ungefähr **4885**	ungefähr **4895**	grünlichblau	ungefähr 6435 5925	grünlichblau	wie in Schwefelsäure
Algolbordeaux 3 B [By]*	in Xylol und Tetralin mit roter Farbe löslich	ungefähr **4875**	ungefähr **4895**	grün	**6035** 5545 schwache einseitige Absorption in Blau, starke einseitige Absorption in Violett	grünlichblau	**6095** 5590 5185 schwache einseitige Absorption in Blau, starke einseitige Absorption in Violett
Anthrene Blue BCSN Paste [NCW]	in Xylol und Tetralin nur sehr gering mit grünlichgelber Farbe löslich	ungefähr **4875**	ungefähr **4895**	braungelb	**4690**	braungelb	wie in Schwefelsäure

Chemische Zusammensetzung	Verwendungsart	Anmerkung
Anthrachinonfarbstoff	für Baumwolle und Druck	
1.5-Di-β-anthrachinonyldiaminoanthrachinon 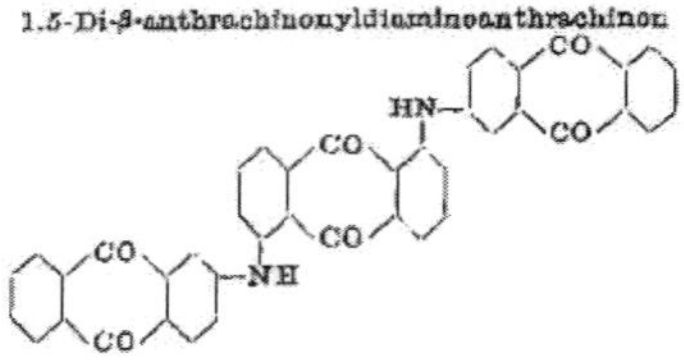	für Baumwolle	
	für Baumwolle und Druck	
4.4'-Dimethoxy-2.6-di-α-anthrachinonyldiaminoanthrachinon 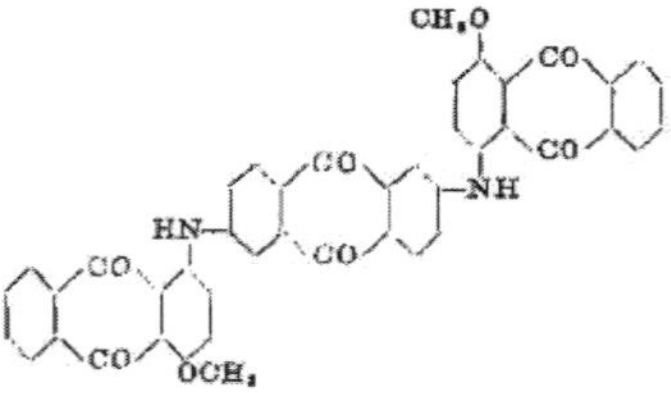	für Baumwolle, Leinen und Seide	
	für Baumwolle	die Absorptionsstreifen in Xylol und Tetralin gehören wahrscheinlich einem gelben Nebenprodukte an vergleiche Indanthrenblau BCS Gruppe IX a

Handelsname	Löslichkeit, Farbe der Lösung	Absorption		In Schwefelsäure		In Schwefelsäure-Borsäure	
		in Xylol	in Tetralin	Farbe	Absorption	Farbe	Absorption
Hydron-bordeaux R Doppelteig und Pulver [C]	in Xylol und Tetralin bei Zimmertemperatur unlöslich, in der Wärme schwer mit gelbroter Farbe löslich	ungefähr **4865** konzentriertere Lösung außerdem [5655]	ungefähr **4885** konzentriertere Lösung außerdem [5680]	braun	schwache einseitige Absorption in Rot, starke einseitige Absorption in Violett	rotviolett	5855 5405 4955 einseitige Absorption in Violett
Helindon-bordeaux B Teig [M] **Helindon-bordeaux DB dopp. Teig** [M]	in Xylol und Tetralin auch in der Wärme wenig mit gelbroter Farbe löslich	ungefähr **4825**	ungefähr **4835**	braun	einseitige Absorption in Rot und in Violett	rotviolett	ungefähr 5835 5385 4960 einseitige Absorption in Violett
Anthragrau B dopp. Teig [B] früher **Indanthrengrau B Pulver** [B] [Melanthren]	in Xylol und Tetralin auch in der Wärme wenig mit orangegelber Farbe löslich	ungefähr **4815**	ungefähr **4835**	braungelb	ungefähr 4905 4575	braungelb	wie in Schwefelsäure
Cibanonrot G [J]	in Xylol und Tetralin auch in der Wärme schwer mit gelbroter Farbe löslich	ungefähr **4805**	ungefähr **4835**	rot	ungefähr **5005**	rot	wie in Schwefelsäure
Anthragrün B dopp. Teig [B]*	in Xylol und Tetralin mit orangegelber Farbe löslich	ungefähr **4785**	ungefähr **4815**	braungelb	ungefähr 4895 4575	braungelb	wie in Schwefelsäure
Cibanon-orange 6 R [J]	in Xylol und in Tetralin auch in der Wärme wenig löslich	ungefähr **4765**	ungefähr **4785**	gelbrot	ungefähr **5115**	gelbrot	wie in Schwefelsäure

Chemische Zusammensetzung	Verwendungsart	Anmerkung
	für Baumwolle	kein einheitliches Produkt
Anthrachinonfarbstoff	für Baumwolle und Druck	
	für Baumwolle und Druck	Farbstoff unbekannter Konstitution, durch Verschmelzung von 1.5-Diaminoanthrachinon mit KOH dargestellt Spektrum der Ausfärbung nicht charakteristisch
	für Baumwolle und Druck	
	für Baumwolle und Druck	Anthragrün B ausgefärbt: in Xylol grünlichblau, fluoresziert rot, ungefähr 6565 **5995** 5555 in Tetralin blaugrün, fluoresziert rot, ungefähr 6685 **6065** 5615 in Schwefelsäure violett **5705** 5905 4905 einseitige Absorption in Violett
	für Baumwolle und Druck	

Grup-

Handelsname	Löslichkeit, Farbe der Lösung	Absorption		In Schwefelsäure		In Schwefelsäure-Borsäure	
		in Xylol	in Tetralin	Farbe	Absorption	Farbe	Absorption
Anthrene Golden Orange G Paste [NCW]*	in Xylol und Tetralin auch in der Wärme schwer mit gelber Farbe und grüner Fluoreszenz löslich	**4740** einseitige Absorption in Blau	**4765** einseitige Absorption in Blau	violettblau	**6195** 5765 **5455** 5090	violettblau wie in Schwefelsäure	wie in Schwefelsäure
Paradone Brown B Paste [H]	in Xylol und Tetralin löslich, konzentriertere Lösung rot, verdünnt gelbrot	konzentriertere Lösung einseitige Absorption in Blau und Violett, verdünnte Lösung **4725**	konzentriertere Lösung einseitige Absorption in Blau und Violett, verdünnte Lösung **4745**	gelbbraun	einseitige Absorption in Blau und Violett	—	—
Anthrarot RT dopp. Teig [B] früher **Indanthrenrot R Teig und Pulver** [B]	in Xylol und Tetralin erst in der Wärme mit orangegelber Farbe löslich	ungefähr **4725**	ungefähr **4745**	grün	einseitige Absorption in Rot und in Violett	blau	**6405** **5875** 5425 5000 4665
Anthrawollrot CR Küpe fest [B] **Helindonrot CR Küpe fest** [M]	in Xylol und Tetralin mit orangegelber Farbe löslich	ungefähr **4705**	ungefähr **4730**	rot	ungefähr **5105**	rot	wie in Schwefelsäure

Chemische Zusammensetzung	Verwendungsart	Anmerkung
Pyranthron	für Baumwolle	kein einheitliches Produkt, mit dem Indanthrongoldorange G in der III. Gruppe identisch (s. S. 672), aber der Nebenstreifen ist durch die einseitige Absorption in Violett verdeckt
Anthrachinonfarbstoff	für Baumwolle	
2.7-Di-α-anthrachinonyldiaminoanthrachinon 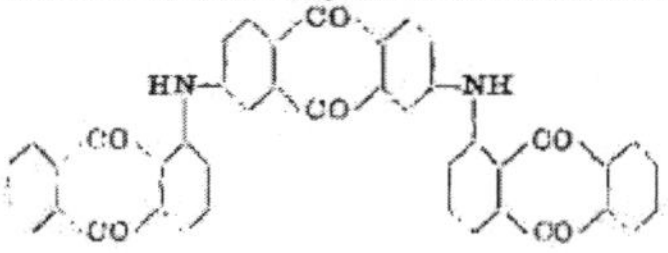	für Baumwolle	
Thioindigofarbstoff?	für Wolle	in Wasser wenig mit orangegelber Farbe löslich, undeutlicher Streifen in Grün Spektrum der Ausfärbung wie bei dem Farbstoffe in Substanz

Grup-

Handelsname	Löslichkeit, Farbe der Lösung	Absorption		In Schwefelsäure		In Schwefelsäure-Borsäure	
		in Xylol	in Tetralin	Farbe	Absorption	Farbe	Absorption
Indanthrengelb G [B], [By], [M]* früher **Helindongelb JG** [M] **Indanthrengelb G dopp. Teig** [M] früher **Helindongelb DJG dopp. Teig** [M] **Indanthrengelb R** [B], [By], [M] früher **Helindongelb JR** [M] **Indanthrengelb R dopp. Teig fein** [M] früher **Helindongelb DJR dopp. Teig** [M] **Eridangelb R** [K] **Alizanthrene Yellow G** [BAC] **Anthrene Yellow G Paste und Double Powder** [NCW] **Caledon Yellow G** [SD] **Duranthrene Yellow G** [BD] **Paradone Yellow G Paste, Paradone Yellow G Powder** [H] **Ponsol Yellow G Double Powder** [DuP]	in Xylol und Tetralin auch in der Wärme ziemlich schwer mit gelber Farbe löslich, beim Abkühlen der Lösung scheidet sich der Farbstoff allmählich aus	**4690** einseitige Absorption in Violett	**4720** einseitige Absorption in Violett	orangegelb	**5115** 4785 4510	orangegelb	wie in Schwefelsäure
Algolscharlach G [By]	in Xylol und Tetralin mit orangegelber Farbe löslich	ungefähr 4685	ungefähr 4715	orangegelb	ungefähr **4885** konzentriertere Lösung außerdem 5975	gelbrot, fluoresziert rot	**5855** 5415 4725

pe II.

Chemische Zusammensetzung	Verwendungsart	Anmerkung
Flavanthron 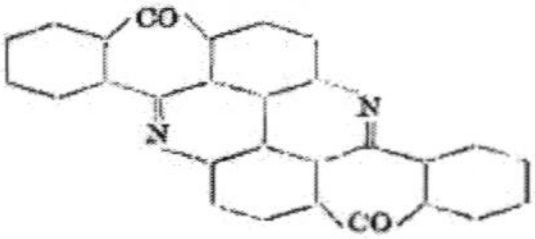	für Baumwolle	
1-Benzoylamino-4-methoxyanthrachinon	für Baumwolle, Seide und künstliche Seide	

Grup-

Handelsname	Löslichkeit, Farbe der Lösung	Absorption		In Schwefelsäure		In Schwefelsäure-Borsäure	
		in Xylol	in Tetralin	Farbe	Absorption	Farbe	Absorption
Anthrene Blue BCS Paste [NCW]	in Xylol und Tetralin auch in der Wärme gering mit grüner Farbe löslich	4665 einseitige Absorption in Rot und in Violett	4685 einseitige Absorption in Rot und in Violett	gelbrot	4695	gelbrot	wie in Schwefelsäure
Indanthrengelbbraun 3G Pulver [By]	in Xylol und Tetralin auch in der Wärme wenig mit orangegelber Farbe löslich	ungefähr 4635	ungefähr 4655	grünlichblau	6445 6080 5635 [5260] einseitige Absorption in Blau und Violett	braun	6795 6185 5635 einseitige Absorption in Blau und Violett
Hydrongelb G Teig [C]	in Xylol und Tetralin auch in der Wärme wenig mit gelber Farbe und grüner Fluoreszenz löslich	4615 starke einseitige Absorption in Blau und Violett	4645 starke einseitige Absorption in Blau und Violett	rotviolett	6025 4825	rotviolett	wie in Schwefelsäure
Cibanongelb 2 G [J]	in Xylol und Tetralin auch in der Wärme wenig mit grünlichgelber Farbe löslich; beim Abkühlen der Lösung scheidet sich der Farbstoff allmählich aus	starke einseitige Absorption in Blau und Violett, verdünnte Lösung 4450	starke einseitige Absorption in Blau und Violett, verdünnte Lösung 4465	gelbrot	ungefähr 5145 4845	gelbrot	wie in Schwefelsäure
Indigogelb 3 G Ciba Teig [J] **Indigogelb 3 G** [J] **Indigogelb 3 GW** [J]	in Xylol und Tetralin bei Zimmertemperatur wenig, in der Wärme leichter mit gelber Farbe und grüner Fluoreszenz löslich	konzentriertere Lösung: starke einseitige Absorption in Grün, Blau und Violett, verdünnte Lösung 4390	konzentriertere Lösung: starke einseitige Absorption in Grün, Blau und Violett, verdünnte Lösung 4405	gelbbraun	einseitige Absorption in Blau und Violett	gelbbraun	wie in Schwefelsäure

Chemische Zusammensetzung	Verwendungsart	Anmerkung
wie Indanthrenblau BCS	für Baumwolle	
	für Baumwolle und Druck	Spektrum der Ausfärbung wie bei dem Farbstoffe in Substanz
N-Äthyl-2.3.2'.3'-dianthrachinonkarbazol 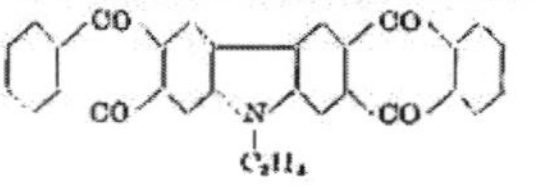	für Baumwolle	
	für Baumwolle und Druck	
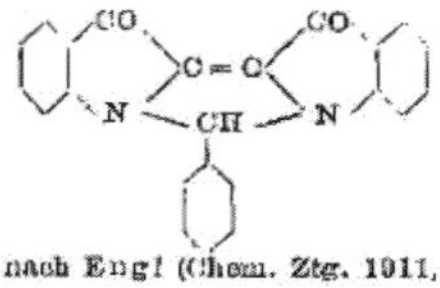 Formel nach Engi (Chem. Ztg. 1911, S. 667).	für Baumwolle, Wolle und Seide	neue Formel nach Posner (s. S. 590) 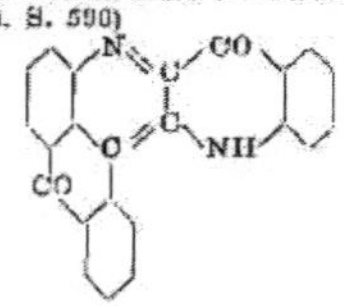

Grup-

Handelsname	Löslichkeit, Farbe der Lösung	Absorption		In Schwefelsäure		In Schwefelsäure-Borsäure	
		in Xylol	in Tetralin	Farbe	Absorption	Farbe	Absorption
Indanthrenblau 8 GK Teig [M]	in Xylol und Tetralin leicht mit grünblauer Farbe löslich	ungefähr **6775** 6385	ungefähr **6795** 6405	orangegelb	ungefähr **4875**	orangegelb	wie in Schwefelsäure
Indanthrenbrillantgrün 4 G dopp. Teig [M]	in Xylol fast unlöslich, in Tetralin in der Wärme mit grüner Farbe löslich	—	ungefähr **6565** 5985	braunrot	ungefähr 5805 5355 starke einseitige Absorption in Blau und Violett	braunrot	ungefähr 5845 5385 starke einseitige Absorption in Blau und Violett
Indigosol AZG [DH]	nach Oxydation in Xylol und Tetralin mit grünlichblauer Farbe löslich	**6550** 5980 starke einseitige Absorption in Violett, konzentriertere Lösung außerdem [4630]	**6580** 6005 starke einseitige Absorption in Violett, konzentriertere Lösung außerdem [4650]	braungelb fluoresziert grün	**5095** **4760**	braungelb fluoresziert grün	wie in Schwefelsäure
Alizarinindigogrün G [By]	in Xylol und Tetralin in der Wärme mit grüner Farbe löslich	**6265** 5820	**6295** 5845	grün	einseitige Absorption in Rot und in Violett	grün	wie in Schwefelsäure
Alizarinindigoviolett B Teig [By] Wollküpenviolett B [By]	in Xylol und Tetralin erst in der Wärme mit blauer Farbe löslich	**5980** 5530	**6010** 5560	gelblichgrün	einseitige Absorption in Rot 5375 4965 einseitige Absorption in Blau und Violett	gelblichgrün	wie in Schwefelsäure
Helindonblau 3 R Teig 20% [M] Thioindonblau 3 R [K]	in Xylol und Tetralin erst in der Wärme mit violetter Farbe und schwacher roter Fluorescenz löslich	**5925** 5505	**5950** 5520	grün	einseitige Absorption in Rot und in Violett	grün	wie in Schwefelsäure

Chemische Zusammensetzung	Verwendungsart	Anmerkung
	Stückfärberei	
	für Baumwolle und Druck	
	für Druck	grauweißes Pulver, in Schwefelsäure gelöst: braungelb 5095 4760
	für Baumwolle und Druck	
	für Baumwolle und Wolle	
	für Baumwolle und Seide	

41*

Grup-

Handelsname	Löslichkeit, Farbe der Lösung	Absorption		In Schwefelsäure		In Schwefelsäure-Borsäure	
		in Xylol	in Tetralin	Farbe	Absorption	Farbe	Absorption
Helindonblau B Teig* [M]	in Xylol und Tetralin erst in der Wärme mit violetter Farbe und roter Fluoreszenz löslich	**5915** 5455	**5940** 5475	bläulich-grün	6260 **5705** 5355 einseitige Absorption in Violett	bläulich-grün	wie in Schwefelsäure
Indigosolblau HB [DH]	erst nach der Oxydation in Xylol und Tetralin auch in der Wärme schwer mit violettblauer Farbe und roter Fluoreszenz löslich	**5910** 5425	**5935** 5445	grün	einseitige Absorption in Blau und Violett	grün	wie in Schwefelsäure
Cibaviolett B [J]	in Xylol und Tetralin mit violetter Farbe löslich, konzentriertere Lösung rot	**5910** 5475	**5935** 5495	blaugrün	einseitige Absorption in Rot und in Blau und Violett	wie in Schwefelsäure	wie in Schwefelsäure
Cibaviolett 3 B [J]	in Xylol und Tetralin mit violetter Farbe löslich	**5895** 5465	**5915** 5485	grünlich-blau	einseitige Absorption in Rot und Violett	grünlich-blau	wie in Schwefelsäure
Thioindigo-violett K [K]	in Xylol und Tetralin mit violetter Farbe löslich	**5895** 5455	**5915** 5475	grünlich-blau	einseitige Absorption in Rot und in Violett	grünlich-blau	wie in Schwefelsäure
Hydronviolett BBF Teig hoch konz. [C]* **Indanthren-druckviolett BBF Pulver** [M]	in Xylol und Tetralin löslich, konzentriertere Lösung rot, verdünnt violett	**5885** 5445 konzentriertere Lösung außerdem 4525	**5915** 5470 konzentriertere Lösung außerdem 4545	bläulich-grün	einseitige Absorption in Rot, Orangegelb und in Violett	bläulich-grün	wie in Schwefelsäure

Chemische Zusammensetzung	Verwendungsart	Anmerkung
	für Baumwolle und Wolle	
	für Druck	grauweißes Pulver, in Schwefelsäure gelöst: einseitige Absorption in Rot und Violett
2-(5.7-Dibromindol-)5'-brom-2'-thionaphtenindigo 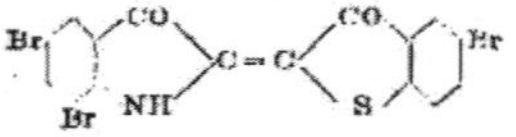	für Baumwolle, Wolle, Seide, Druck	Formel nach Colour Index Nr. 1222
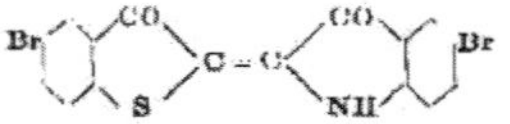	für Baumwolle, Wolle, Seide und künstliche Seide	kein einheitliches Erzeugnis Formel nach Colour Index Nr. 1221
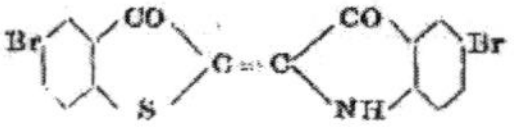	für Baumwolle, Wolle, Seide und künstliche Seide	mit Cibaviolett 3 B identisch?
bromierter Thioindigofarbstoff	für Baumwolle, Wolle, Seide und Druck	

Grup-

Handelsname	Löslichkeit, Farbe der Lösung	Absorption		In Schwefelsäure		In Schwefelsäure-Borsäure	
		in Xylol	in Tetralin	Farbe	Absorption	Farbe	Absorption
Hydronviolett BF Teig hoch konz. [C]	in Xylol und Tetralin löslich, konzentriertere Lösung rot, verdünnt violett, fluoresziert rot	**5860** 5455	**5885** 5470	grün	einseitige Absorption in Rot, Orangegelb und in Blauviolett	grün	wie in Schwefelsäure
asymm. Tribromküpenblau [J]	in Xylol und Tetralin löslich, konzentriertere Lösung rot, verdünnt violett	**5860** 5395 konzentriertere Lösung außerdem [4505] einseitige Absorption in Violett	**5880** 5415 konzentriertere Lösung außerdem [4515] einseitige Absorption in Violett	grünlichblau	einseitige Absorption in Rot und Orangegelb und einseitige Absorption in Violett	grünlichblau	wie in Schwefelsäure
asymm. Dibromküpenblau [J]	in Xylol und Tetralin löslich, konzentriertere Lösung rot, verdünnt violett	**5845** 5385 konzentriertere Lösung außerdem [4505] einseitige Absorption in Violett	**5865** 5405 konzentriertere Lösung außerdem [4515] einseitige Absorption in Violett	grünlichblau	einseitige Absorption in Rot und Orangegelb, starke einseitige Absorption in Violett	grünlichblau	wie in Schwefelsäure
Hydronviolett RF Teig hoch konz. [C] **Indanthrendruckviolett BF Teig** [M] **Indanthrendruckviolett RF Teig** [M]	in Xylol und Tetralin mit rotvioletter Farbe löslich	ungefähr **5835** 5475	ungefähr **5860** 5500	grün	einseitige Absorption in Rot und in Violett	grün	wie in Schwefelsäure
Küpenblau [J] **Cibaviolett A** [J]	in Xylol und Tetralin mit violettroter Farbe löslich	**5750** 5320	**5760** 5330	blau	einseitige Absorption in Rot und Orangegelb	blau	wie in Schwefelsäure

Chemische Zusammensetzung	Verwendungsart	Anmerkung
	für Baumwolle und Druck	
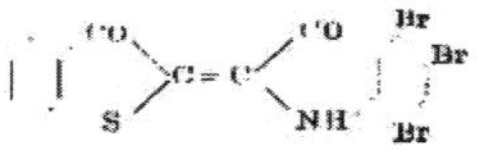		nicht im Handel
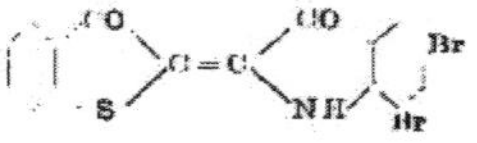	—	nicht im Handel
	für Baumwolle und Druck	
2-Indol-2'-thionaphtenindigo 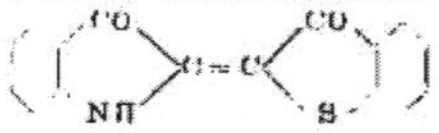		nicht mehr im Handel

Grup-

Handelsname	Löslichkeit, Farbe der Lösung	Absorption		In Schwefelsäure		In Schwefelsäure-Borsäure	
		in Xylol	in Tetralin	Farbe	Absorption	Farbe	Absorption
Indanthrenbraun R [B], [By], [M] früher **Algolbraun R Teig** [By] **Caledon Brown R** [SD]	in Xylol auch in der Wärme schwieriger mit braunroter Farbe löslich, beim Abkühlen der Lösung in Xylol scheidet sich der Farbstoff allmählich aus	ungefähr **5705** 5405 starke einseitige Absorption in Violett	ungefähr **5725** 5420 starke einseitige Absorption in Violett	braunrot	**5620** 5225 konzentriertere Lösung [6125]	braunrot	wie in Schwefelsäure
Helindonbraun 5 R [M] **Thioindigobraun 3 R** [K]	in Xylol und Tetralin mit braunroter Farbe und schwacher roter Fluoreszenz löslich	**5710** 5280 einseitige konzentriertere Lösung außerdem [4855]	**5735** 5305 einseitige konzentriertere Lösung außerdem [4875]	blau	einseitige Absorption in Rot ungefähr **5745** **5335** einseitige Absorption in Violett	blau	wie in Schwefelsäure
Indanthrenbraun RT [B], [By], [M]	in Xylol und Tetralin in der Wärme mit roter Farbe löslich	**5655** 5250 starke einseitige und Violett	**5680** 5275 starke einseitige und Violett	rot	6130 **5610** 5215 einseitige Absorption in Blau und Violett	rot	wie in Schwefelsäure
Hydronbraun G [C] **Hydronbraun R** [C]	in Xylol und Tetralin erst in der Wärme mit gelbroter Farbe löslich	**5655** 5235 einseitige und Violett	**5680** 5260 einseitige und Violett	rot	**5600** 5220 konzentriertere Lösung außerdem [6110] einseitige Absorption in Blau und Violett	rot	wie in Schwefelsäure
Cibarot 3 B [J] **Durindone Red 3 B** [BD]	in Xylol und Tetralin mit roter Farbe und roter Fluoreszenz löslich	**5650** 5245	**5675** 5265	grün	einseitige Absorption in Rot, Orangegelb und in Blauviolett	grün	wie in Schwefelsäure

Chemische Zusammensetzung	Verwendungsart	Anmerkung
nach Colour Index wahrscheinlich 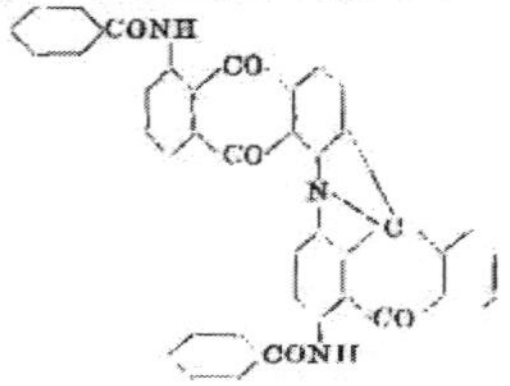	für Baumwolle, Leinen und Seide	kein einheitliches Erzeugnis Spektrum der Ausfärbung siehe den Schluß der Tabellen
wahrscheinlich bromierter 6-amino-2-thionaphten-3-indolindigo 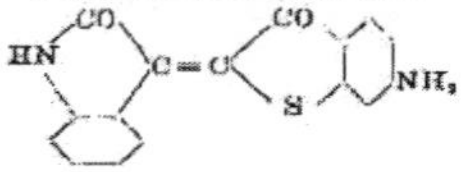	für Baumwolle, Wolle, Seide und Kattundruck	Spektrum der Ausfärbung wie bei dem Farbstoff in Substanz
	für Baumwolle und Druck	ein Gemisch Spektrum der Ausfärbung siehe den Schluß der Tabellen
	für Baumwolle	Karbazolderivat? Spektrum der Ausfärbung siehe den Schluß der Tabellen
	für Baumwolle, Wolle und Seide	Durindone Red 3 B ist nach Colour Index 5.5′-Dichlor-6.6′-dimethyl-2.2′-bis-thionaphtenindigo

Grup-

Handelsname	Löslichkeit, Farbe der Lösung	Absorption in Xylol	Absorption in Tetralin	In Schwefelsäure: Farbe	In Schwefelsäure: Absorption	In Schwefelsäure-Borsäure: Farbe	In Schwefelsäure-Borsäure: Absorption
Hydronbordeaux B doppel. Teig und Pulver [C]	in Xylol und Tetralin in der Wärme mit roter Farbe und schwacher roter Fluoreszenz löslich	5645 5205 Teig: Nebenstreifen 5235	5075 5385 Teig: Nebenstreifen 5255	grün	dreiteilige Absorption im Rot, Blau und Violett 5385	blau	einseitige Absorption im Rot und Violett ungefähr 5390
Indanthrenrotviolett RH [B], [Dy], [M] früher Helindonrot 3 B [M]	in Xylol und Tetralin mit roter Farbe löslich	5040 5285	5675 5315	grün	schwache einseitige Absorption im Rot und im Blauviolett	grün	wie in Schwefelsäure
Eridanrot 3 B Pulver* [K] früher Thioindigorot 3 B [K]	in Xylol und Tetralin mit violettroter Farbe und schwacher orangegelber Fluoreszenz löslich	5095 5270	5060 5200	grün	einseitige Absorption im Rot und Orangegelb 5415 einseitige Absorption im Blauviolett	grün	wie in Schwefelsäure
Cibanonbraun B [J]	in Xylol und Tetralin mit braunroter Farbe löslich	5605 5105 schwache einseitige Absorption im Blau, starke einseitige Absorption im Violett, konzentrierte Lösung außerdem 4030	5625 5215 schwache einseitige Absorption im Blau, starke einseitige Absorption im Violett, konzentrierte Lösung außerdem 4050	braun	einseitige Absorption im Rot und im Violett	braun	wie in Schwefelsäure
Cibabraun R Teig [J]	in Xylol und Tetralin in der Wärme gut mit rosaroter Farbe löslich	5590 5280 Nebenstreifen sehr schwach	5620 5260 Nebenstreifen sehr schwach	blau	einseitige Absorption im Rot und im Violett	blau	wie in Schwefelsäure
Cibabordeaux B [J]	in Xylol und Tetralin mit violettroter Farbe und roter Fluoreszenz löslich	5595 5105	5585 5145	grün	einseitige Absorption im Rot und im Violett	grün	wie in Schwefelsäure

Chemische Zusammensetzung	Verwendungsart	Anmerkung
	für Baumwolle	
6.3'-Dichlor-?.?'-dimethyl-2.2'-bis-thionaphthenindigo 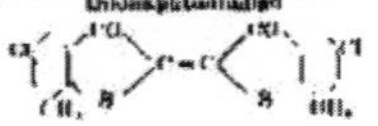	für Baumwolle, Wolle und Seide	Formel nach Truttwin und Buchorer nach Colour Index 6.6'-Dichlor-4.4'-dimethyl-2.2'-bis-thionaphthenindigo
5.5'-Dichlor-?.?'-dimethyl-2.2'-bis-thionaphthenindigo 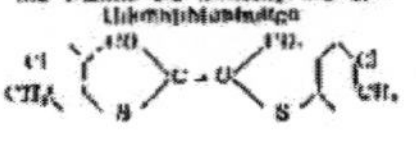	für Baumwolle, Wolle und Seide	
	für Baumwolle	Farbstoff unbekannter Konstitution, durch Erhitzen von 1-Amino-2-methylanthrachinon mit Schwefel dargestellt, nicht einheitlich Spektrum der Ausfärbung nicht charakteristisch
5.7.5'.7'-Tetrabrom-6.6'-diaminoindigo 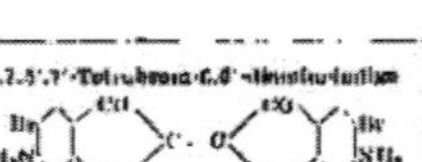	für Baumwolle und Wolle und Druck	Spektrum der Ausfärbung wie bei dem Farbstoff in Substanz
6.5'-Dibrom-2.2'-bis-thionaphthenindigo 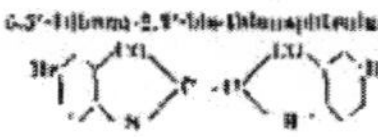	für Baumwolle und Wolle, Baumwolldruck, [illegible]	

Grup-

Handelsname	Löslichkeit, Farbe der Lösung	Absorption		In Schwefelsäure		In Schwefelsäure-[illegible]	
		in Xylol	in Tetralin	Farbe	Absorption	Farbe	Absorption
Helindonrot B* [M] Thioindigorot BG [K]	in Xylol und Tetralin mit violettroter Farbe und orangegelber Fluoreszenz löslich	5475 6045	5495 6065	grün	einseitige Absorption in Rot und in Violett	grün	wie in Schwefelsäure
Hydronbraun GR Pulver [C]	in Xylol und Tetralin mit bläulichroter Farbe und schwacher roter Fluoreszenz löslich	5470 6020	5490 6040	grünlichbraun	einseitige Absorption in Rot und in Violett	grünlichbraun	wie in Schwefelsäure
Thianthrene Brilliant Red 3 B [NCW]	in Xylol und Tetralin mit roter Farbe und roter Fluoreszenz löslich	5460 6015	5400 6040	grün	ungefähr 4730 4445 einseitige Absorption in Rot und in Violett	grün	wie in Schwefelsäure
Indigosolrot HR [DH]	erst nach Oxydation in Xylol und Tetralin mit violettroter Farbe löslich	5440 6020	5465 6040	grün	ungefähr 4885 4555 einseitige Absorption in Rot und in Violett	grün	wie in Schwefelsäure
Anthrarot B* Teig 20% [D] früher Küpenrot B [illegible] [B] Cibarosa B [J] Thioindigorot B [K] Durindone Red B [BD]	in Xylol und Tetralin mit violettroter Farbe und orangegelber Fluoreszenz löslich	5435 6025	5460 6045	grün	starke einseitige Absorption in Blau und Violett	grün	wie in Schwefelsäure
Thioindigoscharlach G [K]	in Xylol und Tetralin mit orangeroter Farbe und orangegelber Fluoreszenz löslich	5435 6015	5455 6035	olivgrün	5015 einseitige Absorption in Rot und in Violett	olivgrün	wie in Schwefelsäure

Chemische Zusammensetzung	Verwendungsart	Anmerkung
5.5'-Dichlor-2.2'-bis-thionaphthenindigo 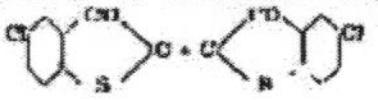	für Baumwolle, Wolle und Seide, Baumwolldruck und Apparatefärberei	
	für Baumwolle und Druck	Nachtrag der Ausfärbung siehe de Schluß der Tabellen
	für Baumwolle, Wolle und Seide	
	für Baumwolle und Druck	rötlichweißes Pulver in Schwefelsäure gelöst: olivgrün 6065 5225 4955 4505 einseitige Absorption in Violett
2.2'-Bisthionaphthenindigo (Thioindigo) 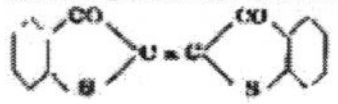	für Baumwolle, Wolle und Seide	siehe auch Seite 587
3-(5.7-Dibrom-)indol-2'-thionaphthenindigo 	für Baumwolle, Wolle und Seide	

Grup-

Handelsname	Löslichkeit, Farbe der Lösung	Absorption		In Schwefelsäure		In Schwefelsäure-Borsäure	
		In Xylol	In Tetralin	Farbe	Absorption	Farbe	Absorption
Hydronwollbraun DN Küpe [C]	In Xylol und Tetralin mit violettroter Farbe und schwacher orangegelber Fluoreszenz löslich	5435 5016	5455 5035	grün	einseitige Absorption in Rot und in Blauviolett	grün	wie in Schwefelsäure
Helindonrot R Teig [M]	In Xylol und Tetralin mit rosaroter Farbe und roter Fluoreszenz löslich	5436 5015	5455 5035	grün	einseitige Absorption in Rot. Starke einseitige Absorption in Blau und Violett	grün	wie in Schwefelsäure
Thianthrene Pink FB Paste [NCW]	In Xylol und Tetralin mit violettroter Farbe und roter Fluoreszenz löslich	5435 5000	5455 5020	grün	5135 5035 einseitige Absorption in Rot und Violett	grün	wie in Schwefelsäure
Anthrawollrot BB Küpe fest [M] früher Anthrarot BB Lösung [B] und Wollrot BB Lösung [B] Helindonrot 2 B Küpe fest [M] Hydronwollrot BB Küpe fest [C]	In Xylol und Tetralin mit rosaroter Farbe und schwacher gelbroter Fluoreszenz löslich	5490 5015	5455 5035	grün	einseitige Absorption in Rot. 5085 starke einseitige Absorption in Blau und Violett	zuerst gelbgrün, dann grün	zuerst 5425 5235 4785 einseitige Absorption in Blau und Violett, dann 6105 starke einseitige Absorption in Blau und Violett
Helindonrosa DN Teig [M]	In Xylol und Tetralin mit violettroter Farbe und starker orangegelber Fluoreszenz löslich	5430 5005	5450 5025	grün	einseitige Absorption in Rot und in Blauviolett	grün	wie in Schwefelsäure

pe III.

Chemische Zusammensetzung	Verwendungsart	Anmerkung
	für Wolle	In Wasser gelöst: braun schwache einseitige Absorption Rot- einseitige Absorption in Blauvio Spektrum der Ausfärbung wie dem Farbstoffe in Substanz
	für Baumwolle, Wolle und Seide	
	für Wolle	Thioindigofarbstoffe als Küpe in Wasser gelöst: rosarot 5265
6,6'-Dibrom-4,4'-dimethyl-2,2'-bis-thionaphthenindigo 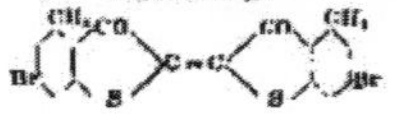	für Baumwolle und Seide, Baumwolldruck und Apparatefärberei	

Grup-

Handelsname	Löslichkeit, Farbe der Lösung	Absorption in Xylol	Absorption in Tetralin	In Schwefelsäure Farbe	In Schwefelsäure Absorption	In Schwefelsäure-Borsäure Farbe	In Schwefelsäure-Borsäure Absorption
Durindone Red Y [BD]	in Xylol und Tetralin mit rosaroter Farbe und orangegelber Fluoreszenz löslich	5425 5010	5450 5030	olivgrün	einseitige Absorption in Rot und Violett	olivgrün	wie in Schwefelsäure
Helindonrosa AN Teig [M]	in Xylol und Tetralin mit rosaroter Farbe und orangegelber Fluoreszenz löslich	5425 5005	5445 5025	blau, rotstichig violett	5964 5416 einseitige Absorption in Rot und in Blauviolett	blau	wie in Schwefelsäure
Cibarosa BG [J]	in Xylol und Tetralin in der Wärme mit rosaroter Farbe und schwacher orangegelber Fluoreszenz leicht löslich	5415 4986	5440 5015	grün	einseitige Absorption in Rot, Orangegelb und in Blauviolett	grün	wie in Schwefelsäure
Helindonrot BN Pulver [M] Thianthrene Pink FF Paste [NCW]	in Xylol und Tetralin in der Wärme mit rosaroter Farbe und schwacher orangegelber Fluoreszenz leicht löslich	5390 4970	5410 4965	grün	ungefähr 5425 einseitige Absorption in Rot und in Blauviolett	grün	wie in Schwefelsäure
Anthrarosa AN Teig [B] früher Küpenrosa AN [B]	in Xylol und Tetralin mit rosaroter Farbe und roter Fluoreszenz löslich	5385 4990 konzentriertere Lösung außerdem 5955	5405 5005 konzentriertere Lösung außerdem 5985	blaugrün	6775 5325 4910 4605	blaugrün	wie in Schwefelsäure

pe III.

Chemische Zusammensetzung	Verwendungsart	Anmerkung
Nach Colour Index mit Thioindigoscharlach G identisch	für Baumwolle und Seide	
	für Baumwolle, Baumwolldruck, Azetatkunstseide und Seide	dem Helindonrosa BN verwandt
6,6'-Dichlor-2,2'-bis-thio-naphtenindigo 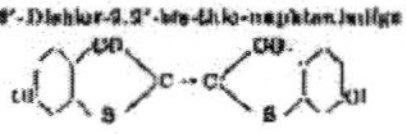	—	
	für Baumwolle und Druck	Thioindigofarbstoffe
	für Baumwolle und Druck	kein einheitliches Produkt

5400 4995 konzentrierter Lösung [6000]	grün	ungefähr 5415 5280 einseitige Absorption im Blauviolett, verdünnt 4685 4380
5400 4995	grün	ungefähr 5365 5020 einseitige Absorption im Rot und Violett
5400 4995	grün	ungefähr 5365 5020

pe III.

Chemische Zusammensetzung	Verwendungsart	Anmerkung
wahrscheinlich 6,6'-Dichlor-4,4'-dimethyl-bis-thionaphthenindigo 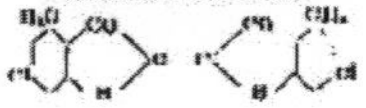	für Baumwolle und Druck	nach Schultz und Colour Index ein Anthrachinonküpenfarbstoff?
	für Wolle	
	für Kattundruck	grünlichweißes Pulver in Schwefelsäure gelöst: olivgrün 6415 5200 einseitige Absorption in Blau und Violett
wahrscheinlich Thioindigofarbstoff	für Baumwolle und Druck	nach Colour Index ein Anthrachinonfarbstoff? vergleiche mit Hydronrosa FR, S. 838
wahrscheinlich Thioindigofarbstoff	für Baumwolle und Druck	ein Gemisch aus Anthrarosa B

Grup-

Handelsname	Löslichkeit, Farbe der Lösung	Absorption		In Schwefelsäure		In Schwefelsäure-Benzaldehyd	
		in Xylol	in Tetralin	Farbe	Absorption	Farbe	Absorption
Indigosolgelb HGG [DH]	erst nach Oxydation in der Wärme mit orangegelber Farbe löslich, beim Abkühlen der Lösung scheidet sich der Farbstoff aus	5380 4975	5405 4985	rotviolett	ungefähr 5505	rotviolett	wie in Schwefelsäure
Indigosol-scharlach HB [DH]	nach Oxydation in Xylol und Tetralin mit violettroter Farbe und orangegelber Fluoreszenz löslich	5380 4970	5395 4975	grün	einseitige Absorption in Rot 5170 [5315] starke einseitige Absorption in Blau und Violett, verdünnt: 4685 4390	grün	wie in Schwefelsäure
Cibarot B Teig [J]	in Xylol und Tetralin erst in der Wärme mit gelbroter Farbe löslich	5380 4970	5400 4990	grün	einseitige Absorption in Rot und Orangegelb, einseitige Absorption in Blau und Violett	grün	wie in Schwefelsäure
Hydronrosa FB Teig und Pulver [C] Hydronrosa FF Teig und Pulver [C] Thioindigo-rosa BN extra [K] Thioindigo-rosa BN extra [K] Anthrarosa B extra Teig [B] früher Küpenrosa B extra [B]	in Xylol und Tetralin mit rosaroter Farbe und orangegelber Fluoreszenz löslich	5380 4985	5400 4985	grün	ungefähr 5110 6045 4590 einseitige Absorption in Rot, Orangegelb und in Violett	olivegrün	wie in Schwefelsäure

Chemische Zusammensetzung	Verwendungszweck	Anmerkung
		gelblichweißes Pulver (in Schwefelsäure gelöst): rotviolett ungefähr 5505
		gelblichweißes Pulver in Schwefelsäure gelöst: grün 6570 [6315] einseitige Absorption in Blau und Violett stark verdünnt, außerdem 4625 4300
6.6'-Dichlor-2.2'-bis-thionaphthen-indigo 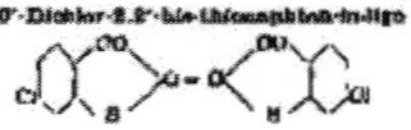	für Baumwolle, Wolle und Seide	nach Colour Index und Schultz soll Ciberot B 6.6'-Dichlor-2.2'-bis-thionaphthenindigo sein; siehe auch Cibarosa BG (J), S. 861
Thioindigofarbstoffe	für Baumwolle und Wolle	Thioindigorosa BN ist ein aus Thioindigorosa BN dargestelltes Gemisch; vergleiche mit Anthrarosa B, S. 856

Grup-

Handelsname	Löslichkeit, Farbe der Lösung	Absorption		In Schwefelsäure		In Schwefelsäure-[illegible]	
		in Xylol	in Tetralin	Farbe	Absorption	Farbe	Absorption
Helindonrot BN Teig [M] Thioindonrot BGN extra [K]	in Xylol und Tetralin mit bläulichroter Farbe und schwacher orangegelber Fluoreszenz löslich	5376 4980	5395 4980	grün	unscharf 6405 6025 einseitige Absorption in Rot, Orangegelb und in Blauviolett	grün	wie in Schwefelsäure
Helindonechtscharlach R Teig [M] Hydronscharlach BB Teig und Pulver [C] Hydronscharlach 3 B Teig [C] Thioindenscharlach B* Teig und Pulver [K] Thioindenscharlach 2 B Teig und Pulver [K]	in Xylol und Tetralin mit gelbroter Farbe und orangegelber Fluoreszenz löslich	5370 4970 schwache einseitige Absorption in Blau, stärkere in Violett	5390 4990 schwache einseitige Absorption in Blau, stärkere in Violett	anfangs violettblau, dann grünlichblau	5700 5385 4905 4605	anfangs violettblau, dann grünlichblau	wie in Schwefelsäure
Helindonrosa R extra Teig [M]	in Xylol und Tetralin mit rosaroter Farbe und orangegelber Fluoreszenz löslich	5370 4965	5380 4985	grün	einseitige Absorption in Rot und Orangegelb 6405 6050 4725 einseitige Absorption in Blau und Violett	grün	wie in Schwefelsäure
Hydrongelbbraun G Teig und Pulver [C]	in Xylol und Tetralin in der Wärme mit roter Farbe löslich	ungefähr 5370 4965 einseitige Absorption in Violett	ungefähr 5390 4985 einseitige Absorption in Violett	rot	[6115] 5615 5220 schwache einseitige Absorption in Blau, starke einseitige Absorption in Violett	rot	wie in Schwefelsäure

Chemische Zusammensetzung	Verwendungsart	Anmerkung
Thioindigofarbstoff	für Baumwolle und Druck	
	für Baumwolle und Druck	Schwefelküpenfarbstoffe [illegible] soll nach Schultz und Colour Index Anthrachinonküpenfarbstoff sein?
wahrscheinlich ein Thioindigofarbstoff	für Baumwolle	nach Schultz und Colour Index Anthrachinonküpenfarbstoff soll [illegible] R (S. 820) und Hydron[illegible] (S. 836) verwandt
	für Baumwolle und Druck	[illegible] der Ausfärbung wie bei den Farbstoffen in Substanz

Grup-

Handelsname	Löslichkeit, Farbe der Lösung	Absorption		In Schwefelsäure		In Schwefelsäure-Borsäure	
		in Xylol	in Tetralin	Farbe	Absorption	Farbe	Absorption
Hydronorange RF Teig und Pulver [C]	in Xylol und Tetralin mit orangegelber Farbe löslich	Teig: 5060 4985 starke einseitige Absorption in Blau und Violett nach kurzem Stehen 5250 4874 Pulver bei Zimmertemperatur gelber: 5310 starke einseitige Absorption in Blau und Violett, Pulver in der Wärme gelber: 5250 4865 einseitige Absorption in Blau und Violett	Teig: 5380 5000 starke einseitige Absorption in Blau und Violett nach kurzem Stehen 5285 4705 Pulver bei Zimmertemperatur gelber: 5345 starke einseitige Absorption in Blau und Violett, Pulver in der Wärme gelber: 5285 4895 einseitige Absorption in Blau und Violett	blau	5700 5305 4905 4605	blau	wie in Schwefelsäure
Helindonechtscharlach G Teig [M]	in Xylol und Tetralin mit gelbroter Farbe und orangegelber Fluoreszenz löslich	5800 4960	5380 4960	anfangs violett, dann violettblau	5700 5305 4905 [4670]	anfangs violett, dann violettblau	wie in Schwefelsäure
Helindonscharlach S Teig [M]	in Xylol und Tetralin bei Zimmertemperatur wenig, in der Wärme besser mit orangegelber Farbe löslich	5345 4945 nach kurzem Stehen 5345 4855 einseitige Absorption in Violett	5370 4985 nach kurzem Stehen 5370 4875 einseitige Absorption in Violett	grünlichblau	starke einseitige Absorption in Rot und Orangegelb 5845 einseitige Absorption in Blau und Violett	grünlichblau	wie in Schwefelsäure

Grup-

Handelsname	Löslichkeit, Farbe der Lösung	Absorption in Xylol	Absorption in Tetralin	In Schwefelsäure Farbe	In Schwefelsäure Absorption	In Schwefelsäure-Borsäure Farbe	In Schwefelsäure-Borsäure Absorption
Helindonechtscharlach RG Teig [M]	In Xylol und Tetralin mit gelbroter Farbe löslich	5345 4945	5365 4965	blau	6700 5310 4905 4605	blau	wie in Schwefelsäure
Hydronscharlach 3 B Pulver [C]	In Xylol und Tetralin mit gelbroter Farbe und orangegelber Fluoreszenz löslich	5300 4896	5325 4910	anfangs violett, dann grünlichblau	5705 5310 4905 4605	anfangs violett, dann grünlichblau	wie in Schwefelsäure
Helindonechtscharlach R Teig* [M]	In Xylol und Tetralin mit orangeroter Farbe löslich	5300 4905 nach kurzem Stehen 5290 4785	5310 4925 nach kurzem Stehen 5310 4805	blau	6000 5495 5065 einseitige Absorption in Violett	blau	wie in Schwefelsäure
Wollküpenbraun 8 R Teig [By]	In Xylol und Tetralin bei Zimmertemperatur gering, in der Wärme besser mit gelbroter Farbe löslich	5270 4845 starke einseitige Absorption in Violett	5295 4855 starke einseitige Absorption in Violett	rotbraun	ungefähr 5125 einseitige Absorption in Rot und in Blau und Violett	rotbraun	wie in Schwefelsäure
Cibarot R Teig* [J]	In Xylol und Tetralin bei Zimmertemperatur fast unlöslich, in der Wärme mit gelbroter Farbe löslich	5208 4806	5225 4825	grün	einseitige Absorption im Rot und in Violett	grün	wie in Schwefelsäure
Hydronbraun OG [C]	In Xylol und Tetralin mit orangegelber Farbe löslich	frische Lösung: 5200 4880 starke Absorption in Blau und Violett nach kurzem Stehen: 5200 4915 einseitige Absorption in Blau und Violett	frische Lösung: 5220 4905 starke einseitige Absorption in Blau und Violett nach kurzem Stehen: 5220 4915 einseitige Absorption in Blau und Violett	braunrot	5760 5325 4915 [4560]	braungelb	wie in Schwefelsäure

Chemische Zusammensetzung	Verwendungsart	Anmerkung
	für Baumwolle und Druck	
	für Baumwolle und Druck	
5,5'-Dibrom-6,6'-diäthoxy-2,2'-bis-thionaphthenindigo 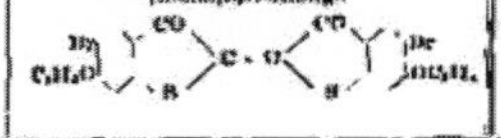	für Baumwolle, Wolle, Seide, Baumwolldruck und Apparatefärberei	
	für Wolle	[illegible] identisch Spektrum der Ausfärbung nicht charakteristisch
Monobrom-6-thionaphthen-2'-acenaphthen-indigo	für Baumwolle, Wolle und Seide	
	für Baumwolle	nach Schultz und [illegible] ein Schwefelküpenfarbstoff kein einheitliches Produkt siehe S. 679

frische Lösung: 5100 4840 bald darauf 5180 4785	frische Lösung: 5210 4055 bald darauf 5210 4725	blau
ungefähr 5190 4745 einseitige Absorption im Violett	ungefähr 5935 4875 einseitige Absorption im Violett	grün-violett
frische Lösung: 5185 4865 nach kurzem Stehen: 5185 4695	frische Lösung: 5205 4875 nach kurzem Stehen: 5205 4715	blau-violett

Chemische Zusammensetzung	Verwendungsart	Anmerkung
6.6'-Dibrom-5.5'-diamino-2.2'-bis-thionaphtenindigo 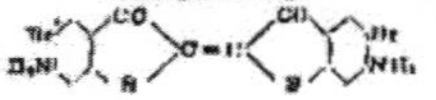	für Baumwolle, Wolle, Seide, Baumwolldruck und Appreturfärberei	
	für Druck	
6.6'-Diäthoxy-2.2'-bis-thionaphtenindigo 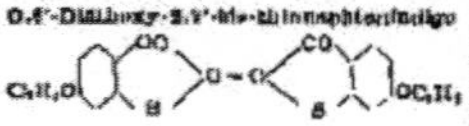	für Baumwolle, Wolle und Seide	
	für Druck	grünlichschwarzes Pulver in Schwefelsäure direkt grünlich blau 5780 5038 starke einseitige Absorption in Violett.

Grup-

Handelsname	Löslichkeit, Farbe der Lösung	Absorption in Xylol	Absorption in Tetralin	In Schwefelsäure: Farbe	In Schwefelsäure: Absorption	In Schwefelsäure-Borsäure: Farbe	In Schwefelsäure-Borsäure: Absorption
Indanthrenrot RK Teig [B], [By], [M] früher Indanthrenrot RK [B] **Indanthrenrot RK Teig fein [M]** früher Helindonrot D3BN extra Teig [M]	In Xylol und Tetralin bei Siedetemperatur mäßig, in der Wärme gut mit roter Farbe löslich	frische Lösung: **5175** **4805** nach kurzem Sieden: 5175 4765	frische Lösung: **5200** **4825** nach kurzem Sieden: 5200 4755	braungelb	einseitige Absorption in Blau und Violett	braungelb	wie in Schwefelsäure
Anthrascharlach GG Teig [B] **Cibascharlach G* [J]** **Helindonechtscharlach C Teig [M]** **Thioindigoscharlach 2G [K]**	In Xylol und Tetralin mit gelbroter Farbe und schwacher gelber Fluoreszenz löslich	frische Lösung: **5185** **4790** nach kurzem Sieden: 5185 4740	frische Lösung: **5195** **4820** nach kurzem Sieden: 5195 4765	bläulichgrün	schwache einseitige Absorption in Rot und Orangegelb, starke einseitige Absorption in Violett	bläulichgrün	wie in Schwefelsäure
Indanthrenrotbraun R [B]	In Xylol und Tetralin in der Wärme mit orangeroter Farbe und grüner Fluoreszenz löslich	**5035** 4615 einseitige Absorption in Blau und Violett	**5065** 4675 einseitige Absorption in Blau und Violett	braungelb	einseitige Absorption in Grün, Blau und Violett	braungelb	wie in Schwefelsäure
Indanthrenorange 4R* [B], [By], [M] *früher* Indanthrenscharlach G [B]	In Xylol und Tetralin mit gelber Farbe und gelber Fluoreszenz löslich	**4960** 4640	**4990** 4680	grünlichblau	einseitige Absorption in Rot und Orangegelb **5640** **5260** schwache einseitige Absorption in Blau, starke einseitige Absorption in Violett	grünlichblau	wie in Schwefelsäure

Chemische Zusammensetzung	Verwendungsart	Anmerkung
1,2-[illegible] 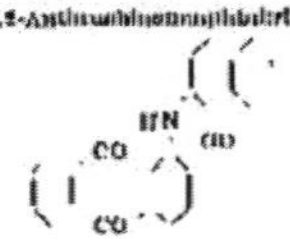	für Baumwolle, Baumwolldruck und Apparatefärberei	Vergleiche auch Indanthren [illegible] Gruppe II, S. [illegible]
3,Thionaphthen-2'-[illegible]indigo 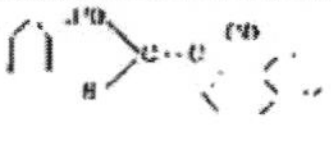	für Baumwolle, Wolle, Seide, Baumwolldruck und Apparatefärberei	

Handelsname	Löslichkeit, Farbe der Lösung	Absorption		In Schwefelsäure		In Schwefelsäure-Borsäure	
		in Xylol	in Tetralin	Farbe	Absorption	Farbe	Absorption
Anthrene Golden Orange 4 R. Paste [NCW]	in Xylol und Tetralin schwer mit orangegelber Farbe löslich, verdünnt gelb	**4930** 4615	**4965** 4645	blau	**6875** [6085] **5435** 5040 einseitige Absorption in Blau und Violett	violettblau	6100 **5420** 5025 einseitige Absorption in Blau und Violett
Algolblau FB [By]	in Xylol auch in der Wärme wenig mit braungelber Farbe, in Tetralin besser mit braungelber Farbe löslich	ungefähr **4985** 4685	ungefähr **4915** 4615	gelbgrün	einseitige Absorption in Rot **5886** **5465** einseitige Absorption in Blauviolett verdünnt **4725**	gelbgrün	wie in Schwefelsäure
Indanthrengelb R [B], [By], [M] früher Flavanthren R [B] (alte Marke)	in Xylol und Tetralin auch in der Wärme schwieriger mit gelber Farbe löslich	**4850** **4595** einseitige Absorption in Violett	**4880** **4585** einseitige Absorption in Violett	orangegelb	**5110** 4780 4510	orangegelb	wie in Schwefelsäure
Indanthrenorange RRT Teig [B], [By], [M] früher Indanthrengoldorange RRT [B] (neue Marke)	in Xylol und Tetralin bei Zimmertemperatur wenig, in der Wärme gut mit orangegelber Farbe und grüner Fluoreszenz löslich	**4860** 4555	**4880** 4570	blau	**5405** 5095 einseitige Absorption in Violett	blau	wie in Schwefelsäure
Indanthrenorange RRT Teig [B] früher Indanthrengoldorange RRT [B] (alte Marke) **Caledon Orange RRT [SD]**	in Xylol und Tetralin mit orangegelber Farbe und grüner Fluoreszenz löslich	**4815** 4485	**4845** 4480	blau	einseitige Absorption in Rot **5465** 5085	blau	wie in Schwefelsäure

Chemische Zusammensetzung	Verwendungsart	Anmerkung
	für Baumwolle	
	für Baumwolle und Druck	Spektrum der Ausfärbung siehe den Schluß der Tabellen
Flavanthren Formel s. S. 637	für Baumwolle, Druck und Apparatefärberei	das Absorptionsspektrum der neuen Marke von Indanthrengelb G siehe Gruppe II, S. 637
	für Baumwolle	
	für Baumwolle	

Grup-

Handelsname	Löslichkeit, Farbe der Lösung	Absorption in Xylol	Absorption in Tetralin	In Schwefelsäure Farbe	In Schwefelsäure Absorption	In Schwefelsäure-Borsäure Farbe	In Schwefelsäure-Borsäure Absorption
Indanthrengoldorange G [B], [By], [M]; früher Helindongoldorange IG [M]; Anthrene Golden Orange G Paste [NCW]; Caledon Golden Orange G [SD]; Duranthrene Golden Orange Y Powder [BD]	in Xylol auch in der Wärme wenig mit gelber Farbe und grüner Fluoreszenz löslich; in Tetralin in der Wärme mit gelber Farbe und grüner Fluoreszenz gut löslich	4740 4445	4765 4460	violettblau	6105 5768 5455 5090 schwache einseitige Absorption in Blau, stärkere in Violett	violettblau	wie in Schwefelsäure
Indanthrenbraun GR Teig [B], [By], [M]; früher Helindonbraun AN Teig [M]	in Xylol und Tetralin auch in der Wärme wenig mit bernsteingelber Farbe und schwacher grüner Fluoreszenz löslich	4720 4445	4750 4470	braun	verwaschen 6210 5450 4905 starke einseitige Absorption in Violett	braun	wie in Schwefelsäure
Indanthrengoldgelb RK Teig [M]	in Xylol und Tetralin mit gelber Farbe löslich	4025 4355	4050 4376	violettrot	5690 5285 4905	violettrot	wie in Schwefelsäure

Grup-

Handelsname	Löslichkeit, Farbe der Lösung	Absorption in Xylol	Absorption in Tetralin	In Schwefelsäure Farbe	In Schwefelsäure Absorption	In Schwefelsäure-Borsäure Farbe	In Schwefelsäure-Borsäure Absorption
Thioindonreinblau R* [K]	in Xylol und Tetralin mit blauer Farbe löslich	6525 5985	6565 6025	grün	einseitige Absorption im Rot, Orangegelb und im Violett	grün	wie in Schwefelsäure
Alizarinindigo 6R Teig und Pulver [By]; Alizarinindigo 7R Teig [By]	in Xylol und Tetralin mit blauer Farbe löslich	6495 5985 [6190 ?]	6525 5990 [6516 ?]	grün	einseitige Absorption im Rot und im Violett	grün	wie in Schwefelsäure

c IV.

2-(5,7-Dibromindol-2'-(4-bromnaphthalin-)indigo 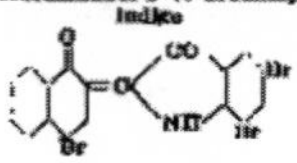	für Baumwolle, Wolle und Druck	
	für Baumwolle, Wolle und Druck	Farbstoffe von ähnlicher Konstitution als Thioindigoscharlach R

Grup-

Handelsname	Löslichkeit, Farbe der Lösung	Absorption in Xylol	Absorption in Tetralin	In Schwefelsäure Farbe	In Schwefelsäure Absorption	In Borsäure-Schwefelsäure Farbe	In Borsäure-Schwefelsäure Absorption
Indanthrengrün BB Teig [B], [By], [M] früher Alizaringrün D [By]	in Xylol auch in der Wärme wenig, in Tetralin in der Wärme besser mit violetter Farbe löslich	6835 6605 [5130?]	6856 6686 [5145?]	blaugrün	6845 5785 5255 4705 einseitige Absorption in Violett	gelbgrün fluoresziert rot	6415 5885 5480 5180 4785
Cibaheliotrop B [J]	in Xylol und Tetralin mit violettroter Farbe löslich	5785 5358	5810 5380	graublau	einseitige Absorption in Rot und Orangegelb, schwache einseitige Absorption in Violett	graublau	wie in Schwefelsäure
Indanthrendruckbraun BR Teig [M]	in Xylol und Tetralin erst in der Wärme mit gelbroter Farbe löslich; beim Abkühlen der Lösung scheidet sich der Farbstoff wieder allmählich aus	ungefähr 5466 5035 starke einseitige Absorption in Violett	ungefähr 5895 5865 starke einseitige Absorption in Violett	blau, später violett	einseitige Absorption in Rot und Orangegelb 5840 einseitige Absorption in Violett	violett	wie in Schwefelsäure
Cibabraun BR [J]	in Xylol und Tetralin mit gelbroter Farbe löslich	ungefähr 5045 5350 starke einseitige Absorption in Violett	ungefähr 5655 5380 starke einseitige Absorption in Violett	violett	6290 5410 5005	violett	wie in Schwefelsäure
Alizarinindigorot D Teig und Pulver* [By]	in Xylol und Tetralin in der Wärme mit violettroter Farbe löslich; beim Abkühlen der Xylollösung scheidet sich der Farbstoff wieder allmählich aus	ungefähr 5555 5185	ungefähr 5580 5210	rotbraun	ungefähr 5505 5065 einseitige Absorption in Violett	rotbraun	ungefähr 5425 einseitige Absorption in Violett

Chemische Zusammensetzung	Verwendungsart	Anmerkung
3,3'-Dichlor-4,4'-diamino-N-dihydro-1,2,1',2'-anthrachinonazin 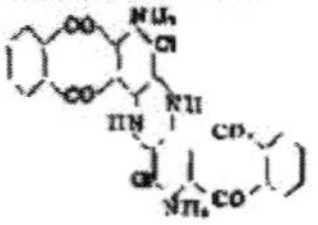	für Baumwolle und Druck	Spektrum der Ausfärbung siehe den Schluß der Tabellen
5,7,5',7'-Tetrabromindirubin 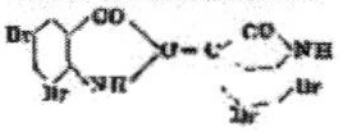	für Baumwolle, Wolle und Seide	
	für Baumwolle und Druck	kein einheitliches Produkt Spektrum der Ausfärbung nicht charakteristisch
	für Baumwolle und Druck	kein einheitliches Produkt Spektrum der Ausfärbung wie bei dem Farbstoffe in Sulfanon
	für Druck	

Grup-

Handelsname	Löslichkeit, Farbe der Lösung	Absorption in Xylol	Absorption in Tetralin	In Schwefelsäure: Farbe	In Schwefelsäure: Absorption	In Schwefelsäure-Borsäure: Farbe	In Schwefelsäure-Borsäure: Absorption
Algolrot B Teig und Pulver [By]	In Xylol und Tetralin in der Wärme mit roter Farbe löslich	5515 5155 einseitige Absorption in Violett	5520 5180 einseitige Absorption in Violett	violett	5285 4930 einseitige Absorption in Violett	rot	5235 4880 4575
Indanthrenviolett RRK [B], [By], [M] Indanthrenviolett RN [B] früher Indanthrenviolett RN extra [B] Caledon Red Violet 2 RN [SD] Duranthrene Red Violet 2 RN Powder [BD]	In Xylol und Tetralin mit gelbroter Farbe löslich	5815 5005 einseitige Absorption in Violett	5825 5015 einseitige Absorption in Violett	orangegelb	ungefähr 4925	orangegelb	wie in Schwefelsäure
Algolbrillantrot 2 B Pulver [By]	In Xylol und Tetralin mit roter Farbe löslich	ungefähr 5310 4925	ungefähr 5310 4925	blaurot	6045 5625 einseitige Absorption in Blau und Violett	violett fluoresziert rot	5780 5385 4945 4610
Algolrot 2 G Teig und Pulver [By]	In Xylol und Tetralin mit gelbroter Farbe löslich	ungefähr 5135 4865 links Schatten [5395?]	ungefähr 5155 4905 links Schatten [5620?]	blau	ungefähr 5875	violett fluoresziert rot	5780 5385 4940 konzentriertere Lösung außerdem 6295
Cibanonrot B [J]	In Xylol und Tetralin erst in der Wärme mit roter Farbe löslich, beim Abkühlen der Lösung scheidet sich der Farbstoff wieder aus	ungefähr 5115 4845	ungefähr 5145 4870 links Schatten	rot	5995 5465 einseitige Absorption in Blau und Violett	anfangs rot, nach einer Weile orangegelb, fluoresziert grün	5805 5225 4850 nach kurzem Stehen 5200 4895 4530

Chemische Zusammensetzung	Verwendungsart	Anmerkung
4.2'-Anthrachinonylamino-N-methylanthrapyridon 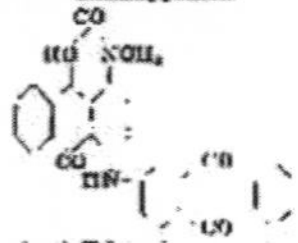	für Baumwolle	
3'.4'-Dichlor-1.2-anthrachinonakridon 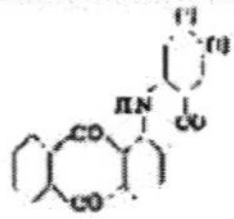	für Baumwolle und Apparatefärberei	
1.5-Dibenzoylamino-8-hydroxyanthrachinon 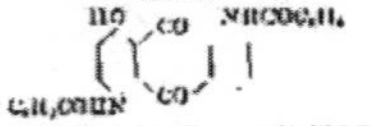	für Baumwolle und Seide	nach längerem Erwärmen beim Auflösen in Xylol 6305 4960 in Toluol 6085 4965 [illegible] s. S. 166
	für Baumwolle, Seide und künstliche Seide	Anthrachinonküpenfarbstoff Ausfärbung gibt kein charakteristisches Spektrum
	für Baumwolle und Druck	Anthrachinonfarbstoff

Grup-

Handelsname	Löslichkeit, Farbe der Lösung	Absorption		In Schwefelsäure		In Schwefelsäure-Borsäure	
		in Xylol	in Tetralin	Farbe	Absorption	Farbe	Absorption
Hydronorange GL [C]	in Xylol und Tetralin mit orangegelber Farbe löslich	ungefähr 5085 4835	ungefähr 5115 4865	rotviolett	5745 5310 4920 einseitige Absorption in Violett	violett, fluoreszierend rot	5845 5365 4910 nach längerem Stehen 5945 5705 5365 5205 4935
Helindonbraun 6 GN Teig [M]	in Xylol und Tetralin auch in der Wärme wenig mit braungelber Farbe löslich	ungefähr 5005 4725	ungefähr 5025 4745	braunrot	einseitige Absorption in Blau und Violett	braunrot	wie in Schwefelsäure
Küpenbraun OG [C]	in Xylol und Tetralin auch in der Wärme wenig mit brauner Farbe und blauer Fluoreszenz löslich	ungefähr 4915 4605	ungefähr 4935 4625	rötlichbraun	schwache einseitige Absorption in Grün und Blau, stärkere einseitige Absorption in Violett	rötlichbraun	wie in Schwefelsäure
Hydronschwarz DN Teig [C]	in Xylol und Tetralin auch in der Wärme wenig mit rötlichbrauner Farbe löslich	schwache Streifen ungefähr 4905 4605 starke einseitige Absorption in Violett	schwache Streifen ungefähr 4925 4615 starke einseitige Absorption in Violett	graugrün	einseitige Absorption in Rot und Orangegelb, einseitige Absorption in Blauviolett	graugrün	wie in Schwefelsäure
Indanthrenblau 5 GT [By] früher Algolblau CF Teig [By]	in Xylol und Tetralin auch in der Wärme wenig mit gelbgrüner Farbe löslich	4880 4610 einseitige Absorption in Violett	4915 4675 einseitige Absorption in Violett	braungelb	5925 5445 starke einseitige Absorption in Violett, verdünnt außerdem [5120] 4695	braungelb	5825 5445 starke einseitige Absorption in Violett, verdünnt außerdem [5120] 4695

Chemische Zusammensetzung	Verwendungsart	Anmerkung
	für Baumwolle und Druck	
Di-β-anthrachinonylanthrachinon-diharnstoff 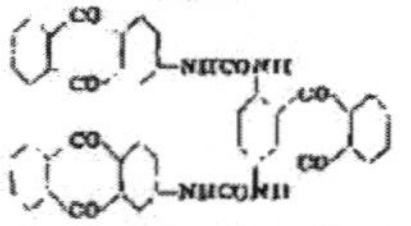	für Baumwolle und Druck	Spektrum der Ausfärbung nicht charakteristisch
	für Baumwolle und Druck	Spektrum der Ausfärbung siehe den Schluß der Tabellen soll mit Hydronbraun OG [C] (s. 664) gleich sein, dem Spektrum nach aber nicht übereinstimmend
	für Baumwolle und Druck	kein einheitliches Produkt Spektrum der Ausfärbung nicht charakteristisch
	für Baumwolle	mit dem Farbstoffe Indanthrenblau GG dopp. Teig [B] wahrscheinlich verwandt nach weiterer Verdünnung zerfällt der Streifen 4680 in zwei Streifen 4796 und 4585 Spektrum der Ausfärbung siehe den Schluß der Tabellen

Grup-

Handelsname	Löslichkeit, Farbe der Lösung	Absorption in Xylol	Absorption in Tetralin	In Schwefelsäure Farbe	In Schwefelsäure Absorption	In Schwefelsäure-Borsäure Farbe	In Schwefelsäure-Borsäure Absorption
Blau Solanthren N 8 JF [CN]	in Xylol und Tetralin auch in der Wärme wenig mit grüner Farbe löslich	4660 4800	4650 4420	braungelb	5825 5445 starke einseitige Absorption in Violett vorhanden, außerdem [5120] 4665	braungelb	wie in Schwefelsäure

Grup-

Handelsname	Löslichkeit, Farbe der Lösung	Absorption in Xylol	Absorption in Tetralin	In Schwefelsäure Farbe	In Schwefelsäure Absorption	In Schwefelsäure-Borsäure Farbe	In Schwefelsäure-Borsäure Absorption
Thioindigoviolett 2 R [K]	in Xylol und Tetralin mit roter Farbe löslich, verdünnte Lösung rotviolett, fluoresziert rot	ungefähr 5900 5550	ungefähr 5830 5580	grün	einseitige Absorption in Rot, in Blau und Violett	grün	wie in Schwefelsäure
Helindonviolett BB Teig* [M]	in Xylol und Tetralin mit rotvioletter Farbe und scharlachroter Fluoreszenz löslich	6150 5545	6185 5575	grün	einseitige Absorption in Rot, in Blau und Violett	grün	wie in Schwefelsäure
Helindonviolett B Teig [M] Helindonviolett BB Teig [M] Helindonviolett R Teig [M] Thioindigoviolett 2 B Teig [K]	in Xylol und Tetralin mit violetter Farbe und roter Fluoreszenz löslich	ungefähr 5900 5535	ungefähr 5980 5565	grün	einseitige Absorption in Rot, in Blau und Violett	grün	wie in Schwefelsäure
Anthraviolett BB Teig [B]	in Xylol und Tetralin mit violetter Farbe löslich	ungefähr 5905 5525	ungefähr 5935 5545	grün	einseitige Absorption in Rot, in Blau und Violett	grün	wie in Schwefelsäure
Cibaviolett R* [J]	in Xylol und Tetralin mit violettroter Farbe und roter Fluoreszenz löslich	5900 5505	5945 5500	grün	einseitige Absorption in Rot, in Blau und Violett	grün	wie in Schwefelsäure

ppe IV.

Chemische Zusammensetzung	Verwendungsart	Anmerkung
	für Baumwolle	nach weiterer Verdünnung zerfällt der Streifen 4695 in zwei Streifen 4795 und 4585 mit Indanthrenblau 3 GT (S. 670) verwandt

ppe V.

Thioindigofarbstoff	für Baumwolle, Druck und Seide	
Thioindigofarbstoff	für Baumwolle und Seide	
4.4'-Dimethyl-5.5'-dichlor-7.7'-dimethoxy-2.2'-bisthionaphthenindigo 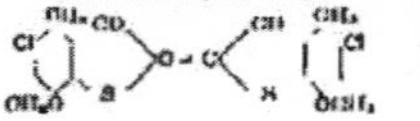	für Baumwolle, Wolle, Seide, Druck und Apparatefärberei	
	für Baumwolle und Druck	
	für Baumwolle, Wolle und Seide	dem Cibaviolett B chemisch nahestehend

Handelsname	Löslichkeit, Farbe der Lösung	Absorption		In Schwefelsäure		In Schwefelsäure-Borsäure	
		in Xylol	in Tetralin	Farbe	Absorption	Farbe	Absorption
Indanthrenbraun G Teig und Pulver [By] Indanthrenbraun GG [By] früher Algolbraun G [By]	In Xylol und Tetralin in der Wärme mit roter Farbe löslich, nach kurzer Zeit scheidet sich der Farbstoff aus	schwache Streifen ungefähr 5905 5455	schwache Streifen ungefähr 6005 5465	bräunlichrot	5595 6105 starke einseitige Absorption im Violett	bräunlichrot	wie in Schwefelsäure
Indanthrenrosa R [B]	In Xylol und Tetralin mit roter Farbe löslich	ungefähr 5305 6035	ungefähr 5315 5045	gelbrot	ungefähr 4965	gelbrot	wie in Schwefelsäure
Cibarot G [J]	In Xylol und Tetralin nur in der Wärme mit orangegelber Farbe löslich, beim Abkühlen der Lösung scheidet sich der Farbstoff allmählich aus	ungefähr 5295 4905	ungefähr 5315 4965	gelbbraun	einseitige Absorption im Rot und Orangegelb ungefähr 6005 einseitige Absorption im Blau und Violett	gelbbraun	wie in Schwefelsäure
Indanthrenorange 8 R Teig [B] früher Indanthrengoldorange 8 R [B] Helindongoldorange 8 RB [M]	In Xylol und Tetralin auch in der Wärme schwieriger mit orangegelber Farbe löslich	ungefähr 5125 4835	ungefähr 5165 4865	braungelb	ungefähr 5065 einseitige Absorption im Blau und Violett	braungelb	wie in Schwefelsäure
Indanthrenorange RRTS* [B], [By], [M]	In Xylol und Tetralin in der Wärme mit orangegelber Farbe löslich, verdünnt gelb	5010 4805	5055 4880	blau	einseitige Absorption im Rot 5445 5065 einseitige Absorption im Violett	blau	wie in Schwefelsäure
Indanthrengelb GK [By] früher Algolgelb R Teig [By] Caledon Yellow 3 G [SD]	In Xylol und Tetralin mit gelber Farbe und schwacher grüner Fluoreszenz löslich	ungefähr 4815 4575	ungefähr 4825 4595	orangerot	ungefähr 6015 5175 einseitige Absorption im Blau und Violett	orangerot	wie in Schwefelsäure

Anthrachinonküpenfarbstoff	für Baumwolle
	für Baumwolle u. Druck
1,5-Dibenzoyldiaminoanthrachinon? 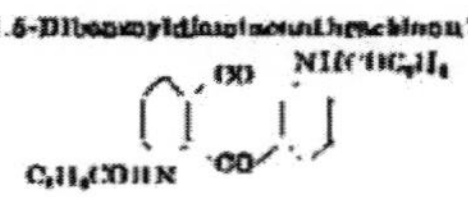 CO NHCOC$_6$H$_5$ C$_6$H$_5$COHN CO	für Baumwolle u. Wolle

Grup-

Handelsname	Löslichkeit, Farbe der Lösung	Absorption		In Schwefelsäure		In Schwefelsäure-Borsäure	
		in Xylol	in Tetralin	Farbe	Absorption	Farbe	Absorption
Thioindonschwarz 2 B [K]	in Xylol und Tetralin mit blauer Farbe löslich	ungefähr 6965 6600 5830 5375? 4905?	ungefähr 6995 6600 5860	grün	einseitige Absorption in Rot, 4875 4445 schwache einseitige Absorption in Blau, stärkere einseitige Absorption in Violett	blau	wie in Schwefelsäure
Indigosolschwarz IB (DH) früher Indigosolschwarz 2B	erst nach Oxydation in Xylol und Tetralin mit blauer Farbe löslich	6875 6270 5785 konzentriertere Lösung außerdem 5325 4945 einseitige Absorption in Violett	6915 6305 5795 konzentriertere Lösung außerdem 5345 4965 4585 einseitige Absorption in Violett	grün	einseitige Absorption in Rot, Orangegelb und in Violett	grün	wie in Schwefelsäure
Alizarinindigogrün B Teig [By]	in Xylol und Tetralin mit bläulichgrüner Farbe löslich	6725 6115 5605	6755 6145 5635	grün	einseitige Absorption in Rot und in Violett	grün	wie in Schwefelsäure
Alizarinindigo 7 G* [By]	in Xylol und Tetralin mit grünlichblauer Farbe löslich	6700 6100 5500	6785 6180 5615	grün	einseitige Absorption in Rot und in Violett	grün	einseitige Absorption in Rot und in Violett
Indanthrenbrillantgrün GG Teig und Doppelteig [B], [By], [M]	in Xylol und Tetralin, auch in der Wärme wenig mit gelbgrüner Farbe löslich, in Tetralin in der Wärme besser mit grüner Farbe und roter Fluoreszenz löslich	ungefähr 6625 5915	ungefähr 6575 6005 5575	braunrot	ungefähr 6705 6305 4875 einseitige Absorption in Violett	rotviolett	ungefähr 6806 6325 4885

pe VI.

Chemische Zusammensetzung	Verwendungsart	Anmerkung
Anthrachinonküpenfarbstoff	für Baumwolle	Absorptionsspektrum der Ausfärbung wie bei dem Farbstoffe in Substanz
	für Baumwolle und Druck	grauweißes Pulver, in Schwefelsäure gelöst: olivgrün, einseitige Absorption in Rot, Orangegelb und in Violett
Indigoider Küpenfarbstoff	für Baumwolle, Wolle und Druck	
Indigoider Küpenfarbstoff	für Baumwolle und Druck	
	für Baumwolle und Druck	Spektrum der Ausfärbung siehe den Schluß der Tabellen

Handelsname	Löslichkeit, Farbe der Lösung	Absorption in Xylol	Absorption in Tetralin	In Schwefelsäure Farbe	In Schwefelsäure Absorption	In Schwefelsäure-Borsäure Farbe	In Schwefelsäure-Borsäure Absorption
Algolschwarz GL [By]	in Xylol und Tetralin mit blauer Farbe löslich	6540 5990 5420 sehr schwach	6575 6015 5560 sehr schwach	grünlich-blau	6030? 5725 4925	bläulich-grün	6240 4835 einseitige Absorption in Violett
Alizarinindigo 3 R Teig und Pulver [By]	in Xylol und Tetralin mit grünlichblauer Farbe löslich	ungefähr 6535 6085 5535	6565 6015 5505	bläulich-grün	einseitige Absorption in Rot und in Blau und Violett	bläulich-grün	wie in Schwefelsäure
Alizarinindigo G Teig und Pulver [By]	in Xylol und Tetralin mit blauer Farbe löslich	6590 5968 5505	6560 5806 5535	grün	einseitige Absorption in Rot und Violett	grün	wie in Schwefelsäure
Anthrene Jade Green Supra [Nt W]	in Xylol fast unlöslich, in Tetralin mit blauer Farbe und braungelber Fluorescenz löslich	—	6475 5905 5445 einseitige Absorption in Violett	rot	5795 5806 4940	rot	5755 5305 4940
Indanthrenbrillantgrün B Teig (D), [By], [M]	in Xylol auch in der Wärme schwer, in Tetralin in der Wärme besser mit blaugrüner Farbe löslich, aus Xylollösung scheidet sich der Farbstoff beim Abkühlen allmählich aus	6425 5895 5450	6475 5905 5475	violettrot	ungefähr 5790 5305 4805	violettrot	wie in Schwefelsäure
Indigosolgrün IB [DH]	erst nach Oxydation in Xylol und in Tetralin in der Wärme mit grünlichblauer Farbe löslich, beim Abkühlen der Xylollösung scheidet sich der Farbstoff allmählich aus	6425 5805 5460	6475 6005 5475	konzentriert rot, verdünnt grün	einseitige Absorption in Rot und Violett	konzentriert rot, verdünnt grün	einseitige Absorption in Rot und Violett

Chemische Zusammensetzung	Verwendungsart	Anmerkung
Anthrachinonküpenfarbstoff	für Baumwolle	Absorptionsspektrum der Ausfärbung wie bei dem Farbstoff in Substanz
2-(5,7-Di[illegible])-2'-([illegible]) indigo 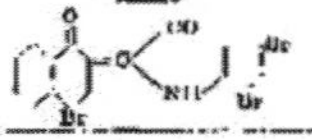	für Baumwolle, Wolle und Druck	
2-(5,7-Di[illegible])-3'-[illegible] 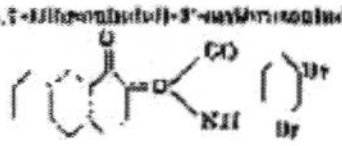	für Baumwolle, Wolle und Druck	
	für Baumwolle	
	für Baumwolle und Druck	
entspricht dem Indanthrenbrillant-grün B (B)	für Kattundruck	braunrotes Pulver, in Schwefelsäure gelöst: konzentriert rot, verdünnt grün; einseitige Absorption in Rot und Violett

Handelsname	Löslichkeit, Farbe der Lösung	Absorption in Xylol	Absorption in Tetralin	In Schwefelsäure Farbe	In Schwefelsäure Absorption	In Schwefelsäure-Borsäure Farbe	In Schwefelsäure-Borsäure Absorption
Paradone Direct Black R Paste for Printing [H] Paradone Direct Black R Powder [H]	in Xylol schwer mit violetter, in Tetralin besser mit violettblauer Farbe löslich	Paste 5985 5425 5130 Powder 5985 5405 5118	Paste 6085 5570 5105 Powder 6015 5545 5160	grau-violett	ungefähr 5755 5185 4920	grau-violett	wie in Schwefelsäure
Paradone Grey B Powder [H]	in Xylol schwer, in Tetralin besser mit violetter Farbe löslich	5965 5605 5115	6015 5550 5145	grau-violett	ungefähr 5755 5335 4920	grau-violett	wie in Schwefelsäure
Paradone Black 2 B Paste [H] Paradone Black 2 B Double Paste u. Powder [H]	in Xylol und Tetralin mit roter Farbe löslich	5900 5410 5030 einseitige Absorption in Violett	5950 5455 5065 einseitige Absorption in Violett	grau-violett	ungefähr 5745 5310 4925	grau-violett	wie in Schwefelsäure
Indanthrenbrillantviolett 3 B Teig und Pulver* [B], [By], [M]	in Xylol und Tetralin mit violettroter Farbe und roter Fluoreszenz löslich	5805 5495 5015	5935 5465 5050	gelbgrün	einseitige Absorption in Rot, ungefähr 6654 starke einseitige Absorption in Violett	gelbgrün	wie in Schwefelsäure
Indanthrengrün B [B] früher Violanthren B [B] Indanthrenschwarz B [B] Caledon Green B [SD] Ponsol Black B conc. Powder [DuP]	in Xylol in der Wärme mit rotvioletter Farbe, in Tetralin mit violetter Farbe und schwacher graugelber Fluoreszenz löslich; Indanthrenschwarz B und Ponsol Black B sind schon bei Zimmertemperatur löslich	5875 5420 5015 Ponsol Black B außerdem 4690 einseitige Absorption in Violett	5915 5450 5045 Ponsol Black B außerdem 4710 einseitige Absorption in Violett	grau-violett	5700 5345 4805	grau-violett	wie in Schwefelsäure

Chemische Zusammensetzung	Verwendungsart	Anmerkung
		Farbstoff unbekannter Konstitution
ein Nitroderivat des Violanthrons (Dibenzanthrons)		
	für Druck und Schwarzfärberei	
Nitroviolanthron, bzw. Aminoviolanthron oder Oxydationsprodukte des Aminoviolanthrons	für Baumwolle	Indanthrengrün B ausgefärbt: in Xylol grünlichblau, fluoresziert rot, ungefähr 6405, 5995, 5565 in Tetralin blaugrün, fluoresziert rot, ungefähr 6635, 6065, 5615 in Schwefelsäure violett 5705, 5305, 4905 einseitige Absorption in Violett. Indanthrenschwarz B in Xylol und Tetralin unlöslich, in Schwefelsäure violett, ungefähr 5715, 5415 Siehe auch Gruppe X „[illegible]" Violanthron siehe S. 393 Ponsol Black B ist kein einheitliches Produkt. In Substanz ist Nitroviolanthron, die Ausfärbung ist Aminoviolanthron. Durch Behandlung der Ausfärbungen auf der Faser mit Hypochloriten (Oxydation) entstehen schwarze Färbungen

Grup-

Handelsname	Löslichkeit, Farbe der Lösung	Absorption		In Schwefelsäure		In Schwefelsäure-Borsäure	
		in Xylol	in Tetralin	Farbe	Absorption	Farbe	Absorption
Alizanthrene Green B [BAC]	In Xylol und Tetralin mit roter Farbe löslich	5875 5420 5015 [4765]	5915 5460 5045 [4785]	olivgrün	einseitige Absorption in Rot, schwache einseitige Absorption in Blau, starke einseitige Absorption in Violett	olivgrün	wie in Schwefelsäure
Paradone Blue RS Paste [H]	In Xylol und Tetralin mit roter Farbe löslich, fluoresziert grün	5870 6395 5020 (4905) starke einseitige Absorption in Violett	5920 5446 5055 (4720) starke einseitige Absorption in Violett	blau	ungefähr 6470 5795	blau	wie in Schwefelsäure
Paradone Violett B conc. Powder [H]	In Xylol und Tetralin mit violettroter Farbe und roter Fluoreszenz löslich	5805 5425 5025 konzentrierte Lösung außerdem [4005]	5910 5455 5060 konzentrierte Lösung außerdem [4630]	grün	einseitige Absorption in Rot und Orangegelb und in Violett	grün	wie in Schwefelsäure
Indanthrenblau RC [B]	In Xylol mit rotvioletter, in Tetralin mit violettblauer Farbe löslich, fluoresziert rot	5845 5390 4995 konzentrierte Lösung außerdem [4005]	5895 5400 5020 konzentrierte Lösung außerdem [4636]	gelbbraun	6825 6456 6125 4715	gelbbraun	wie in Schwefelsäure
Olivgrün B [J]	In Xylol und Tetralin bei Zimmertemperatur mit violettroter, in der Wärme mit rotvioletter Farbe löslich	In der Wärme gelöst: 5840 5400 4985	In der Wärme gelöst: 5885 5425 5010	grünlichblau	einseitige Absorption in Rot und in Violett	grünlichblau	wie in Schwefelsäure
Chlorviolanthron [B]	In Xylol und Tetralin mit violettroter Farbe und starker roter Fluoreszenz löslich	5830 5385 4985 einseitige Absorption in Violett	5880 5425 5030 einseitige Absorption in Violett	rotviolett	5740 5315 4935	rotviolett	wie in Schwefelsäure

Chemische Zusammensetzung	Verwendungsart	Anmerkung
	für Baumwolle	kein einheitliches Produkt vergleiche Indanthrenrotbraun R (B) S. 638
N-Dihydro-1,2,1',2'-anthrachinonazin (Indanthren) 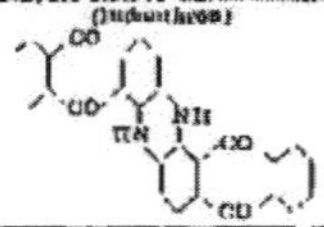	für Baumwolle und Druck	kein einheitliches Produkt
	für Baumwolle und Druck	
	für Baumwolle	Spektrum der Ausfärbung siehe den Schluß der Tabellen
verwandt dem Cibagrün G (J) (siehe Seite 708)	für Baumwolle, Wolle und Seide (Baumwolldruck, Appreturfärberei)	das Absorptionsspektrum des bei Zimmertemperatur gelösten Farbstoffes siehe Gruppe VII, S. 788
chloriertes Violanthron		nicht im Handel

Grup-

Handelsname	Löslichkeit, Farbe der Lösung	Absorption		In Schwefelsäure		In Schwefelsäure-Borsäure	
		in Xylol	in Tetralin	Farbe	Absorption	Farbe	Absorption
Indanthrenviolett RT [B] früher Violanthren CH [B]	In Xylol und Tetralin mit violettroter Farbe und roter Fluoreszenz löslich	5815 5485 4870 [4656]	5875 5420 5016 [4686]	rotviolett	5755 5340 4915	rotviolett	wie in Schwefelsäure
Indanthrenbrillantviolett RRBA [B], [By], [M]	In Xylol und Tetralin mit violettroter Farbe und roter Fluoreszenz löslich	5780 5040 4945	5815 5370 4975	bläulichgrün	starke einseitige Absorption in Rot, ungefähr 5725 schwache einseitige Absorption in Blau, starke in Violett	bläulichgrün	wie in Schwefelsäure
Indanthrenbrillantviolett RR Teig, RR Teig fein [D], [By], [M] früher Helindonviolett JBB extra Teig [M] und Helindonviolett BJRR extra Teig [M] Indanthrenbrillantviolett RR [B] früher Indanthrenbrillantviolett 2 R extra [B] Anthrene Violet 2 R Paste [NUW] Alizanthrene Violet RR [BAU] Caledon Brilliant Purple RR [SD] Paradone Violet BR Paste [H] Paradone Violet BR Double Paste for Printing [H] Paradone Violet BRR Double Paste [H] Ponsol Violet RR Double Powder [DuP]	In Xylol und Tetralin mit violettroter Farbe und starker roter Fluoreszenz löslich	5770 5880 4935 [4605]	5805 5900 4965 [4630]	grün	starke einseitige Absorption in Rot, verdünnt 6055 5115 einseitige Absorption in Grün, Blau und Violett	grün	wie in Schwefelsäure

pe VI.

Chemische Zusammensetzung	Verwendungsart	Anmerkung
chloriertes Violanthron	für Baumwolle	nicht mehr im Handel
	für Apparatefärberei	
Dichlorisoviolanthron	für Baumwolle, Druck und Apparatefärberei	Isoviolanthron siehe Seite 101

Grup-

Handelsname	Löslichkeit, Farbe der Lösung	Absorption		In Schwefelsäure		In Schwefelsäure-Borsäure	
		in Xylol	in Tetralin	Farbe	Absorption	Farbe	Absorption
Indanthrenbrillantviolett 4 R [By], [M] Indanthrenbrillantviolett 4 R Teig [B]	in Xylol und Tetralin mit violettroter Farbe und roter Fluoreszenz löslich	5785 5315 4910	5770 5330 4945	grün	einseitige Absorption in Rot und Orangegelb, verdünnt 6055 6115 schwache einseitige Absorption in Grün, stärkere in Blau und Violett	grün	wie in Schwefelsäure
Eridanbrillantscharlach B pat.* [K]	in Xylol und Tetralin in der Wärme mit rosaroter Farbe und grüner Fluoreszenz löslich	5270 4900 4560	5295 4930 4605	rotviolett, verdünnt blauviolett, fluoresziert stark rot	6025 5600 5180 konzentriertere Lösung außerdem [4840]	rotviolett, verdünnt blauviolett, fluoresziert stark rot	wie in Schwefelsäure
Indanthrenbrillantorange RK Teig [M]	in Xylol und Tetralin in der Wärme mit orangegelber Farbe löslich	4955 4620 4385	4980 4640 4345	grün	einseitige Absorption in Rot 6620	grün	wie in Schwefelsäure

Grup-

Handelsname	Löslichkeit, Farbe der Lösung	Absorption		In Schwefelsäure		In Schwefelsäure-Borsäure	
		in Xylol	in Tetralin	Farbe	Absorption	Farbe	Absorption
Hydronblau BBF [C]	in Xylol mit violetter, in Tetralin mit blauer Farbe und roter Fluoreszenz löslich	ungefähr 6015 5690 5275 konzentriertere Lösung außerdem [4860]	ungefähr 6085 5655 5295 konzentriertere Lösung außerdem [4920]	olivgrün	konzentriertere Lösung 5815 5445 einseitige Absorption in Blau und Violett, verdünnt 5115 4715	olivgrün	6195 übrige Absorption wie in Schwefelsäure

pe VI.

Chemische Zusammensetzung	Verwendungsart	Anmerkung
	für Baumwolle und Druck	
	für Baumwolle und Druck	
	für Baumwolle und Druck	

pe VII.

Chemische Zusammensetzung	Verwendungsart	Anmerkung
Anthrachinonfarbstoff	für Baumwolle und Druck	Spektrum der Ausfärbung siehe den Schluß der Tabellen

Handelsname	Löslichkeit, Farbe der Lösung	Absorption		In Schwefelsäure		In Schwefelsäure-Borsäure	
		in Xylol	in Tetralin	Farbe	Absorption	Farbe	Absorption
Caledon Blue RR [SD]	auch in der Wärme wenig löslich, in Xylol mit violetter, in Tetralin mit blauvioletter Farbe	5890 5620 5095	5930 5660 5115	olivgrün	5985 5445 4715 mehr verdünnt 4785 4625	olivgrün	wie in Schwefelsäure
Paradone Violet B conc. Paste [H]	in Xylol und Tetralin mit violettroter Farbe und roter Fluoreszenz löslich	5895 5620 5090 [4905] einseitige Absorption in Violett, mehr verdünnt 5885 5620 5475 5090 [4905] nach längerem Stehen 5885 5460 5050 [4905]	6025 5655 5110 [4930] einseitige Absorption in Violett, mehr verdünnt 6025 5555 5660 5110 [4930] nach längerem Stehen 6025 5470 5075 [4930]	olivgrün	einseitige Absorption in Rot und Orangegelb, 5405 4975 einseitige Absorption in Violett	olivgrün	wie in Schwefelsäure
Paradone Violet B conc. Powder [H]	in Xylol und Tetralin mit violettroter Farbe und roter Fluoreszenz löslich	5885 5620 5090 [4905] einseitige Absorption in Violett, mehr verdünnt 5885 5620 5480 5090 [4905] einseitige Absorption in Violett	6025 5655 5110 [4930] einseitige Absorption in Violett, mehr verdünnt 6025 5655 5500 5110 [4930] einseitige Absorption in Violett	olivgrün	einseitige Absorption in Rot und orangegelb 5405 4975 einseitige Absorption in Violett	olivgrün	wie in Schwefelsäure

Chemische Zusammensetzung	Verwendungsart	Anmerkung
Dibromindanthron	für Baumwolle	nach Colour Index soll es ein Gemisch von Indanthrenblau GC und Indanthrenviolett R sein
Isoviolanthron (Isodibenzanthron) siehe auch Seite 701	für Baumwolle	kein einheitliches Produkt vergleiche Pseudoviolett Paste, Gruppe X, S. 734
Isoviolanthron	für Baumwolle	die Xylol- und Tetralinlösung ändert sich auch nach längerem Stehen nicht.

Grup-

Handelsname	Löslichkeit, Farbe der Lösung	Absorption		In Schwefelsäure		In Schwefelsäure-Borsäure	
		in Xylol	in Tetralin	Farbe	Absorption	Farbe	Absorption
Hydronmarineblau C Teig 30 % [C]	in Xylol und Tetralin mit violettroter Farbe und roter Fluoreszenz löslich	6060 5605 5230	6050 5620 5245	blaugrün	einseitige Absorption in Rot und in Violett	grünblau	ungefähr 6185 5695 einseitige Absorption in Rot und in Violett
Hydronviolett B Teig und Pulver [C] Hydronviolett R Teig und Pulver [C]	in Xylol und Tetralin mit violettroter Farbe und roter Fluoreszenz löslich	6030 5595 5220	6045 5620 5240	grün	einseitige Absorption in Rot 5975 schwache einseitige Absorption in Blau, stärkere in Violett	grünblau, fluoresziert rot	einseitige Absorption in Rot 6190 6084 5856
Indanthrenbrillantviolett RK [B], [Dy], [M] früher Algolbrillantviolett R [By] Caledon Brilliant-Violet R [SD] Duranthrene Brilliant-Violet R Powder [BD]	in Xylol und Tetralin mit rotvioletter Farbe und roter Fluoreszenz löslich	unscharfe Streifen 6025 5590 5215	unscharfe Streifen 6045 5610 5235	grün	einseitige Absorption in Rot und Orangegelb 5235 4975 starke einseitige Absorption in Blau und Violett	blau, fluoresziert rot	6185 5675 5280
Hydronviolett VBB Teig [C] Indanthrenbrillantviolett BBK Teig und Pulver* [B], [By], [M] früher Algolbrillantviolett 2B Teig [By]	in Xylol und Tetralin mit violetter Farbe und roter Fluoreszenz löslich; konzentrierte Lösungen rot	6020 5585 5200	6035 5600 5225	grün	6355 5960 5565 4885 einseitige Absorption in Violett	blau, fluoresziert rot	6185 5600 5270
Algolblau 3R [By] Algolblau 3RP [By]	in Xylol und Tetralin mit violetter Farbe und roter Fluoreszenz löslich	6005 5570 5190	6015 5580 5200	grün, fluoresziert schwach rot	6040 5855 5085 5830	blau, fluoresziert rot	6198 5690 5270 einseitige Absorption in Violett

Chemische Zusammensetzung	Verwendungszweck	Anmerkung
Schwefelküpenfarbstoff	für Baumwolle	ein Gemisch Spektrum der Ausfärbung siehe den Schluß der Tabellen
nach Colour Index Gemisch von Hydronblau R mit einem roten Küpenfarbstoff	für Baumwolle	Hydronviolett R bei Zimmertemperatur gelöst, gibt unsymmetrische, in der Wärme gelöst, symmetrische Absorptionsstreifen kein einheitliches Produkt
nach Colour Index 4.8-Dianisoyl-diamino-1.5-dihydroxyanthrachinon 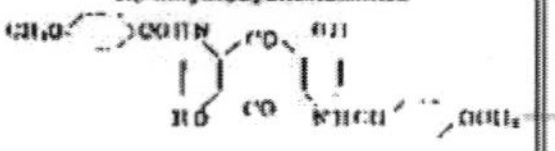	für Baumwolle, Leinen, Seide und Druck	
Indanthrenbrillantviolett BBK 4.8-Dibenzoyldiamino-1.5-dihydroxyanthrachinon 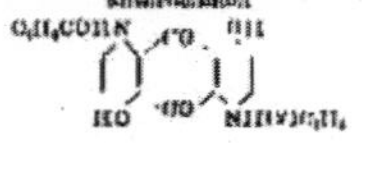	für Baumwolle, Leinen, Seide, Druck und Lacke	
1-Benzoyl-4-methyldiaminoanthrachinon 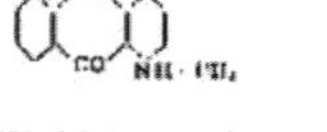	für Baumwolle, Leinen und Seide	

[illegible] dierte Lösung außerdem	[illegible] tisierte Lösung außerdem	
[6598] [4625]	[6015] [4046]	
6985	6025	braunrot
6475	5500	
6005	5105	

Chemische Zusammensetzung	Verwendungsart	Anmerkung
	für Baumwolle	Absorptionsspektrum der Ausfärbung siehe den Schluß der Tabellen
Isoviolanthron 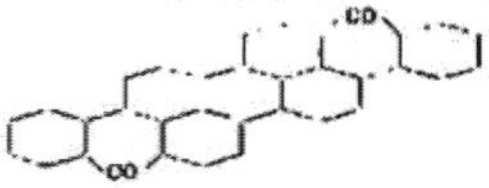	für Baumwolle und Druck	kein einheitliches Produkt
Farbstoff unbekannter Konstitution	für Baumwolle und Druck	durch Schmelzen von 9-Methylbenzanthron mit Schwefel dargestellt. Absorptionsspektrum der Ausfärbung siehe den Schluß der Tabellen
Dibromisoviolanthron	für Baumwolle	kein einheitliches Produkt. wenn man beim Auflösen stärker erwärmt, so erscheinen die Streifen 5885 und 6915 stärker und schärfer

Grup-

Handelsname	Löslichkeit, Farbe der Lösung	Absorption in Xylol	Absorption in Toluidin	In Schwefelsäure: Farbe	In Schwefelsäure: Absorption	In Schwefelsäure-Borsäure: Farbe	In Schwefelsäure-Borsäure: Absorption
Indanthrenschwarz BB Doppelteig [D], [By], [M] früher Helindonschwarz BB dopp. Teig [M]	In Xylol und Toluidin mit violettroter Farbe löslich	5886 **5445** 5056 konzentrierte Lösung außerdem [6605]	6935 **5486** 5080 konzentrierte Lösung außerdem [6115]	grauviolett	**5740** 6355	grauviolett	wie in Schwefelsäure
Indanthrendunkelblau BT [B]	In Xylol und Toluidin mit violettroter Farbe und roter Fluoreszenz löslich	6806 **5446** 5000 konzentrierte Lösung außerdem 4785 4475 schwache Absorption in Violett	6906 **5485** 5085 konzentrierte Lösung außerdem 4818 4506 schwache Absorption in Violett	grauviolett	5705 5340 4015	grauviolett	wie in Schwefelsäure
Indanthrenviolett R extra Teig [M] früher Helindonviolett J R extra Teig [M]	In Xylol und Toluidin mit roter Farbe und orangegelber Fluoreszenz löslich	6810 **5485** 5070 konzentrierte Lösung außerdem [6605] [4025]	6866 **5475** 5090 konzentrierte Lösung außerdem [6010] [4046]	grün	ungefähr 6125 5745 6285 4905 schwache Absorption in Violett	grün	wie in Schwefelsäure
Cibagrau G [J]	In Xylol und Toluidin bei Zimmertemperatur mit Violettroter, in der Wärme mit rotvioletter Farbe löslich	bei Zimmertemperatur gelöst: [5805] **5480** 5010 in der Wärme gelöst: 5860 **5410** 4906	bei Zimmertemperatur gelöst: [5845] **5455** 5085 in der Wärme gelöst: **5875** 5405 5015	grünlichblau	gleichmäßige Absorption in Rot und in Violett	grünlichblau	wie in Schwefelsäure
Cibagrau B [J]	In Xylol und Toluidin bei Zimmertemperatur mit violettroter, in der Wärme mit rotvioletter Farbe löslich	bei Zimmertemperatur gelöst: [5860] **5425** 5005	bei Zimmertemperatur gelöst: 6880 **5450** 5030	grünlichblau	gleichmäßige Absorption in Rot und in Violett	grünlichblau	wie in Schwefelsäure

Chemische Zusammensetzung	Verwendungsart	Anmerkung
Nitroviolanthron (?)	für Baumwolle	vergleiche S. 737 (?) auf der Faser angefärbt und mit Hypochlorit behandelt (Oxydation) gibt schwarze Färbung Absorptionsspektrum der Ausfärbung siehe am Schluß der Tabellen
Gemisch aus Indanthrendunkelblau BO und Indanthrenviolett RT		nicht mehr im Handel
Isoviolanthron	für Baumwolle	kein einheitliches Produkt siehe auch Indanthrenviolett R extra (B) Seite 700 (?)
5-[6-Bromindol]-2'-thionaphthenindigo (?) 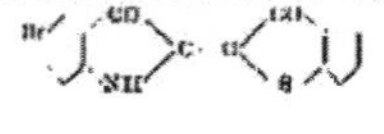	für Baumwolle, Wolle, Seide (Apparatefärberei, Baumwolldruck)	Absorptionsspektrum der Ausfärbung siehe am Schluß der Tabellen
mit Cibanon G (J) verwandt (?)	für Baumwolle, Wolle und Seide (Baumwolldruck, Apparatefärberei)	Absorptionsspektrum des in der Wärme gebildeten [illegible] (siehe Gruppe VI, Seite 696 (?)) Absorptionsspektrum der Ausfärbung siehe am Schluß der Tabellen

Grup-

Handelsname	Löslichkeit, Farbe der Lösung	Absorption in Xylol	Absorption in Tetralin	In Schwefelsäure: Farbe	In Schwefelsäure: Absorption	In Schwefelsäure-Borsäure: Farbe	In Schwefelsäure-Borsäure: Absorption
Indanthren-korinth RK Teig und Pulver [By] früher Algolkorinth R [By]	in Xylol und Tetralin mit violettroter Farbe löslich	ungefähr 5780 5365 4985	ungefähr 5790 5375 5005	braun	einseitige Absorption in Rot 6020 5545 starke einseitige Absorption in Violett	olivgrün	6005 5630 5125 einseitige Absorption in Blauviolett, verdünnt 4795
Indanthren-druckbraun R Teig und Pulver [By]	in Xylol und Tetralin erst in der Wärme mit roter Farbe löslich; beim Abkühlen der Xylollösung scheidet sich der Farbstoff wieder aus	ungefähr 5675 5285 4885 einseitige Absorption in Violett	ungefähr 5685 5405 4915 einseitige Absorption in Violett	violettblau	ungefähr 5035 4735	violettblau	wie in Schwefelsäure
Helindonbraun RR [M] Thioindigobraun R [K]	in Xylol und Tetralin mit braunroter Farbe und schwacher roter Fluoreszenz löslich	5785 5280 4885 starke einseitige Absorption in Violett	5735 5300 4910 starke einseitige Absorption in Violett	violettblau	6025 5490 5095 Thioindigobraun R 5745 5050	violettblau	wie in Schwefelsäure
Indanthrenblau 5G [B], [By], [M] früher Algolblau 3G [By]	in Xylol und Tetralin erst in der Wärme mit rotvioletter Farbe löslich	5665 5270 4915	5685 5290 4935 konzentriertere Lösung außerdem 6355	olivgrün	5605 5185 4815	olivgrün	wie in Schwefelsäure
Algolrosa TR [By]	in Xylol und Tetralin mit orangeroter Farbe löslich	ungefähr 5575 5205 4855	ungefähr 5590 5225 4005	rot	ungefähr 6035 5605	violettrot, fluoresziert rot	5780 5360 4835 4010

Chemische Zusammensetzung	Verwendungsart	Anmerkung
Dibenzoyldiamino-1.5-di-α-anthrachinonyl-diaminoanthrachinon	für Baumwolle, Leinen, Seide und Druck	
	für Druck	Spektrum der Ausfärbung wie bei dem Farbstoffe in Substanz
Bromierter [illegible]	für Baumwolle, Wolle, Seide, Druck und Apparatefärberei	kein einheitliches Produkt. Spektrum der Ausfärbung wie bei dem Farbstoffe in Substanz
4.4'-Dihydroxy-N-dihydro-1.2.1'.2'-anthrachinonazin 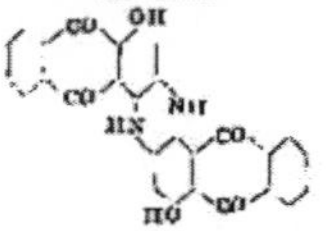	für Baumwolle	Spektrum der Ausfärbung siehe den Schluß der Tabellen
nach Colour Index ein Gemisch von Algolrot FF und Algolbrillantorange FR	für Baumwolle und Druck	

		einseitige Absorption in Rot und in Violett		
ungefähr 6455 5005 4820	konzentrierte Lösung rot, verdünnt violettrot	6235 5745 5305 4955	konzentrierte Lösung rot, verdünnt violettrot	[6280] 5850 5370 4955 4630
ungefähr 5755 5115 4810	rot	5780 5385 einseitige Absorption in Violett	rot	5775 5325 4905

Chemische Zusammensetzung	Verwendungsart	Anmerkung
1,5-Dibenzoyldiamino-8-hydroxyanthrachinon 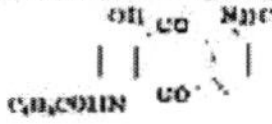	für Baumwolle	Pulver s. S. 675. Absorptionsstreifen: 5310, 4925; in Tetralin die Streifen wie bei Xylol; bei längerem Erwärmen in Xylol: 5365, 4050; in Tetralin: 5385, 4965
Anthrachinonküpenfarbstoff	für Baumwolle	
Anthrachinonküpenfarbstoff	für Baumwolle	Absorptionsspektrum der Ausfärbung nicht charakteristisch
3-Indol-2'-thionaphthenindigo 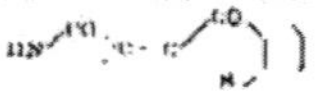	für Baumwolle, Wolle, Seide und Druck	wenn man den Farbstoff in der Wärme auflöst, so zeigt die Xylollösung nur einen Streifen ungefähr bei 5005, Tetralinlösung ungefähr bei 5105
1,4-Dibenzoyldiaminoanthrachinon 	für Baumwolle und Seide	
	für Baumwolle und Druck	kein charakteristisches Spektrum

Grup-

Handelsname	Löslichkeit, Farbe der Lösung	Absorption in Xylol	Absorption in Toluol	In Schwefelsäure: Farbe	In Schwefelsäure: Absorption	In [illegible]-lösung: Farbe	In [illegible]-lösung: Absorption
Indanthrenrot BK [By]	In Xylol und Toluol mit gelbroter Farbe löslich	ungefähr 6430 6035 4800	ungefähr 6400 6000 4815	rot	ungefähr 5085 5200 einseitige Absorption in Blau und Violett	rot	5745 5875 4060 4025
Algolrosa R [By]	In Xylol und Toluol mit gelbroter Farbe löslich	ungefähr 5358 4058 4636	ungefähr 5375 4095 4705	rot	5755 5305	rot, fluoresziert rot	5720 4280 4090 4076
Grelanonrot 2 B Teig [Gr]	In Xylol und Toluol auch in der Wärme wenig mit orangegelber Farbe und grüner Fluoreszenz löslich	5265 4905 4610	5200 4930 4630	orangegelb	ungefähr 4865	orangegelb	wie in Schwefelsäure
Grelanon-scharlach G Teig* [Gr]	In Xylol und Toluol in der Wärme mit orangegelber Farbe und grüner Fluoreszenz löslich	5265 4895 4600	5280 4920 4620	orangegelb	ungefähr 4855	orangegelb	wie in Schwefelsäure
Indanthrenrot GG Teig und Pulver [B], [By], [M]	In Xylol und Toluol in der Wärme schwer mit gelbroter Farbe löslich	5250 4890 4630	5240 4920 4610	violettrot, fluoresziert rot	5950 5500 5095 konzentrierte Lösung außerdem 4705	violettrot, fluoresziert rot	wie in Schwefelsäure
Anthrene Golden Orange Paste RRT* [NCW]	In Xylol und Toluol mit gelber Farbe löslich	4965 4725 4440	4995 4705 4465	blau	6200 5740 5165 5035 einseitige Absorption im Violett	blau	wie in Schwefelsäure

Chemische Zusammensetzung	Verwendungsart	Anmerkung
	für Baumwolle und Druck	
1-Benzoylamino-4-hydroxyanthrachinon $NHCOC_6H_5$ 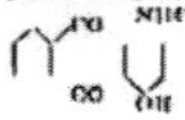	für Baumwolle	
	für Baumwolle und Druck	
	für Baumwolle und Druck	
	für Baumwolle und Druck	
	für Baumwolle	

grün	schwache einseitige Absorption im Rot, einseitige Absorption in Blau und Violett	blau	6405 5870 5425 5005
braun	undeutliche 5915 5005 [5095] einseitige Absorption in Rot und in Blauviolett	braun	wie in Schwefelsäure
braun	6000 5425 starke einseitige Absorption in Blau und Violett	braun	wie in Schwefelsäure
gelbrot	5585 einseitige Absorption in Violett	rot	4775 8330 4940
braunrot	5575 5190 einseitige Absorption in Violett	braunrot	wie in Schwefelsäure
gelbrot	5910 5570 5175 starke einseitige Absorption in Blau und in Violett	gelbrot	wie in Schwefelsäure

Chemische Zusammensetzung	Verwendungsart	Ausfärbung
1,4'-Dianthrachinonylamin 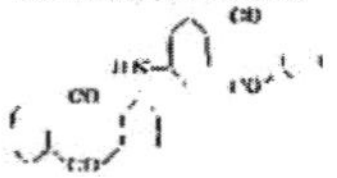	für Baumwolle	Küpe orangegelb Streifen ungefähr 4665 starke einseitige Absorption in Violett
	für Baumwolle und Druck	Küpe grün, dann gelb keine Absorptionsstreifen Spektrum der Ausfärbung wie bei dem Farbstoffe in Substanz
	für Baumwolle und Druck	Küpe violettblau Streifen ungefähr 5065 starke einseitige Absorption in Violett
	für Baumwolle und Druck	Küpe gelbrot. zwei undeutliche Streifen in Orangegelb und Grün
	für Baumwolle und Druck	Küpe orangegelb, Streifen ungefähr 4865, 4615 einseitige Absorption in Violett Spektrum der Ausfärbung siehe den Schluß der Tabellen
Karbazolderivat?	für Baumwolle	Küpe gelbbraun, Streifen ungefähr 4865, 4615 einseitige Absorption in Violett Vgl. Hydronblau R Teig [?] Gruppe IXe, S. 728 Absorptionsspektrum der Ausfärbung siehe den Schluß der Tabellen

Paradone Yellow AH, AGR, AGR new, AR [H]	in Xylol und Tetralin mit gelber Farbe löslich	einseitige Absorption in Blau, starke einseitige Absorption in Violett	orangegelb	ungefähr 5135 4895	orangegelb	wie in Schwefelsäure
Cibanongelb 3 G [J]	in Xylol und Tetralin auch in der Wärme wenig löslich, beim Abkühlen der Lösung scheidet sich der Farbstoff wieder aus	einseitige Absorption in Violett	gelbrot	6130 4910	gelbrot	wie in Schwefelsäure
Thioindongelb 3 G [K]	in Xylol und Tetralin auch in der Wärme schwer mit gelber Farbe löslich	einseitige Absorption in Violett	gelbbraun	ungefähr 4835	gelbbraun	wie in Schwefelsäure

Grup-

Handelsname	Schwefelsäure		Schwefelsäure-Borsäure	
	Farbe	Absorption	Farbe	Absorption
Eridangrau 2 B [K] früher Thioindigograu 2 B Teig (K) Helindongrau 2 B Teig [M]	blau	ungefähr 6705 einseitige Absorption in Rot und in Violett	blau	wie in Schwefelsäure

pe VIII.

Chemische Zusammensetzung	Verwendungsart	Anmerkung
	für Wolle und Baumwolldruck	Küpe: Absorptionsspektrum nicht charakteristisch.
Schwefelküpenfarbstoff	für Wolle	wässerige Lösung: undeutliche Absorption in Violett.
Paradone Yellow GR new 1-Benzoylaminoanthrachinon $NHCOC_6H_5$ 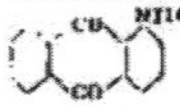		Küpe rot; Streifen ungefähr 5373; starke einseitige Absorption in Violett.
Anthrachinonküpenfarbstoff	für Baumwolle	
2,2'-Dianthrachinonylharnstoff 	für Baumwolle, Druck und Appreturfärbung	Küpe gelbrot, ungefähr 5025

pe IXa.

Chemische Zusammensetzung	Anmerkung
7,7'-Diamino-2,2'-bisthionaphthenindigo 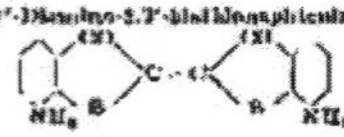	für Baumwolle, Wolle, Seide, Druck und Apparatefärberei. Spektrum der Ausfärbung wie bei dem Farbstoffe in Substanz.

Handelsname	Farbe	Absorption	Farbe	Absorption
Indanthrengrau 6 B Teig [M], [B], [By] ferner Helindongrau 6 B Teig [M]	blau	ungefähr 6745	blau	wie in Schwefelsäure
Indanthrengelb 8 GF [By]	braunrot	ungefähr 5735 schwache einseitige Absorption in Grün, starke Absorption in Blau und Violett	orangegelb	ungefähr 4025
Helindongelb CG Küpe fest [M]	rot	ungefähr 5465	rot	wie in Schwefelsäure
Helindonbraun G Teig* [M] Thioindigobraun G Teig [K]	rot	5415	rot	wie in Schwefelsäure
Cibanonorange R [J]	braun	ungefähr 5306	braun	wie in Schwefelsäure
Indanthrengelb RK [B], [By], [M] früher Helindongelb RN Teig 10% [M]	braunrot	5016 konzentrierte Lösung ([illegible]) einseitige Absorption in Violett	braunrot	wie in Schwefelsäure
Cibanongelb R Teig [J]	braungelb	ungefähr 4915	braun	wie in Schwefelsäure
Indanthrenblau BCD* [B] Indanthrenblau BCS [B]	braun	4755 einseitige Absorption in Violett	braun	wie in Schwefelsäure

Chemische Zusammensetzung	Anmerkung
	für Wolle, Baumwolle und Seide ein Handels... (siehe S. 7..) Absorptionsspektrum der Ausfärbung siehe den Schluß der Tabellen
	für Baumwolle und Druck
nach Colour Index identisch mit Thioindigogelb GW (K)	für Wolle und Baumwolldruck Spektrum der Küpe nicht charakteristisch
bromierter (Tribrom)-3-indol-2'-(5-amino)thionaphthenindigo 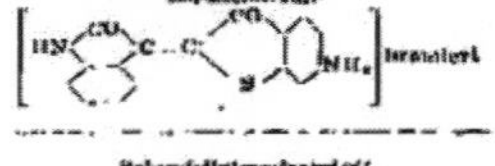 bromiert	für Baumwolle, Wolle, Seide, Druck und Apparatefärberei Spektrum der Ausfärbung wie bei dem Farbstoffe in Substanz
Schwefelküpenfarbstoff, Konstitution unbekannt	entsteht durch Schmelzen von 2-Methylanthrachinon mit Schwefel und Oxydation des gebildeten Produktes mit Hypochlorit für Baumwolle
Anthrachinonküpenfarbstoff	für Baumwolle
Schwefelküpenfarbstoff, Konstitution unbekannt	entsteht durch Schmelzen von Chlor-2-methylanthrachinon mit Schwefel und Oxydation des gebildeten Produktes mit Hypochlorit für Baumwolle und künstliche Seide (Apparatefärberei) Küpe orangegelb, unauffällig 4735
Trichlor-N-dihydro-1.2.1'.2'-anthrachinonazin	für Baumwolle Spektrum der Ausfärbung siehe den Schluß der Tabellen

Grup-

Handelsname	Schwefelsäure		Schwefelsäure-Borsäure	
	Farbe	Absorption	Farbe	Absorption
Eridandruckblau B [K]	grün	ungefähr 4725 starke einseitige Absorption in Rot und in Violett	grün	wie in Schwefelsäure
Indanthrenblau GCD Pulver [B] Bleu Solanthrène XJI [CN]	orangegelb	ungefähr 4705	orangegelb	wie in Schwefelsäure
Paradone Olive R Powder [H]	braun	ungefähr 4825	braun	wie in Schwefelsäure

Grup-

Indanthrengelb 3 RT [B], [By], [M] früher Helindongelb 3 RN [M]	dunkelviolett	ungefähr 5565 4925 starke einseitige Absorption in Violett	dunkelviolett	wie in Schwefelsäure
Paradone Blue FG Paste and Powder* [H]	olivgrün	einseitige Absorption in Rot 6000 5435 starke einseitige Absorption in Violett	olivgrün	wie in Schwefelsäure
Indanthrengrau 6 B [By], [M] Indanthrengrau 6 B dopp. Teig [B]	violett	5895 6290	violett	wie in Schwefelsäure
Paradone Black Paste, Powder [H]	gelbbraun	ungefähr 5555 5235 einseitige Absorption in Rot, Blau und Violett	gelbbraun	wie in Schwefelsäure

pe IXa.

Chemische Zusammensetzung	Anmerkung
	Küpe violett 6285 5895 5605 5225 für Druck
3,3'-Dichlor-N-dihydro-1,2,1',2'-anthrachinonazin	für Baumwolle und Druck Spektrum der Ausfärbung siehe den Schluß der Tabellen
	Küpe violettblau 6305 5805 Spektrum der Ausfärbung wie bei dem Farbstoffe in Substanz

pe IXb.

Anthrachinonküpenfarbstoff	für Baumwolle
Trichlor-N-dihydro-1,2,1',2'-anthrachinonazin	für Baumwolle
	für Baumwolle (Druck) Küpe rotviolett, ungefähr 5895 5495 5005 Spektrum der Ausfärbung wie bei dem Farbstoffe in Substanz
	Küpe rotviolett ungefähr 5905 5465

Grup-

Handelsname	Schwefelsäure		Schwefelsäure-Borsäure	
	Farbe	Absorption	Farbe	Absorption
Eridanbraun R [K] früher Thioindigobraun R [K]	rotlichbraun	ungefähr 5420 5000 einseitige Absorption in Blau und Violett	rotlichbraun	wie in Schwefelsäure
Thioindonolive B [K]	braunrot	ungefähr 5585 4965 einseitige Absorption in Violett	braunrot	wie in Schwefelsäure
Indanthrengelb FFRK [M] Indanthrengelb FFRK Teig [B]	braunrot	ungefähr 6125 4065	braunrot	wie in Schwefelsäure
Cibanonschwarz 2G [J]	braungelb	ungefähr 4940 4615	braunrot	wie in Schwefelsäure

Grup

Hydronreinblau FK [C]	blau	6065 6150 6265 6025 5805 5020 5115 5165 4995	blau	wie in Schwefelsäure
Eridanscharlach R pat.* [K]	rotviolett, verdünnt blauviolett, fluoresziert schwach rot	6030 5615 5170 konzentriertere Lösung außerdem 4860	rotviolett, verdünnt blauviolett, fluoresziert rot	wie in Schwefelsäure
Cibanongrün G [J]	rotbraun	ungefähr 5095 5275 4335 einseitige Absorption in Violett	gelbbraun	wie in Schwefelsäure

pe IX b.

Chemische Zusammensetzung	Anmerkung
	für Baumwolle Spektrum der Ausfärbung wie bei dem Farbstoffe in Substanz
	für Baumwolle und Seide Spektrum der Ausfärbung siehe den Schluß der Tabellen
	für Baumwolle (Druck)
Farbstoff unbekannter Konstitution, dem Cibanonschwarz B nahestehend	für Baumwolle, Küpe violettrot, ungefähr 6145 5635 5255 Spektrum der Ausfärbung wie bei dem Farbstoffe in Substanz

pe IX c.

	für Baumwolle (Druck)
	Küpe violettrot 6105 5705 5385 4800 4675
Farbstoff unbekannter Konstitution, mit Cibanongelb B verwandt	für Baumwolle (Druck) Absorptionsspektrum der Ausfärbung siehe den Schluß der Tabellen

Indanthrenolive R Teig [B], [By], [M] Indanthrenolive R Pulver [By] früher Algololive R [By] Caledon Olive R [SD]	braunrot	5845 6575 6180 4865	braunrot
Hydronolive R Teig und Pulver [C]	gelbrot	6040 5620 5175	gelbrot
Indanthrenblau 2 GS [B]	braungelb	5858 6555 5245 4865 ständige Absorption in Rot	braungelb
Caledon Blue GCP [SD]	braungelb	5600 5430 5125 4085	
Cibanongrau B [J]	rotbraun	ungefähr 5825 5500 5005	rotbraun
Cibanonolive B Teig [J]	braunrot	ungefähr 5625 5290 4805	braunrot
Anthrene Blue B Paste [NCW]	braungelb	5825 5455 5065 4725	braungelb

Chemische Zusammensetzung	Anmerkung
nach Colour Index wahrscheinlich 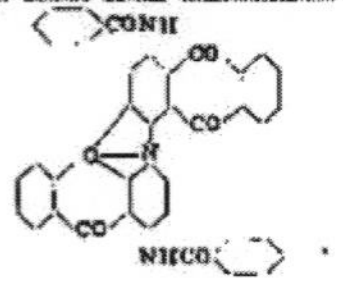	für Baumwolle, Leinen, Seide und Druck Spektrum der Ausfärbung wie bei dem Farbstoffe in Substanz
Schwefelküpenfarbstoff Karbazolderivat	für Baumwolle Absorptionsspektrum der Ausfärbung siehe den Schluß der Tabellen
nach Colour Index vielleicht ein Hydroxyderivat von Indanthren	für Baumwolle auch als Pigmentfarbstoff (Ultramarinersatz) Spektrum der Ausfärbung wie bei dem Farbstoffe in Substanz
Konstitution unbekannt	entsteht durch Oxydation von Cibanonblau 3 G in Schwefelsäurelösung für Baumwolle und Druck Absorptionsspektrum der Ausfärbung siehe den Schluß der Tabellen
Konstitution unbekannt	entsteht durch Oxydation von Cibanonblau 3 G bei Gegenwart von Nitrobenzol für Baumwolle 5805 5478 Küpe grünlichblau einseitige Absorption in Violett Spektrum der Ausfärbung siehe den Schluß der Tabellen
	für Baumwolle und Druck

40*

Grup-

Handelsname	Schwefelsäure		Schwefelsäure-Borsäure	
	Farbe	Absorption	Farbe	Absorption
Indanthrenbrillantblau 3 G Teig [B]	braungelb	[6565] 6065 5225 [4815] 4725	braungelb	wie in Schwefelsäure
Indanthrenblau GC dopp. Teig [B] früher Indanthren G (B) Bleu Solanthrene NJ [CN] Indanthrenblau GCN* [By] früher Algolblau G Pulver (By) Alizanthrene Blue GC [BAC] Anthrene Blue GG 10% Paste [NCW] Caledon Blue GC [SD]	braungelb	5895 5450 5120 einseitige Absorption in Violett verdämmt 4715 bzw. 4790 4585	braungelb	wie in Schwefelsäure
Indanthrenblau GCD Teig und dopp. Teig [B] Caledon Blue GCD [SD]	braungelb	5795 5400 [5106] einseitige Absorption in Violett verdämmt 4695	braungelb	wie in Schwefelsäure
Indanthrenblau RK [B], [By] [M] früher Algolblau K Pulver (By)	braungelb	[5840?] 5580 5235 4690	braungelb	wie in Schwefelsäure
Anthrene Blue 3 GX Paste [NCW]	braungelb	5785 5395 4685	braungelb	wie in Schwefelsäure
Anthrene Blue GCD Single Paste, Double Paste, Double Paste fine und Powder [NCW] Ponsol Blue GD Double Powder [DuP]	braungelb	5780 5385 5005 4675	braungelb	wie in Schwefelsäure

Chemische Zusammensetzung	Anmerkung
	für Baumwolle, Druck und Stückfärberei Spektrum der Ausfärbung wie bei dem Farbstoffe in Substanz
3.3'-Dibrom-N-dihydro-1.2.1'.2'-anthrachinonazin 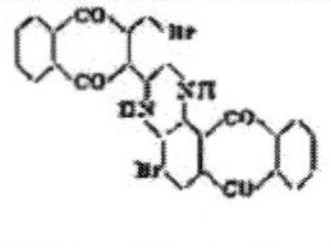	für Baumwolle vgl. Indanthrenblau 3 G (By) Gruppe IV, S. 328 Spektrum der Ausfärbung siehe den Schluß der Tabellen
3.3'-Dichlor-N-dihydro-1.2.1'.2'-anthrachinonazin 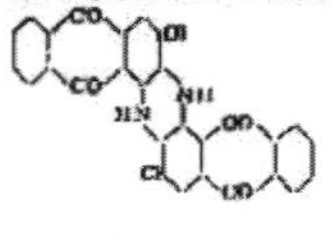	für Baumwolle und Druck Spektrum der Ausfärbung siehe den Schluß der Tabellen
N-Dimethyl-1.2.1'.2'-anthrachinonazin 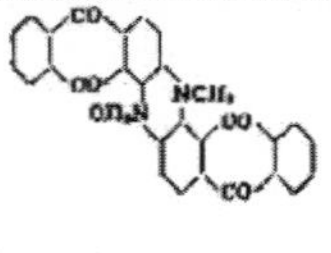	für Baumwolle Spektrum der Ausfärbung wie bei dem Farbstoffe in Substanz
	für Baumwolle
3.3'-Dichlor-N-dihydro-1.2.1'.2'-anthrachinonazin	siehe auch Caledon Blue GCD (SD) diese Seite für Baumwolle und Druck

Grup-

Handelsname	Schwefelsäure		Schwefelsäure-Borsäure	
	Farbe	Absorption	Farbe	Absorption
Indanthrenblau RSN dopp. Teig* [B] früher Indanthrenblau RS, S, X, DRS [B] Indanthren S [B] Alizanthrene Blue RS [BAC] Anthrene Blue RS Paste [NCW] Bleu Solanthrene KRS [CN] Caledon Blue R [SD] Indanthrene Blue RS [BDW] Paradone Blue RS Single Paste [H] Paradone Blue RS Double Paste and Powder [H]	braungelb	5855 5560 5245 4860	braungelb	wie in Schwefelsäure
Indanthrenbrillantblau R [By], [M] Indanthrenbrillantblau R dopp. Teig [B] Caledon Brilliant Blue R [SD]	braungelb	5560 5245 4845	braungelb	wie in Schwefelsäure
Indanthrenblau 5G [B], [By], [M]	braungelb	5815 5225 4865	braungelb	wie in Schwefelsäure

Grup-

Ge-

Handelsname	Löslichkeit, Farbe der Lösung	Absorption		In Schwefelsäure		In Schwefelsäure-Borsäure	
		in Xylol	in Tetralin	Farbe	Absorption	Farbe	Absorption
Helindondruckschwarz RD Teig [M]	in Xylol und Tetralin mit blauer Farbe löslich	6875 6265 5795 konzentriertere Lösung außerdem 5315 4915 4685?	6915 6305 5805 konzentriertere Lösung außerdem 5345 4945 4665?	grün	einseitige Absorption in Rot, Orangegelb und zwei undeutliche Streifen in Orangegelb und Grün, einseitige Absorption in Blau und Violett	grün	wie in Schwefelsäure

po IX c.

Chemische Zusammensetzung	Anmerkung
N-Dihydro-1.2.1'.2'-anthrachinonazin	für Baumwolle und Druck Spektrum der Ausfärbung wie bei dem Farbstoffe in Substanz
	für Baumwolle und Druck Spektrum der Ausfärbung wie bei dem Farbstoffe in Substanz
nach Colour Index vielleicht ein Hydroxyderivat von N-Dihydro-1.2.1'.2'-anthrachinonazin	für Baumwolle und Apparatefärberei Spektrum der Ausfärbung wie bei dem Farbstoffe in Substanz

po X.

mische.

Chemische Zusammensetzung	Verwendungsart	Anmerkung
	für Druck	Spektrum der Ausfärbung wie bei dem Farbstoffe in Substanz

Grup-
Ge-

Handelsname	Löslichkeit, Farbe der Lösung	Absorption		In Schwefelsäure		In Schwefelsäure-Borsäure	
		in Xylol	in Tetralin	Farbe	Absorption	Farbe	Absorption
Alizarin-indigo-schwarz B [By]	In Xylol und Tetralin mit blauer Farbe löslich	6540 6085 5250 4900 4695 starke einseitige Absorption in Violett	6570 6015 5305 4920 4616 starke einseitige Absorption in Violett	grün	starke einseitige Absorption in Rot und Orangegelb 4896 starke einseitige Absorption in Violett	grün	wie in Schwefelsäure
Alizarin-indigogrün B Teig [By]	In Xylol mit blauer, in Tetralin mit blaugrüner Farbe löslich	6540 6095 5320 konzentrierte Lösung außerdem 4890 4600 einseitige Absorption in Violett	6570 6010 5340 konzentrierte Lösung außerdem 4910 4610 einseitige Absorption in Violett	blaugrün	einseitige Absorption in Rot und Violett	blaugrün	wie in Schwefelsäure
Anthrene Green GG Paste*[NCW]	In Xylol mit gelbbrauner Farbe, in Tetralin mit olivgrüner Farbe und gelbbrauner Fluoreszenz löslich	6425 5805 5265 4916 4646 einseitige Absorption in Violett	6475 5905 5320 4945 4670 einseitige Absorption in Violett	rot	5795 starke einseitige Absorption in Blau und Violett, verdünnt: 5110 4785 4495 einseitige Absorption in Violett	rot	wie in Schwefelsäure
Anthrene Green 2G Paste [NCW]	In Xylol und Tetralin mit gelbbrauner Farbe, in Tetralin mit olivgrüner Farbe und gelbbrauner Fluoreszenz löslich	6485 5805 5285 4910 4646 einseitige Absorption in Violett	6475 6005 5820 4915 4870 einseitige Absorption in Violett	rot	5785 5110 4785	rot	wie in Schwefelsäure

pe X.

mische.

Chemische Zusammensetzung	Verwendungsart	Anmerkung
	für Baumwolle und Druck	Spektrum der Ausfärbung wie bei dem Farbstoffe in Substanz
	für Druck	Spektrum der Ausfärbung wie bei dem Farbstoffe in Substanz
	für Baumwolle	
nach Colour Index mit Caledon Jade Green [BD] S. 728 verwandt	für Baumwolle	

Grup-

Ge-

Handelsname	Löslichkeit, Farbe der Lösung	Absorption		In Schwefelsäure		In Schwefelsäure-Borsäure	
		in Xylol	in Tetralin	Farbe	Absorption	Farbe	Absorption
Anthrene Jade Green Paste (NCW)	In Xylol mit olivgrüner Farbe, in Tetralin mit blauer Farbe und gelbbrauner Fluoreszenz löslich	6425 5865 5295 4915 4845 einseitige Absorption in Violett	6475 5905 5320 4945 4870 einseitige Absorption in Violett	rot	5705 5305 4940 einseitige Absorption in Violett	rot	wie in Schwefelsäure
Anthrene Jade Green Paste fine (NCW)	In Xylol und Tetralin mit blauer Farbe und gelbbrauner Fluoreszenz löslich	6425 5865 5295 4915 4875? einseitige Absorption in Violett	6475 5905 5335 4975 4880? einseitige Absorption in Violett	rot	5795 5305 4940	rot	5795 5305 4940
Anthrene Jade Green M Paste (NCW)	In Xylol wenig mit grüner Farbe, in Tetralin gut mit blauer Farbe löslich; gelbbraune Fluoreszenz	6425 5865 5295 4955 4815 einseitige Absorption in Violett	6475 5905 5325 4985 4805 einseitige Absorption in Violett	rot	5705 5305 4940	rot	5755 5305 4940
Caledon Jade Green Single Paste (SD)	In Xylol und Tetralin in der Wärme mit grünlich-blauer Farbe löslich	6480 5700 5310 4950 4875? einseitige Absorption in Violett	6475 5880 5340 4980 4705? einseitige Absorption in Violett	braunrot	5705 5305 4905	braunrot	wie in Schwefelsäure
Anthrene Blue Green B Paste (NCW)	In Xylol und Tetralin mit grünlich-blauer Farbe und gelbbrauner Fluoreszenz löslich	6425 5885 5285 4965 4685? einseitige Absorption in Violett	6445 5880 5320 4955 4680? einseitige Absorption in Violett	rot	5775 5325 4965	rot	wie in Schwefelsäure

pe X.

mische.

Chemische Zusammensetzung	Verwendungsart	Anmerkung
nach Colour Index mit Caledon Jade Green [BD] (s. diese Seite) verwandt	für Baumwolle	
nach Colour Index mit Caledon Jade Green [BD] (s. diese Seite) verwandt	für Baumwolle	
nach Colour Index mit Caledon Jade Green [BD] (s. diese Seite) verwandt	für Baumwolle	
nach Colour Index wahrscheinlich Dimethoxydibenzanthron	für Baumwolle	
	für Baumwolle	

Grup-
Ge-

Handelsname	Löslichkeit, Farbe der Lösung	Absorption		In Schwefelsäure		In Schwefelsäure-Borsäure	
		in Xylol	in Toluol	Farbe	Absorption	Farbe	Absorption
Cibanongrün GG [J]	auch in der Wärme ziemlich wenig mit grüner Farbe löslich	6855 5795 5320 4950 4580 einseitige Absorption in Violett	6880 5815 5350 4950 4600 einseitige Absorption in Violett	oliv-grün	ungefähr 4865 einseitige Absorption in Violett	braun	wie in Schwefelsäure
Indanthrengrün K [B], [By], [M] früher Algolgrün B [By]	in Xylol und Toluol in der Wärme mit blauer Farbe löslich	ungefähr 6800 6008 ? 5470 5005 ? starke einseitige Absorption in Violett	6830 6045 ? 6400 5025 ? starke einseitige Absorption in Violett	grün, dann braun	einseitige Absorption in Rot 6515 starke einseitige Absorption in Grün und Blauviolett, verdünnt 4805	oliv-grün	einseitige Absorption in Rot 6445 5685 starke einseitige Absorption in Violett, verdünnt 5105 4805
Algolschwarz BO Teig und Pulver [By]	in Xylol mit grünlich-blauer, in Toluol mit blauvioletter Farbe löslich, nach Abkühlen der Xylollösung scheidet sich der Farbstoff wieder aus	6180 6040 5715 5605 5805 4815 4545	6210 6070 5735 5620 5840 4830 4505	grün	6350 5995 5550 einseitige Absorption in Blauviolett	blau	einseitige Absorption in Rot 6205 5935 5215 einseitige Absorption in Blauviolett
Alizanthrene Blue GCD [BAC]	in Xylol und Toluol auch in der Wärme wenig mit blauer Farbe löslich	ungefähr 6045 5200 4810 4085	ungefähr 6065 5310 4085 4065	braungelb	5820 5565 5225 4045	braungelb	wie in Schwefelsäure
Indanthrengrün GK [B], [By], [M] früher Algolgrün [illegible] [By]	in Xylol und Toluol mit blauer Farbe löslich	6020 5525 5175 ? einseitige Absorption in Violett	6040 5540 5185 ? einseitige Absorption in Violett	grün, dann braun	6515 einseitige Absorption in Grün und Blauviolett, verdünnt 4805	oliv-grün	6445 5685 5105 einseitige Absorption in Violett, verdünnt 4805

pe X.
mische.

Küpenfarbstoffe. Gruppe X.

Löslichkeit, Farbe der Lösung	Absorption		In Schwefelsäure	
	In Xylol	In Tetralin	Farbe	Absorption
in Xylol mit roter, in Tetralin mit violetter Farbe erst in der Wärme löslich	5880 5440 4985 4740 einseitige Absorption im Violett	5340 5470 4966 4780 einseitige Absorption im Violett	violett	starke einseitige Absorption im Rot 5705 5318 einseitige Absorption im Blauviolett

Colour Index als Nitroderivat von Violanthron	für Baumwolle	vergleiche Indanthrengrün B [illegible] S. 656 und Alizaringrün Green (ICI) S. 660

Handelsname	Löslichkeit, Farbe der Lösung	Absorption		In Schwefelsäure		In Chlorsulfonsäure	
		in Xylol	in Tetralin	Farbe	Absorption	Farbe	Absorption
Indanthrendunkelblau BOA Teig [B], [Dy], [M] früher Helindondunkelblau BBOA Teig [M]	in Xylol und Tetralin mit gelbroter Farbe löslich	5930 5475 5075 4905 einseitige Absorption im Violett, konzentriertere Lösung außerdem 6605	6015 5525 5105 4935 einseitige Absorption im Violett, konzentriertere Lösung außerdem 6015	rotviolett	5755 5315 4905	rotviolett	wie in Schwefelsäure
Caledon Dark Blue D [SD]	in Xylol und Tetralin mit roter Farbe löslich	6590 6010 5465 5075 4685 4495 einseitige Absorption im Violett	6610 6035 5490 5100 4705 4505 einseitige Absorption im Violett	violett	5755 5320 4910	violett	wie in Schwefelsäure
Anthradruckschwarz BG* [B] früher Indanthrendruckschwarz BG Teig [B] Helindondruckschwarz BG Teig [M]	in Xylol und Tetralin mit violettroter Farbe löslich	6065 5460 5090 4790 4465 konzentriertere Lösung 6595	6080 5495 5110 4785 4475 konzentriertere Lösung 6615	blau	ungefähr 6235 5780 5345 5115 einseitige Absorption im Violett	blau	wie in Schwefelsäure
Indanthrendunkelblau BO Teig [B], [Dy], [M] früher Helindondunkelblau BBO Teig [M] Alizanthrene Dark Blue BO [BAC] Anthrene Dark Blue BO Paste [NOW]	in Xylol und Tetralin mit roter Farbe und roter Fluoreszenz löslich	5965 5460 5075 4895 einseitige Absorption im Violett, konzentriertere Lösung außerdem 6605	6015 5495 5100 4925 einseitige Absorption im Violett, konzentriertere Lösung außerdem 6015	blauviolett, fluoresziert grün	5755 5315 4905	blauviolett, fluoresziert grün	wie in Schwefelsäure

pe X.
mische.

Chemische Zusammensetzung	Verwendungsart	Anmerkung
Violanthron	für Baumwolle	Spektrum der Ausfärbung siehe den Schluß der Tabellen
Violanthren	für Baumwolle	vergleiche Indanthrendunkelblau BO diese Seite
Anthrachinonküpenfarbstoff	für Druck	Helindondruckschwarz BG unterscheidet sich von Anthradruckschwarz BG nur durch verschiedene Intensität der Absorptionsstreifen, also in Xylol: [6808] 6036 5460 6000 4730 4455 in Tetralin: [6616] 6060 5495 5110 4756 4475 Spektrum der Ausfärbung siehe den Schluß der Tabellen
Violanthren	für Baumwolle	Spektrum der Ausfärbung siehe den Schluß der Tabellen

Grup-
Ge-

Handelsname	Löslichkeit, Farbe der Lösung	Absorption		In Schwefelsäure		In [illegible]säure	
		in Xylol	in Tetralin	Farbe	Absorption	Farbe	Absorption
Anthrene Black C Paste [NCW] Anthrene Black DS Paste [NCW] Anthrene Black GW Paste [NCW]	in Xylol und Tetralin mit braunroter Farbe löslich	6505 6015 5400 5085 starke einseitige Absorption in Blauviolett, verdünnt: 4720 einseitige Absorption in Violett	6015 6036 5495 5110 starke einseitige Absorption in Blauviolett, verdünnt: 4780 einseitige Absorption in Violett	violettblau	6225 5765 5370 einseitige Absorption in Violett	violettblau	wie in Schwefelsäure
Paradone Dark Blue Paste und Powder [H]	in Xylol und Tetralin mit violetter Farbe löslich	einseitige Absorption in Rot 6500 6015 5455 5075 4810 4485	einseitige Absorption in Rot 6010 6085 5486 5095 4825 4505	violettblau	5750 5305 [4025] einseitige Absorption in Violett	violettblau	wie in Schwefelsäure
Caledon Black 2 B [SD]	in Xylol mit violettroter Farbe, in Tetralin mit violetter Farbe löslich	5960 5455 5075 4785 4476 konzentriertere Lösung außerdem 6925	5906 5495 5106 4815 4495 konzentriertere Lösung außerdem 6015	grauviolett	5765 5315 4905	grauviolett	wie in Schwefelsäure
Indanthrenblau RC [B] (alte Marke)	in Xylol in der Wärme mit roter Farbe, in Tetralin mit violettroter Farbe löslich	5885 5455 5055 4935 einseitige Absorption in Violett	5920 5490 5000 4705? einseitige Absorption in Violett	gelbbraun	5860 5455 einseitige Absorption in Blauviolett, verdünnt: 4745	gelbbraun	wie in Schwefelsäure
Indanthrenschwarz BD dopp. Teig [B], [By], [M] früher Helindonschwarz BB dopp. Teig [M]	in Xylol und Tetralin mit violettroter Farbe löslich	6005 5445 5055 konzentriertere Lösung außerdem [6505]	6035 5485 5080 konzentriertere Lösung außerdem [6015]	grauviolett	5745 5305	grauviolett	wie in Schwefelsäure

pe X.
mische.

Chemische Zusammensetzung	Verwendungsart	Anmerkung
	für Baumwolle	
	für Baumwolle	Spektrum der Ausfärbung siehe den Schluß der Tabellen
nach Colour Index Oxydationsprodukt von Caledon Green B (SD) s. S. 688	für Baumwolle	
	für Baumwolle	Spektrum der Ausfärbung siehe den Schluß der Tabellen
	für Baumwolle und Druck	vergleiche Indanthrenschwarz BB S. 723 Spektrum der Ausfärbung siehe den Schluß der Tabellen

Grup-

Ge-

Handelsname	Löslichkeit, Farbe der Lösung	Absorption in Xylol	Absorption in Tetralin	In Schwefelsäure Farbe	In Schwefelsäure Absorption	In Schwefelsäure-Borsäure Farbe	In Schwefelsäure-Borsäure Absorption
Indanthrendunkelblau GBR Pulver [M]	In Xylol und Tetralin auch in der Wärme schwer mit roter Farbe löslich	5770 5855 4925 4696 starke einseitige Absorption in Violett	5705 5380 4950 4625 starke einseitige Absorption in Violett	violettblau	6005 5860 5100	violettblau	wie in Schwefelsäure
Anthrene Scarlet 2G Paste [NOW]	In Xylol und Tetralin auch in der Wärme schwerlöslich mit roter Farbe und schwacher roter Fluoreszenz löslich	5890 5000 4785 einseitige Absorption in Violett	5410 5020 4755 einseitige Absorption in Violett	grün	6200 5765 5445 5005 einseitige Absorption in Violett	grün	wie in Schwefelsäure
Indanthrendunkelrot B [D], [By], [M]	In Xylol und Tetralin mit gelbroter Farbe löslich	ungefähr 5805 4795	ungefähr 5825 4895	gelbgrün	schwache einseitige Absorption in Rot und in Blau-Violett	grün	ungefähr 6100 5490 einseitige Absorption in Violett
Thioindigobraun GT [K]	In Xylol und Tetralin erst in der Wärme mit braunroter Farbe löslich	ungefähr 5235 starke einseitige Absorption in Blau und Violett	5805 starke einseitige Absorption in Blau und Violett	braun	zwei undeutliche Streifen in Blau und Violett	braun	wie in Schwefelsäure
Indanthrengrau 6B Teig [B], [By], [M] früher Helindongrau BR Teig [M]	In Xylol auch in der Wärme wenig mit rotvioletter Farbe, in Tetralin in der Wärme besser mit violetter Farbe löslich	ungefähr 6135 5705 5285 4875 4565	6155 5725 5305 4895 4575	blau	ungefähr 5785	wie in Schwefelsäure	wie in Schwefelsäure

pe X.
mische.

Chemische Zusammensetzung	Verwendungsart	Anmerkung
	für Baumwolle	Spektrum der Ausfärbung siehe den Schluß der Tabellen
	für Baumwolle	wahrscheinlich ein Gemisch aus Thioindigo Pink FF, vergleiche S. 604
	für Druck	
		Spektrum der Ausfärbung wie bei dem Farbstoffe in Substanz
7,7'-Diamino-2,2'-bisthionaphthenindigo 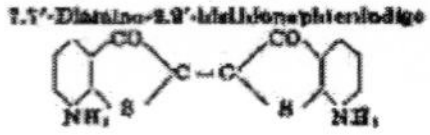	für Baumwolle, Wolle, Seide, Apparatefärberei, Druck	Spektrum der Ausfärbung siehe den Schluß der Tabellen. Indanthren[illegible] siehe auch S. 711

Grup-
Ge-

Handelsname	Löslichkeit, Farbe der Lösung	Absorption		In Schwefelsäure		In Schwefelsäure-Borsäure	
		In Xylol	In Tetralin	Farbe	Absorption	Farbe	Absorption
Caledon Violet RN [SD]	in Xylol und Tetralin mit rotvioletter Farbe löslich	6085 5225 starke einseitige Absorption in Violett	6080 6265 starke einseitige Absorption in Violett	orangerot	ungefähr 4845	orangerot	wie in Schwefelsäure
Indanthrendruckrot G [D], [By], [M]	in Xylol und Tetralin mit gelbroter Farbe löslich	5100 4745 einseitige Absorption in Violett	5355 4878 einseitige Absorption in Violett	grauviolett	5765 5310 [5146] 4805 4545 einseitige Absorption in Violett	grauviolett	5765 [5315] 4885 4605
Indanthrenrotbraun R [B]	in Xylol und Tetralin in der Wärme mit orangegelber Farbe und grüner Fluorescenz löslich	5035 4840 einseitige Absorption in Blauviolett	5065 4675 einseitige Absorption in Blauviolett	braungelb	schwache einseitige Absorption in Grün, starke Absorption in Blau und Violett	braungelb	wie in Schwefelsäure
Cibanonbraun V [J]	in Xylol und Tetralin erst in der Wärme löslich	konzentrierte Lösung 5585 starke einseitige Absorption in Grün und Blauviolett verdünnt 6005? 4765	konzentrierte Lösung 5010 starke einseitige Absorption in Grün und Blauviolett verdünnt 5095? 4795	braun	einseitige Absorption in Rot und in Violett	braun	wie in Schwefelsäure

pe X.
mische.

Chemische Zusammensetzung	Verwendungsart	Anmerkung
1.2.5.6-Anthrachinondiakridon 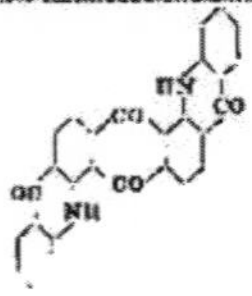	für Baumwolle, Druck und Apparatefärberei	vergleiche Indanthrenviolett RN extra (B) Gruppe IV, S. [illegible]
	für Druck	siehe auch S. [illegible]
Anthrachinonküpenfarbstoff	für Baumwolle	ein Gemisch aus drei Komponenten Spektrum der Ausfärbung siehe den Schluß der Tabelle siehe auch S. [illegible]
Konstitution unbekannt	für Baumwolle	durch Erhitzen von 1-Amino-2-methylanthrachinon mit Schwefel dargestellt Spektrum der Ausfärbung nicht charakteristisch

Handelsname	Löslichkeit, Farbe der Lösung	Absorption		In Schwefelsäure		In Schwefelsäure-Borsäure	
		in Xylol	in Tetralin	Farbe	Absorption	Farbe	Absorption
Caledon Red 5 B Single Paste* [SD]	in Xylol und Tetralin in der Wärme mit gelbroter Farbe löslich	5630 5250 starke einseitige Absorption in Violett, verdunkelt außerdem 4625 4405	5660 5280 starke einseitige Absorption in Violett, verdunkelt außerdem 4060 4435	braungelb	einseitige Absorption in Blau und Violett		einseitige Absorption in Rot 5605 5245 4940 4615
Helindongrün 2 G Teig [M]	in Xylol und Tetralin auch in der Wärme schwer mit braunroter Farbe löslich; nach Abkühlen der Lösung scheidet sich der Farbstoff wieder aus	5450 einseitige Absorption in Violett, beim Lösen stärker erhitzt 5010 5425 einseitige Absorption in Violett	6000 5185 4070 4670 einseitige Absorption in Violett, beim Lösen stärker erhitzt 5055 5475 starke einseitige Absorption in Violett	olivgrün	einseitige Absorption in Rotorangegelb und in Blauviolett	olivgrün	wie in Schwefelsäure
Indanthrenscharlach R Teig [B] Indanthrenscharlach R Pulver [M]	in Xylol und Tetralin auch in der Wärme wenig mit gelbroter Farbe löslich; aus Xylollösung scheidet sich der Farbstoff beim Abkühlen wieder aus	5770 5815 4805 4595	ungefähr 5815 5280 4810 4605	violett	6000 5505 5185 4880	violettblau	wie in Schwefelsäure
Cibanonolive G [J]	in Xylol auch in der Wärme wenig löslich, in Tetralin besser mit orangegelber Farbe löslich		ungefähr 5745 5235 4855	braunrot	6005 5295 4905	wie in Schwefelsäure	wie in Schwefelsäure

pe X.

mische.

Chemische Zusammensetzung	Verwendungsart	Anmerkung
Dibenzoyl-1.4-diaminoanthrachinon 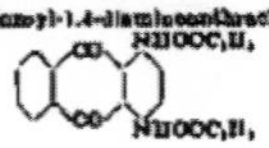	für Baumwolle	
	für Baumwolle und Druck	Spektrum der Ausfärbung nicht charakteristisch
	für Baumwolle und Druck	vgl. auch Eridanscharlach B in Schwefelsäure, S. 718
Konstitution unbekannt	für Baumwolle	Spektrum der Ausfärbung siehe den Schluß der Tabellen

Grup-
Ge-

Handelsname	Löslichkeit, Farbe der Lösung	Absorption		In Schwefelsäure		In Schwefelsäure-Borsäure	
		in Xylol	in Tetralin	Farbe	Absorption	Farbe	Absorption
Algolviolett B Pulver und Teig [By]	in Xylol und Tetralin mit rotvioletter Farbe und schwacher roter Fluorescenz löslich	6175 6045 5880 5596 5250	6205 6375 5785 5625 6275	blau	6905 [6395] 5985 [5545]	violettblau	6185 5685 5210 4880 [4590]
Indanthrendunkelblau BGO [B], [By], [M]	in Xylol und Tetralin mit gelbroter Farbe löslich	6005 5460 5075 4780 4476 konzentriertere Lösung außerdem 6605	6035 5405 5105 4805 4500 konzentriertere Lösung außerdem 6615	violett	5700 5325 [4905?] einseitige Absorption in Violett	violett	wie in Schwefelsäure
Indanthrendruckschwarz BR [B]	in Xylol und Tetralin mit gelbroter Farbe löslich	6020 5460 5000 4765 4410 konzentriertere Lösung außerdem 6606	6040 5495 [5110] 4785 4435 konzentriertere Lösung außerdem 6615	violettblau	5700 5310 [6105?]	violettblau	wie in Schwefelsäure
Caledon Vat Printing Black RR [SD]	in Xylol und Tetralin in der Wärme leicht mit roter Farbe löslich	6575 [6400] 6005 5400 5080 [4805] 4475	6595 [6425?] 6025 5495 5105 [4830] 4600	violettblau	5760 5345 [5105?]	violettblau	wie in Schwefelsäure
Indanthrengrau BTR Teig [B] früher Indanthrenfeldgrau BTR [B] Indanthrengrau RRH [B] früher Indanthrenfeldgrau RRH [B]	in Xylol und Tetralin in der Wärme mit gelbroter Farbe und schwacher gelber Fluorescenz löslich	4005 [4405]	4015 [4420]	braungelb	5100 5165 4785 4605	braungelb	wie in Schwefelsäure

pe X.
mische.

Chemische Zusammensetzung	Verwendungsart	Anmerkung
1-Benzoylamino-4,5,8-trihydroxyanthrachinon 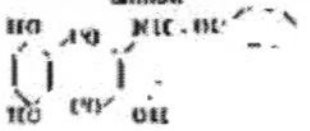	für Baumwolle, Seide und Baumwolldruck	Algolviolett B Teig gibt verwaschene Streifen beide Marken sind kein einheitliches Produkt vergleiche Algolschwarz RO (By) S. 230
	für Baumwolle	
	für Druck	
	für Druck	Ähnlich dem Indanthrendruckschwarz BB (B)
	für Baumwolle	Spektrum der Ausfärbung siehe den Schluß der Tabellen

Nach-

Grup-

Handelsname	Löslichkeit, Farbe der Lösung	Absorption in Xylol	Absorption in Tetralin	In Schwefelsäure Farbe	In Schwefelsäure Absorption	In Schwefelsäure-Borsäure Farbe	In Schwefelsäure-Borsäure Absorption
Cibanonbordeaux B [J]	auch in der Wärme schwer mit gelbroter Farbe löslich	4885 (mit einem Schatten links)	4925 (mit einem Schatten links)	olivgrün	verwaschener Streifen ungefähr 5045 einseitige Absorption in Violett	olivgrün	wie in Schwefelsäure
Grup-							
Indigosolviolett AZB [DH]	in Xylol und Tetralin mit violettblauer Farbe löslich	5975 5500	6005 5580	blaugrün	einseitige Absorption in Rot, Orangegelb und in Violett	blaugrün	wie in Schwefelsäure
Grup-							
Indanthrenbraun FFR [B], [By], [M]	in Xylol und Tetralin in der Wärme mit orangegelber Farbe löslich	ungefähr 5075 4825	ungefähr 5705 4645	rot	6115 5610 5225	rot	wie in Schwefelsäure
Grup-							
Indanthrengrün G [B], [By], [M]	auch in der Wärme nur gering mit schwachgrüner Farbe löslich	—	—	braungelb	5785 5405 einseitige Absorption in Violett	braungelb	wie in Schwefelsäure
Grup-							
Caledon Blue RC [SD] Single Paste Duranthrene Blue CC Powder [BD]	in Xylol und Tetralin auch in der Wärme fast unlöslich	—	(schwach grünblau ungefähr 6325)	braungelb	5810 5480 starke einseitige Absorption in Blau und Violett, rasch verdünnt außerdem [6075] ungefähr 4705	—	—

trag.

po II.

Chemische Zusammensetzung	Verwendungsart	Anmerkung

po III.

	für Druck	Pulver in Schwefelsäure gelöst: grünblau, einseitige Absorption in Rot, Orangegelb und in Violett

po V.

	für Baumwolle und Appreturfärberei	kein einheitliches Produkt. Spektrum der Auflösung wie bei dem Farbstoffe in Substanz

po IX b.

po IX c.

Trichlor-N-dihydro-1.2-1'.2'-anthrachinonazin	für Baumwolle	

Absorptionsspektren der Ausfärbungen [1].

Handelsname	Löslichkeit, Farbe der Lösung	Absorption in Xylol	Absorption in Tetralin	In Schwefelsäure Farbe	In Schwefelsäure Absorption	Anmerkung
		Gruppe II.				
Indanthrenbraun R [By], [M]	in Xylol und Tetralin mit braungelber Farbe in der Wärme löslich, beim Abkühlen der Lösung scheidet sich der Farbstoff aus	4645	4660	rot	[6185] 5625 5225	siehe S. [illegible]
Indanthrenbraun G [By]	in Xylol und Tetralin nur in der Wärme mit brauner Farbe löslich, beim Abkühlen der Lösung scheidet sich der Farbstoff wieder aus	ungefähr 4615 einseitige Absorption in Violett	ungefähr 4645 einseitige Absorption in Violett	braunrot	5505 5210	siehe S. [illegible]
		Gruppe III.				
Paradone Black Paste and Powder [H]	in Xylol und Tetralin auch in der Wärme schwer mit rotvioletter Farbe löslich	6015 5540	6005 5505	violett	5695 5260	siehe S. 716
Cibaviolett 3 R [J]	in Xylol und Tetralin mit violettroter Farbe löslich	direkte und entwickelte Ausfärbung: 5885 5455 gewalkt: 5870 5445	direkte und entwickelte Ausfärbung: 5905 5475 gewalkt: 5900 5405	grünlich-blau	einseitige Absorption in Rot, Orangegelb und in Violett	siehe S. 619
Cibagrau B [J] Cibagrau G [J]	in Xylol und Tetralin mit rotvioletter Farbe löslich	5865 5395	5860 5415	bläulich-grün	einseitige Absorption in Rot und in Violett	siehe S. [illegible]

[1] In diesen Tabellen sind die Absorptionsspektren der Ausfärbungen von solchen [illegible] angeführt, welche von den Absorptionsspektren der Farbstoffe gleicher Provenienz [illegible] abweichen. Ausfärbungen der englischen und amerikanischen Farbstoffe konnten [illegible] Lieferung nicht angeführt werden, da sie mir zur Zeit nicht zur Verfügung standen.

Handelsname	Löslichkeit, Farbe der Lösung	Absorption In Xylol	Absorption In Tetralin	In Schwefelsäure Farbe	In Schwefelsäure Absorption	Anmerkung
Indanthrenrotbraun R [B]	In Xylol und Tetralin mit orangegelber Farbe löslich	4925 4685	4945 4645	braun	einseitige Absorption in Blau, 5185 schwache einseitige Absorption in Blau, stärkere in Violett	siehe S. 748
Indanthrenbraun GG [By]	In Xylol und Tetralin mit orangegelber Farbe löslich	4725 4450	4755 4470	violettrot	6285 5015 6220	siehe S. 682

Gruppe IV.

Handelsname	Löslichkeit, Farbe der Lösung	Absorption In Xylol	Absorption In Tetralin	In Schwefelsäure Farbe	In Schwefelsäure Absorption	Anmerkung
Algolschwarz RO [By]	In Xylol und Tetralin mit braunroter Farbe löslich	5095 5525 schwache einseitige Absorption in Blau, stärkere einseitige Absorption in Violett	6025 5555 schwache einseitige Absorption in Blau, stärkere einseitige Absorption in Violett	grün	6535 6040 5595 schwache einseitige Absorption in Blau, stärkere einseitige Absorption in Violett	siehe S. 749
Katigenküpenblau G [By]	In Xylol auch in der Wärme nur wenig, in Tetralin leichter mit rotvioletter Farbe löslich	—	6005 5485	grünblau	stärkere einseitige Absorption in Rot, schwächere einseitige Absorption in Violett	siehe S. 690
Hydronblau BRF [C]	In Xylol und Tetralin mit blauer Farbe und roter Fluoreszenz löslich	einseitige Absorption in Rot ungefähr 5815 5365	einseitige Absorption in Rot ungefähr 5855 5105	olivgrün	6815 6445 5110 4715	siehe S. 691
Küpenbraun OG [C]	In Xylol und Tetralin mit orangegelber Farbe auch in der Wärme schwer löslich	ungefähr 4940 4630 [5235?]	4966 4660 [6265?]	braun	einseitige Absorption in Rot, starke einseitige Absorption in Violett	siehe S. 678

Handelsname	Löslichkeit, Farbe der Lösung	Absorption		In Schwefelsäure		Anmerkung
		in Xylol	in Tetralin	Farbe	Absorption	
Gruppe V.						
Hydronbraun G [C] Hydronbraun R [C]	in Xylol und Tetralin mit orangegelber Farbe löslich	5675 4685	5695 4665	rot	6110 5600 5225	siehe S. [illegible]
Gruppe VI.						
Indanthrenbrillantgrün GG [B], [By], [M]	in Xylol fast unlöslich, in Tetralin erst in der Wärme mit grüner Farbe wenig löslich	–	ungefähr 6575 6085 5575	violettrot	5845 5805 4935 einseitige Absorption in Violett	siehe S. [illegible]
Indanthrenblaugrün B dopp. Teig [M]	in Xylol nur schwer mit rosaroter Farbe löslich, beim Abkühlen der Lösung scheidet sich der Farbstoff aus; in Tetralin in der Wärme mit rosaroter Farbe leichter löslich	5635 5105 4780 einseitige Absorption in Violett	5590 5105 4815 einseitige Absorption in Violett	braunrot	5945 5505 5095	siehe S. [illegible]
Hydronbraun GB [C]	in Xylol und Tetralin mit rosaroter Farbe und roter Fluorescenz löslich	5470 4955 4540	5400 4905 4560	olivgrün	einseitige Absorption in Rot und Violett	siehe S. [illegible]
Gruppe VII.						
Anthragrün B [B] Indanthrengrün B [B]	in Xylol schwer mit grünlichblauer Farbe und roter Fluorescenz, in Tetralin mit blaugrüner Farbe und roter Fluorescenz schwer löslich	6605 5995 5555	6685 6065 5015	violett	5700 5305 4905 einseitige Absorption in Violett	siehe S. [illegible] und [illegible]
Indanthrenschwarz BGA [M]	in Xylol mit violettroter, in Tetralin mit violetter Farbe löslich	ungefähr 6020 5655 5316 einseitige Absorption in Violett	6030 5665 5235 einseitige Absorption in Violett	blauviolett	5705 5345 einseitige Absorption in Violett	siehe S. [illegible]

Handelsname	Löslichkeit, Farbe der Lösung	Absorption in Xylol	Absorption in Tetralin	In Schwefelsäure Farbe	In Schwefelsäure Absorption	Anmerkung
Hydronmarineblau C Teig [C]	In Xylol und Tetralin mit violetter Farbe und roter Fluorescenz löslich	6030 5580 5206	6050 5600 5220	blaurot	einseitige Absorption in Rot und in Violett	siehe S. 698
Cibanonschwarz B [J]	In Xylol und Tetralin auch in der Wärme mit roter Farbe und orangeroter Fluorescenz schwer löslich	6005 5535 5185 4825	6036 5575 5175 4865	braunrot	6790 6270 4095 einseitige Absorption in Violett	siehe S. 700
Indanthrengrau BTR Teig [B] früher Indanthrenfeldgrau BTR [B] Indanthrengrau RBH Teig [B] früher Indanthrenfeldgrau RBH [B]	In Xylol und Tetralin mit hellgrüner Farbe löslich	4930 4660 4390	4985 4695 4415	braungelb	5110 4785 4400	siehe S. 711

Gruppe VIII.

Handelsname	Löslichkeit, Farbe der Lösung	Absorption in Xylol	Absorption in Tetralin	In Schwefelsäure Farbe	In Schwefelsäure Absorption	Anmerkung
Indanthrenblau GC dopp. Teig [B]	In Xylol mit blauer Farbe, in Tetralin mit grüner Farbe auch in der Wärme schwer löslich	einseitige Absorption in Rot	einseitige Absorption in Rot	braungelb	5995 5446 [5120] 4796 4585	siehe S. 729
Indanthrenblau GT Pulver [By]	In Xylol auch in der Wärme schwer, in Tetralin leichter mit blauer Farbe löslich	einseitige Absorption in Rot [4600]	einseitige Absorption in Rot [4670]	braungelb	5935 5446 [5120] 4706 4686	siehe S. [illegible]
Hydrongelbolive GG [C]	In Xylol und Tetralin auch in der Wärme wenig mit orangegelber Farbe löslich	einseitige Absorption in Violett	einseitige Absorption in Violett	braunrot	6005 5230	siehe S. 710
Indanthrenblau GCD Teig [B]	In Xylol und Tetralin schwer mit blauer Farbe löslich	einseitige Absorption in Rot [4610]	einseitige Absorption in Rot [4650]	braungelb	5705 5400 [5105] 4800	siehe S. 728

Handelsname	Löslichkeit, Farbe der Lösung	Absorption in Xylol	Absorption in Tetralin	In Schwefelsäure Farbe	In Schwefelsäure Absorption	Anmerkung
Gruppe IX a.						
Indanthrengrün 4 B [M]	in Xylol und Tetralin auch in der Wärme unlöslich	–	–	blau	ungefähr 5705	siehe S. 711 und 739
Gruppe IX b.						
Cibanongrün B [J]	in Xylol und Tetralin auch in der Wärme unlöslich	–	–	braunrot	ungefähr 6875 5185 einseitige Absorption in Blau und Violett	siehe S. 720
Indanthrengrün GG [B], [By], [M]	in Xylol und Tetralin unlöslich	–	–	braungelb	ungefähr 5730 6325 starke einseitige Absorption in Blau und Violett	siehe S. 718
Indanthrenschwarz B [B]	in Xylol und Tetralin auch in der Wärme unlöslich	–	–	violettrot	5715 5415	siehe S. 698
Hydronolive GN [C]	in Xylol und Tetralin fast unlöslich	–	–	braunrot	5580 5210	siehe S. 719
Thioindigoolive B [K]	in Xylol und Tetralin auch in der Wärme unlöslich	–		braun	ungefähr 5685 4885	siehe S. 718
Gruppe IX c.						
Hydrongrün B [C] Hydrongrün G [C]	in Xylol und Tetralin auch in der Wärme fast unlöslich	–	–	grün	6800 6305 5705 5210 [4860] 4500 einseitige Absorption in Violett	Schwefelsäurelösung grün 6005 6395 5995 [5335] 4860 4705 einseitige Absorption in Violett siehe S. 700

Handelsname	Löslichkeit, Farbe der Lösung	Absorption in Xylol	Absorption in Tetralin	In Schwefelsäure Farbe	In Schwefelsäure Absorption	Anmerkung
Indanthrengrün BB [B], [By], [M]	In Xylol und Tetralin unlöslich	—	—	grün	einseitige Absorption im Rot 6295 5606 5205 [4803] 4595 einseitige Absorption im Violett	siehe S. 614
Indanthrenblau GCN [By]	In Xylol und Tetralin fast unlöslich	—	—	braungelb	6825 5960 [5120?] 4705 4585	siehe S. 722
Cibanongrün G [J]	In Xylol und Tetralin auch in der Wärme unlöslich	—	—	rot	6825 5860 4045 einseitige Absorption im Violett	siehe S. 718
Cibanonolive R Teig [J]	In Xylol und Tetralin unlöslich	—	—	rot	5810 5355 4935 einseitige Absorption im Violett	siehe S. 729
Indanthrenblau BCD [B]	In Xylol und Tetralin auch in der Wärme unlöslich	—	—	braungelb	5805 5435 [5115] 4785 4525	siehe S. 714
Hydronolive R [C]	In Xylol und Tetralin fast unlöslich	—	—	rot	[6089] 5675 6195	siehe S. 720
Indanthrenbrillantgrün 4 G dopp. Teig [M]	In Xylol und Tetralin unlöslich	—	—	violettrot	6905 5800 [4900] einseitige Absorption im Violett	siehe S. 640

48*

Algolblau FB [By]	In Xylol und Tetralin unlöslich			gelbgrün	5825 5165 4725	siehe S. 616
Indanthrenblau AG [By]	In Xylol und Tetralin unlöslich	–	–	olivgrün	5605 5105 4510	siehe S. 104

Gruppe X.

Indanthrengrau K [By]	In Xylol und Tetralin mit violetter Farbe löslich	6355 5875 5455 4995 einseitige Absorption im Violett	6305 5885 5455 4905 einseitige Absorption im Violett	braun	einseitige Absorption im Rot 6515 4995	siehe S. 130
Indanthrengrau GK [By]	In Xylol und Tetralin mit violettroter Farbe löslich	6325 5955 5445 4935	6345 5875 5405 4966	braun	unsichtbar 6515 4905	siehe S. 130
Indanthrendunkelblau BOA Teig [M]	In Xylol und Tetralin mit violetter Farbe und roter Fluoreszenz löslich, beim Abkühlen der Lösung scheidet sich der Farbstoff allmählich aus	5995 5535 [5140] 4895 einseitige Absorption im Violett	6035 5560 5175 [4825] [4045] einseitige Absorption im Violett	violett	5705 5315 4905	siehe S. 134

Handelsname	Löslichkeit, Farbe der Lösung	Absorption in Xylol	Absorption in Tetralin	In Schwefelsäure Farbe	In Schwefelsäure Absorption	Anmerkung
Indanthrendunkelblau BGO [B], [By], [M]	In Xylol und Tetralin mit violetter Farbe löslich	5995 5515 5130 [4805] schwache einseitige Absorption im Violett	6030 5560 5150 [4816] schwache einseitige Absorption im Violett	violett	5700 5325 [4905?]	siehe S. 741
Indanthrendunkelblau GDR [M]	In Xylol und Tetralin mit violettroter Farbe löslich	5975 5580 5140 4745 [4405]	6000 5535 5160 4700 [4480]	grau-violett	einseitige Absorption im Rot 5465 [5040?] starke einseitige Absorption im Violett	identisch mit Indophor A siehe S. 738
Indanthrenblau RC [B]	In Xylol und Tetralin in der Wärme mit blauer Farbe und roter Fluoreszenz löslich, beim Abkühlen der Lösung scheidet sich der Farbstoff aus	5955 5405 [5060] 4640	5990 5530 [5115] 4675	olivgrün	6810 5035 4745	siehe S. 696 und S. 710
Indanthrenbraun RT [By]	In Xylol und Tetralin mit roter Farbe löslich	5635 5250 4865	5680 5275 4885	rot	6220 6010 5215 einseitige Absorption im Violett	siehe S. 610
Indanthrendunkelblau BO Teig [M]	In Xylol und Tetralin mit violettroter Farbe und roter Fluoreszenz löslich	6000 5505 5105 einseitige Absorption im Violett	6050 5555 [5145] 5000 [4635?] einseitige Absorption im Violett	blau-violett	5755 5315 4905	siehe S. 734
Paradone Dark Blue Paste [K]	In Xylol und Tetralin mit violetter Farbe und roter Fluoreszenz löslich	6095 5480 5090 [4825?] [4515?]	6080 5520 5115 [4845?] [4535?]	violett	5760 5300 [4950]	siehe S. 738

Handelsname	Löslichkeit, Farbe der Lösung	Absorption		In Schwefelsäure		Anmerkung
		in Xylol	in Tetralin	Farbe	Absorption	
Helindondruckschwarz BG [M]	in Xylol mit roter Farbe und roter Fluoreszenz, in Tetralin mit violettroter Farbe und roter Fluoreszenz löslich	6035 5400 5090 4700 4455 konzentriertere Lösung außerdem [6595]	6005 5405 5110 4765 4475 konzentriertere Lösung außerdem [6615]	blau	6235 5700 5345 5115 einseitige Absorption im Violett	siehe S. 734
Indanthrenschwarz BB dopp. Teig [B], [By], [M]	in Xylol und Tetralin schwierig mit roter Farbe löslich	6855 [5905] 5315 4915 4680 einseitige Absorption im Violett	6005 5575 [5335] 4930 4605 einseitige Absorption im Violett	violett	ungefähr 5700 5340	siehe S. 707
Anthradruckschwarz BG [B]	in Xylol mit gelbroter, in Tetralin mit roter Farbe löslich	6015 5505 5135 4715 4435	6045 5560 5105 4745 4405	blauviolett	6235 5700 5315 5105 einseitige Absorption im Violett	siehe S. 734

Berichtigungen.

Seite 627, in der Spalte Anmerkung: siehe Indanthrenviolett BN, S. 670, streichen.

Seite 672, Thioindigorotblau R [K] ist nicht mehr im Handel.

Seite 670, statt: Indanthrenviolett RRK [B], [By], [M], Indanthrenviolett BN [B] früher: Indanthrenviolett RN extra [B] soll stehen:

Indanthrenrotviolett RRK [B] früher: Indanthrenrotviolett RRN [B].

Seite 710: In Anmerkung zum Farbstoff: Cibanondruckblau B [K] beifügen: Spektrum der Ausfärbung wie bei dem Farbstoffe in Substanz.

Anthrene Blue S, S. 720 einzureihen auf dieselbe Seite vor Indanthrenblau 3 GS.

Indanthrenblau 3 G, S. 721 einzureihen auf S. 722 nach Anthrene Blue 3 GX.

Indanthrendunkelblau BOA, S. 731 einzureihen auf S. 732 vor Anthrene Black BB.

Indanthrendunkelblau GBR auf Seite 738 einzureihen auf Seite 732 vor Paradone Violet Paste.

Algolviolett B auf Seite 744 einzureihen hinter Algolschwarz BO auf Seite 730.

Indanthrendunkelblau BCO, Indanthrendruckschwarz BR und Caledon Vat Printing Black BR auf Seite 744 einzureihen hinter Anthrene Black C Paste auf Seite 736.

Seite 744: Caledon Vat Printing Black BR statt Caledon Vat Printing Black RR.

Verzeichnis der Küpenfarbstoffe[1].

[1]) Farbstoffe ohne Angabe der Seitenzahl oder ohne eine anderweitige Angabe haben im sichtbaren Spektrum kein charakteristisches Absorptionsspektrum.

Seite

49*

Einteilung der Küpenfarbstoffe in Gruppen.

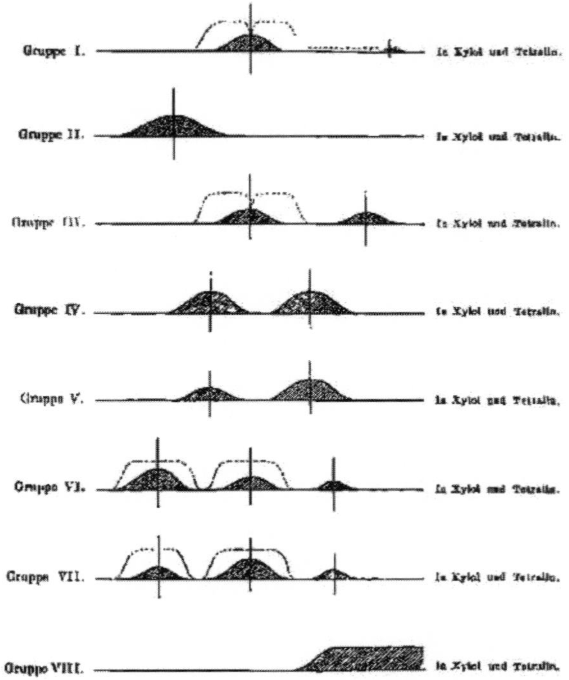
Gruppe I.
In Xylol und Tetralin.
Gruppe II.
In Xylol und Tetralin.
Gruppe III.
In Xylol und Tetralin.
Gruppe IV.
In Xylol und Tetralin.
Gruppe V.
In Xylol und Tetralin.
Gruppe VI.
In Xylol und Tetralin.
Gruppe VII.
In Xylol und Tetralin.
Gruppe VIII.
In Xylol und Tetralin.

Absorptionsspektren der Küpenfarbstoffe.

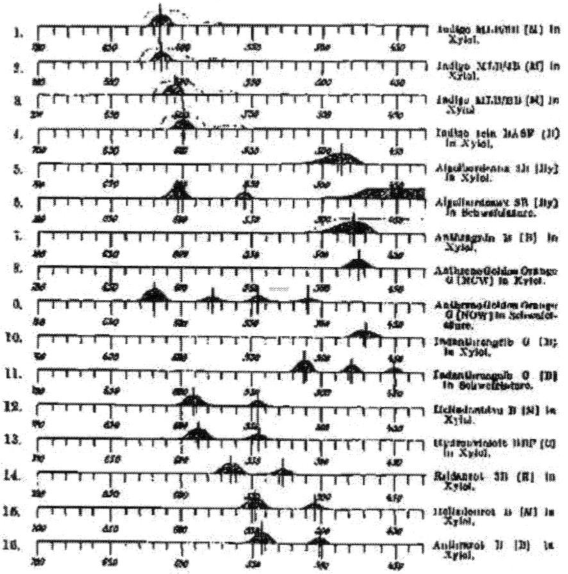

Absorptionsspektren der Küpenfarbstoffe.

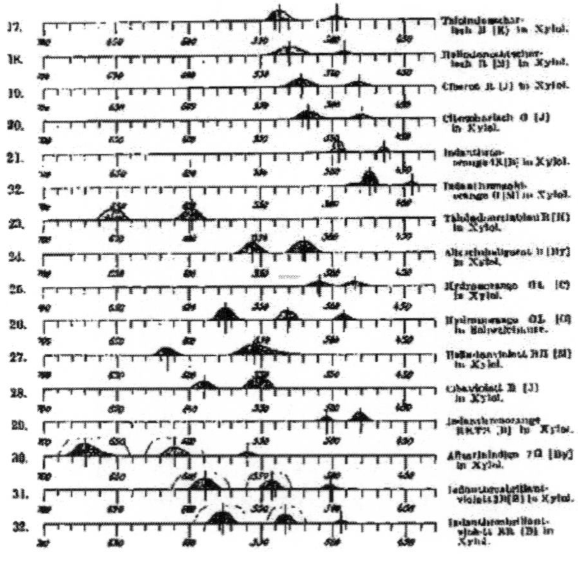

Druck:
Customized Business Services GmbH
im Auftrag der KNV-Gruppe
Ferdinand-Jühlke-Str. 7
99095 Erfurt